DE VLOEK VAN DE I

Abonneer u nu op de Karakter Nieuwsbrief.
Ga naar www.karakteruitgevers.nl en:
* ontvang maandelijks informatie over de nieuwste titels;
* blijf op de hoogte van speciale aanbiedingen en kortingsacties;
* én maak kans op fantastische prijzen!
www.karakteruitgevers.nl biedt informatie over al onze boeken,
Nova Zembla-luisterboeken en softwareproducten.

Philipp Vandenberg

De vloek van
de farao's

Karakter Uitgevers B.V.

Oorspronkelijke titel: Der Fluch der Pharaonen
© 1994 by Verlagsgruppe Lübbe GmbH & Co. KG, Bergisch
Gladbach
Vertaling: Ien Westerweel
© deze uitgave: 2007 Karakter Uitgevers B.V., Uithoorn
Omslag: Björn Goud
Omslagbeeld: Corbis
Opmaak binnenwerk: ZetSpiegel, Best

ISBN 978 90 6112 067 4
NUR 332

Inhoud

I

De vloek

'Weet u,' zei Gamal Mehrez, een stevige, beetje gedrongen man met borstelige wenkbrauwen en dikke lippen, 'er zijn soms van die vreemde toevallen in het leven.'

Ik had op 26 juli een ontmoeting met Gamal Mehrez in hotel 'Omar Khayyam' in Caïro. Het hotel lag aan de brug over de Nijl. Wij zaten bij het zwembad, dronken Campari – en spraken over de legendarische vloek van de farao's.

'U bent dus niet overtuigd van de kracht van deze vloek?' vroeg ik dr. Mehrez.

Mehrez, directeur van de Egyptische musea in Caïro, aarzelde. Men kon zien dat het antwoord hem niet gemakkelijk viel. Toen zei hij in zijn harde Caïro-Engels dat de meeste Egyptenaren met een Cambridge of Oxford verleden spreken: 'Tja, als je al deze mysterieuze sterfgevallen bij elkaar optelt, dan ga je onwillekeurig nadenken. Vooral waar er in de Oudegyptische geschiedenis wel enige vloeken voorkomen. Maar' – Mehrez lachte geforceerd –'ik geloof er niet in. Kijkt u maar naar mij. Ik heb mijn hele leven met mummies en faraograven te maken gehad. Ik ben toch het beste bewijs ervoor dat alles op toeval berust.'

Als leider van de Egyptische musea was Mehrez heer en meester over een buitengewoon lelijk bouwwerk dat uit de tijd rond de eeuwwisseling stamde. Dit gebouw herbergt 100.000 stukken, kostbaarheden uit de vele duizenden jaren geschiedenis van Egypte. Heel kleine scarabeeën, enorme stenen beelden van machtige farao's en boven, in zaal 52, twintig mummies, naar leeftijd en geslacht op volgorde gelegd, eerst de mannen, dan de vrouwen, goedkoop in glazen kisten voor een betalend publiek. Er zijn mensen die het aanzien van de grijnzende mummies met hun ontblote tanden niet kunnen verdragen. Zij verlaten de zaal met een enorme snelheid en zweet op het voorhoofd.

Vier weken na ons gesprek was dr. Gamal Mehrez dood. Hij stierf op tweeënvijftigjarige leeftijd. De doktoren constateerden een stoornis in de bloedsomloop.

Wat was echter het vreemdste aan de dood van Gamal Mehrez: Hij, die nog slechts een paar weken tevoren twijfels had geuit over de kracht van de vloek van de farao's, stierf op dezelfde dag waarop in zijn museum aan de Mariettestraat in Caïro verhuizers kwamen met enorme houten kisten om de sieraden en het gouden masker van de farao Toetanchamon in te pakken. De sieraden en het vijfentwintig pond zware masker van deze meer dan drieëndertighonderd jaar geleden gestorven farao – verzekeringswaarde 168 miljoen gulden – werden door twee bommenwerpers van de Royal Air Force naar Londen overgevlogen om daar op een tentoonstelling ter ere van de vijftigste verjaardag van de ontdekking van het graf van Toetanchamon, door de beide Engelsen Howard Carter en Lord Carnarvon, getoond te worden.

Toetanchamon is de hoofdfiguur van deze vloek die tot nu toe aan minstens drie dozijn geleerden het leven heeft gekost. Deze farao die maar negen jaar – van 1358 tot 1349 v.Chr. – regeerde, is geschiedkundig bekeken niet belangrijk. Hij kreeg echter betekenis omdat zijn graf ten eerste pas heel laat ontdekt werd en verder was het in tegenstelling tot alle andere faraograven niet geplunderd. Bovendien hield de vloek van de farao's voor het eerst ook geleerden bezig, omdat er een serie vreemde sterfgevallen plaatsvond na de ontdekking van Toetanchamon.

Ook al voor de opgraving van Toetanchamon stierven archeologen soms op vreemde wijze. Men zag dat als een soort noodlot. Tot de raadselachtige dood van Lord Carnarvon op 6 april 1923, die vele vraagtekens opriep.

Teneinde de ongewone wens te verklaren van een Britse lord om mummies en begraven schatten te ontdekken, moeten we ons wat intensiever in de persoonlijkheid van de Earl of Carnarvon verdiepen.

Carnarvon, geboren in 1866, was een typisch kind van het Merry

Old England. De eerste jaren van zijn leven bracht hij op Highclere door, het landgoed van zijn ouders. De lagere schoolkennis werd hem door een privéleraar bijgebracht. Vervolgens werd hij naar Eton gestuurd – zoals het een jonge lord betaamt. Op het Trinity College in Cambridge blonk hij uit in de paardensport en viel op door het feit dat hij een levende slang een heel semester lang in een lessenaar bewaarde.[32]

Op drieëntwintigjarige leeftijd moest Carnarvon na de dood van zijn vader het enorme familiebezit overnemen. Vanaf dit moment leidde hij het leven van een playboy – niet zozeer wat vrouwen betreft, maar meer op het gebied van de andere geneugten des levens.

Het auto-ongeluk

Lord Carnarvon was een pionier in de autosport. Hij had al diverse automobielen in Frankrijk voordat het gebruik ervan in Engeland toegestaan was. Wie had ooit gedacht dat het uitgerekend zijn automanie zou zijn die Lord Carnarvon de ontdekker van het graf van Toetanchamon maakte en slachtoffer van deze spectaculaire vloek.

Lady Burghclere, de zuster van Lord Carnarvon, vertelt:

Het gebeurde onderweg in Duitsland. Carnarvon en zijn trouwe chauffeur Edward Trotman die hem al meer dan achtentwintig jaar begeleidde, reden met grote snelheid over een kaarsrechte weg door een eindeloos woud naar Bad Schwalbach. Lady Carnarvon verwachtte haar echtgenoot daar.

Zowel voor als achter hen strekte de weg zich kilometerslang uit toen ze plotseling vanaf een heuveltje een uitholling zagen, die zo schuin hellend afliep dat hij pas op een afstand van ongeveer vijftien meter gezien kon worden; bovendien werd de weg beneden versperd door twee ossenwagens.

In de hoop er voorbij te kunnen komen, stuurde hij de auto scherp naar de kant van de weg. Daarbij kwam hij in een hoop stenen te-

---

* Deze cijfers verwijzen naar de corresponderende nummers in de bronnenlijst achter in dit boek.

recht; twee banden sprongen, de auto sloeg over de kop en viel op Carnarvon terwijl Trotman een paar meter meegesleurd werd...

Met de moed der wanhoop slaagde Trotman erin de lichte wagen opzij te krijgen en Carnarvon te bevrijden. Hij was echter bewusteloos en het leek of zijn hart niet meer sloeg. De eigenaars van de ossenkarren waren verdwenen maar Trotman zag in het veld twee arbeiders die een kan met water bij zich hadden. Zonder veel omhaal greep hij die kan en goot Lord Carnarvon de inhoud over het gezicht. Hierdoor kwam hij weer tot leven.[32]

Zover het verhaal van Lady Burghclere. Het staat vast dat Lord Carnarvon door dit ongeval een zware hersenschudding opliep. Hij was enige tijd blind, zijn gezicht was onherkenbaar gezwollen en hij had zijn pols gebroken. Bovendien had hij vele brandwonden.

De adellijke automaniak moest verscheidene operaties ondergaan, zijn gezondheid bleef echter slecht. Hij had moeilijkheden met ademhalen, vooral tijdens de Engelse winters.

In 1903 bracht hij voor het eerst de winter in Egypte door. Daar komt de vochtigheidsgraad bijna nooit boven de veertig procent. Een ideaal klimaat dus voor een herstellende zieke. Van nu af aan was Carnarvon practisch iedere winter aan de Nijl en aangezien hij een kunstzinnig mens was, begon hij zich meer en meer voor de archeologie te interesseren.

Tijdens de derde winter begon Lord Carnarvon deel te nemen aan opgravingen. Uiteraard zonder succes. Hij vroeg Sir Gaston Maspero, de directeur van het museum in Caïro, om raad. Deze verwees hem naar de Britse archeoloog Howard Carter, een man die weliswaar veel kennis van zaken en idealisme had, maar weinig geld.

Carter werkte sinds 1890 in Egypte. Als beheerder van de afdeling Oudheidkunde had hij reeds voor de Amerikaan Theodore Davis twee graven ontdekt in het Dal der Koningen, ten westen van Luxor.

Howard Carter en Lord Carnarvon zochten zeven jaar lang naar verborgen schatten. Alles wat ze tot 1912 uit de diepten van het rotsgesteente haalden, openbaarden ze vol trots en glorie in hun boek *Five years explorations at Theben*[31] (Vijf jaren onderzoekingen in Thebe). Maar het werk ging verder.

In het Dal moest nog een vergeten faraograf zijn, vermoedde Carter. Dat vermoeden was niet ongegrond. Theodore Davis had in een rotsspleet een aardewerk beker gevonden met de hiëroglyfen van Toetanchamon erop. Bovendien had hij een schachtgraf ontdekt, waarin de resten lagen van een houten kistje met gouden plaatjes die ook de naam van Toetanchamon droegen.

Davis maakte hieruit op dat hij het graf van Toetanchamon ontdekt had. Alleen Carter twijfelde eraan. Want, zo redeneerde hij volkomen juist, een koning uit de 18e dynastie kon onmogelijk op een dergelijke bescheiden manier begraven zijn. Tenslotte achtte men de koningen van het Middenrijk enorme rotsmonumenten waardig. En er was geen enkele reden waarom Toetanchamon in een dergelijk armoedig graf begraven zou zijn.

Iets anders bevestigde Carters overtuiging echter helemaal. Namelijk een nieuwe vondst van Theodore Davis. De Amerikaan ontdekte in een verstopte rotsspleet diverse aardewerk kruiken met scherven en linnen windsels. Maar hij had er na een vluchtig onderzoek slechts weinig verdere interesse in.

Pas bij een nader onderzoek door het Metropolitan Museum of Art te New York bleek dat de zegels en het textiel, die uit de kruiken kwamen, de naam en het jaartal van overlijden van Toetanchamon vermeldden, zoals later werd vastgesteld. Carter zag in deze overblijfselen benodigdheden die bij de begrafenis van Toetanchamon vereist waren geweest. Maar waar was nu zijn graf?

De archeologische ontdekking van de eeuw

Op de plaats waar Carter vermoedde dat het graf zich zou bevinden, was de Amerikaan Theodore Davis aan het graven. Hij had in 1902 toestemming van de Egyptische regering gekregen, hoewel de officiële instanties zich al lang niets meer van zijn opgravingen voorstelden.

Ten slotte had Giovanni Belzoni in 1820 zijn opgravingen op deze plaats opgegeven, omdat daar volgens zijn mening niets meer te vinden zou zijn. Toen Davis het in juli 1914 dan ook opgaf, was hij het volledig met hem eens. De opgravingsconcessie ging nu op Howard Carter en Lord Carnarvon over.

Natuurlijk wilden ze beiden direct met het werk beginnen. Toen brak de Eerste Wereldoorlog uit. Het duurde uiteindelijk nog drie jaar voor het grote avontuur in het Dal der Koningen kon beginnen.

Tot die tijd had niemand aantekeningen gemaakt, wie, waar, wanneer, waarnaar gegraven was. Carter stelde voor het graf van Toetanchamon in een driehoek tussen de graven van Ramses II, Merenptah en Ramses VI te zoeken. Hij volgde zijn instinct.

De winter ging voorbij met het wegruimen van grote puinhopen, die zich hier gevormd hadden tijdens vroegere opgravingen. Vlak bij de voet van het graf van Ramses VI vond Carter steenfundamenten van hutten van oude grafbouwers. Deze fundamenten bestonden uit grote vuurstenen. Tot nu toe was een verzameling vuurstenen altijd een zeker teken voor de nabijheid van een graf geweest.

In 1920 was de afgezette driehoek onderzocht – behalve het gedeelte met de fundamenten van de hutten. Carnarvon en Carter interesseerden zich voor een zijdal zonder dat ze daar grootse ontdekkingen deden. Ze hadden zes jaar naar iets gezocht, waarvan ze niet eens zeker wisten of het wel bestond. Zes jaar waarin ze zich dag in dag uit afvroegen of dit eigenlijk wel zin had. Zes jaar waarin iets ze voortdreef en liet doorzetten. En toen gebeurde alles opeens binnen vijf dagen.

28 oktober 1922. Howard Carter gaat zonder Lord Carnarvon naar Luxor. Hij werft arbeiders voor het graven.

1 november 1927. Carter begint in het Dal der Koningen met nieuwe opgravingen. Hij trekt een greppel van de noordoosthoek van het graf van Ramses VI naar het zuiden. De greppel loopt lijnrecht over de vuursteenfundamenten van de arbeidershutten.

4 november 1922. Carter komt, zoals iedere morgen, met zijn muilezel naar de plaats van de opgravingen. Hij is verbaasd over de ongewone stilte. De opzichter Rais Ahmed Gurgar komt opgewonden aanlopen: 'Sir, we zijn onder het fundament van de eerste hut op een rotstrap gestoten.'

5 november 1922. 's Middags zijn er vier treden blootgelegd. Er is geen twijfel meer mogelijk: ze leiden naar een rotsgraf. Maar wat zal het onthullen? Een farao? Zou het leeg zijn? Geplunderd? 's Avonds liggen er twaalf treden bloot. En dan komt er een verzegelde stenen

deur te voorschijn. Het zegel toont een jakhals en negen gestileerde gevangenen. Het zegel van de dodenstad in het Dal der Koningen. Het graf is blijkbaar nog niet geplunderd.

6 november 1922. Howard Carter geeft in Luxor het volgende telegram op aan zijn beschermheer Lord Carnarvon: 'Heb eindelijk prachtige ontdekking in 'Dal' gedaan. Fantastisch graf met onbeschadigde zegels. Tot uw aankomst alles weer toegedekt. Gefeliciteerd.'

8 november 1922. Lord Carnarvon stuurt kort na elkaar twee telegrammen: 'Ik kom zo snel mogelijk' En: 'Ik denk de 20e in Alexandrië te zijn.'

23 november 1922. Lord Carnarvon komt in Luxor aan. Hij is in gezelschap van zijn dochter Lady Evelyn Herbert.

24 november 1922. De afgeschermde toegang tot het graf wordt weer blootgelegd.

25 november 1922. De zegels worden gefotografeerd en verbroken. Er komt een schuin naar beneden lopende gang tevoorschijn. In het steengruis waar de gang mee vol ligt, worden verzegelde sloten en albast kruiken gevonden. Het ziet er naar uit dat het graf toch opengebroken en opnieuw verzegeld is.

26 november 1922. Tien meter na de eerste verzegelde stenen deur stoten de archeologen op een tweede. Naast de zegels van de dodenstad zijn nu ook zegels met de naam van Toetanchamon te herkennen.

Howard Carter schrijft in zijn boek *Toetanchamon – Een Egyptisch koningsgraf*[32] over de laatste opwindende uren het volgende:

Langzaam, tergend langzaam, zo leek het ons tenminste, werd het steengruis dat het onderste gedeelte van de deur versperde weggeruimd, totdat we eindelijk de gehele deur voor ons zagen. Het beslissende ogenblik was gekomen. Met trillende handen sloeg ik een klein gat in de linker bovenhoek. Duisternis en leegte toonden zo ver de ijzeren stang reikte die we er door staken, dat hetgene dat achter de deur lag, leeg was en niet opgevuld zoals de net uitgeruimde gang.

Er werden kaarsen aangestoken om te kijken of er mogelijk giftige gassen aanwezig waren; toen maakte ik het gat een beetje groter en stak een kaars naar binnen. Ik keek, terwijl Lord Carnarvon, Lady

Evelyn en Callender (een assistent) nieuwsgierig naast me stonden te wachten op het oordeel. Eerst kon ik niets zien want de hete lucht die uit de grafkamer stroomde deed de kaarsvlam flakkeren. Maar toen mijn ogen aan de belichting gewend waren, ontdekte ik in het duister van de grafkamer verschillende voorwerpen: eigenaardige dieren, beelden en goud, overal glanzend, stralend goud. Voor de anderen die naast mij stonden, moet het een eeuwigheid geleken hebben – ik was met stomheid geslagen.

Lord Carnarvon was de eerste die de spanning niet meer verdragen kon.

'Kun je iets zien, Carter?' fluisterde hij angstig.

'Ja,' zei Carter, 'prachtige dingen.'

Wat men hier in flakkerend licht zag, was sinds drieëndertighonderd jaar niet meer door mensenogen aanschouwd. Het was het mooiste en kostbaarste wat archeologen ooit uit de bodem hebben gehaald. Er stond een bokaal in lotusvorm van doorzichtig albast, links daarvan stonden verscheidene omgegooide wagens versierd met goud en glasintarsia. Daarachter een standbeeld van een koning met wijd opengesperde ogen, gouden lijkbaren, zwarte relikwieënkastjes, een gouden troon. Geen spoor van een doodskist of een mummie. Natuurlijk – dit alles was slechts de voorkamer tot het met onuitputtelijke schatten gevulde labyrint.

Carter en Carnarvon waren het volkomen met elkaar eens: dit was de meest sensationele vondst uit de wereldgeschiedenis. Ze zeiden het zonder te weten wat hun nog in de andere kamers van het graf te wachten stond.

De opening werd weer gesloten. Als geleerde met een sterk verantwoordelijkheidsgevoel bereidde Carter de opening van het graf tot in detail voor. Een van zijn eerste maatregelen was om in Caïro een ijzeren traliehek te bestellen. Dag en nacht bewaakte Callender met een ploeg mannen de ingang tot het graf. Maar zelfs dat leek Carter niet zeker genoeg. Hij liet de ingang weer dichtgooien.

Lord Carnarvon en Lady Evelyn reisden op 4 december naar Engeland terug om privéverplichtingen na te komen. Begin februari kwamen ze weer terug. Howard Carter had intussen niet stil gezeten.

Carter had alle beschikbare experts bij elkaar getrommeld: Harry Burton, een fotografisch deskundige, de tekenaars Hall en Hauser, Arthur C. Mace, een geleerde van het Metropolitan Museum of Art uit New York, die de opgravingen bij de piramiden van Lisht geleid had. Verder kwamen de schriftgeleerde prof. dr. Alan Gardiner, de zegelexpert prof. dr. Breasted en de directeur van de afdeling Chemie van het nationale museum te Caïro, Alfred Lucas.

Allereerst werd de muur naar de voorkamer van het graf van Toetanchamon doorbroken en de 8 x 3,60 m grote ruimte met zijn waardevolle vondsten onderzocht. Zoals reeds bij het onderzoek van het zegel gebleken was, was ook dit graf niet van plunderaars verschoond gebleven. De rovers hadden gelukkig maar een kleine toegang naar de schatkamer in het rotsgesteente gebroken, zodat ze maar kleine voorwerpen konden stelen. Dit alles gebeurde, kon men later vaststellen, al gauw na de bijzetting van de dode farao. Op deze manier is het ook te verklaren dat de grafschenners nieuwe zegels op de grafkamer aangebracht hadden om niet betrapt te worden.

Natuurlijk was deze grote archeologische ontdekking aan de westelijke oever van de Nijl bij Luxor niet geheim te houden. De *London Times* kreeg van de archeologen het alleenrecht van berichtgeving. De hele wereld sprak over de sensationele vondsten. Drie van elkaar onafhankelijke bewakingsgroepen, die door drie verschillende instanties opgesteld waren, hielden dag en nacht de wacht bij het graf van de farao. Want – was uitgelekt – men stond nog pas aan het begin van deze opgravingen. Howard Carter noteert: 'Totdat we met de voorkamer klaar waren, bevonden onze zenuwen zich in een vreselijke toestand, om van ons humeur maar te zwijgen.'

In de voorkamer werd elk voorwerp, op de plaats waar het gevonden was, gefotografeerd, getekend en voor conservering voorbereid.

In een ander al eerder leeg aangetroffen faraograf werd een laboratorium ingericht. En aan de lopende band kwamen er brieven en telegrammen binnen.

Raadgevingen voor het conserveren, vragen om een souvenir ('Voor een paar zandkorrels ben ik u al dankbaar'), gelukwensen, aanbiedingen om te helpen, familieaanspraken ('U bent toch die neef, die in 1893 in Camberwall woonde en van wie we sinds die tijd nooit meer iets gehoord hebben').

Onder de archeologen had zich echter nog om een andere reden een toenemende nervositeit verspreid. De oorzaak was een nietig 'os-

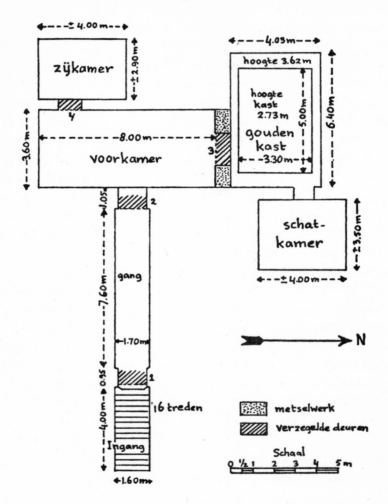

Dit is de plattegrond van het graf van Toetanchamon: een trap en een tien meter lange gang leiden naar de voorkamer waar Howard Carter het tablet met de fatale vloek erop vond. Rechts naast de voorkamer ligt de eigenlijke grafkamer van de jong gestorven farao.

trakon', een aardewerk tabletje dat Carter in de voorkamer had gevonden.

Het was eerst netjes geregistreerd, maar al een paar dagen later, nadat Alan Gardiner het hiëroglyfenschrift dat erop stond ontcijferd had, weer doorgestreept.

Het opschrift luidde:

DE DOOD ZAL HEM DIE DE RUST VAN DE FARAO
VERSTOORT MET ZIJN MACHTIGE VLEUGELEN VELLEN

Het zou onjuist zijn te veronderstellen dat Carter, Gardiner of andere geleerden toen bang voor de vloek zouden zijn geweest. De geleerden vreesden meer de neiging van de Egyptische arbeiders en hulpkrachten om in spookverhalen te geloven. En ten slotte waren de archeologen op Egyptische arbeidskrachten aangewezen.

Zo gebeurde het dat het aardewerk tabletje uit het protocol en het register verdween, maar niet uit de gedachten. Het wordt overal vermeld, maar is nooit gefotografeerd en gaat door voor spoorloos verdwenen. Veelbetekenend genoeg duikt deze vloek in een andere vorm voor de tweede keer op. En wel op de achterkant van een magisch figuurtje. Hier staat: 'Ik ben het die de grafschenner met de vlam van de woestijn terugwijst. Ik ben het die het graf van Toetanchamon beschermt.'

Dit figuurtje bevond zich in de hoofdkamer van het graf. En toen die eenmaal opgeruimd was, hoefden de archeologen niet meer bang te zijn voor onrust onder de Egyptische helpers. Ze waren bij het hoofddoel.

Vloeken ouder dan de Bijbel

Vloeken deed men in het oude Egypte, in tegenstelling tot vele andere oosterse beschavingen, vrij zelden. Als we aan de semitische vloeken uit het Oude Testament denken, die door iedereen tegen iedereen gericht werden, dan valt bij de Egyptische vloek een veelbetekenend verschil op: de vloekende of vervloekende is altijd de farao. Hij is gerechtigd zijn vloek uit te spreken, terwijl bij de Israëlieten de uitspraak van een vloek tegen God of koning verboden was en bestraft werd. Soms zelfs met de dood.

Zo zegt Thoetmoses I in de troonrede voor zijn dochter Hatsjepsoet: 'Hij die boze woorden spreekt, zoals "Vervloekt zij Uwe Majesteit", zal sterven.' Uit de processtukken van de haremsamenzwering tegen Ramses III blijkt dat de aangeklaagden voor het begin van het proces een vervloeking krijgen opgelegd, om de goddelijke bescherming van ze af te wenden en ze op die manier tot vijand van de goden te maken. Hiertoe behoort ook de in Egyptische verbanningsoorden nog steeds bestaande ritus de naam van een te vervloeken persoon op een aardewerk kruik te krassen en die kruik dan te breken.

Tabletten waarop vloeken staan zoals deze die uit het graf van Toetanchamon verdween, duiden als scheppers van de vloek ook de goden aan: de vloek van Osiris-Sokar, van de grote God, van de heer van Abydos, de vloek van Isis, van de grote godin..

Toen de directeur van het Egyptische Antiquiteitenbeheer, Engelbach, in de buurt van de piramide van Medoem een graf ontdekte, vond hij in de voorkamer een vloektabletje met de tekst: 'De geest van de dode zal de nek van de grafschenners omdraaien alsof het een ganzennek is.'

Hoewel op het vloektabletje sprake is van 'de geest van *de* dode', vond Engelbach *twee* doden in de kamer. Het ene lijk was gemummificeerd, het andere niet. De tweede dode was het slachtoffer van de vloek geworden, een grafschenner die door een steen uit het gewelf verpletterd werd, precies op het moment waarop hij de mummie van zijn sieraden wilde beroven.

Toeval of een technisch uitgeknobbelde val? Daarbij komt nog dat de Egyptenaren een zeer gelovig volk waren, mensen die voor het geloof aan geesten en wonderen openstonden, er volkomen in berustten. Hij, die de tijd wist waarop het water van de Nijl begon te wassen, was voor de Egyptenaren een God, geen geleerde. En aangezien de farao's zich door wijze mannen lieten omringen, wisten zij ook als eersten wanneer de Nijl weer buiten zijn oevers zou treden.

Maar hoe meer de Egyptische wetenschap verbreid werd, hoe bekender de kalender werd, ook bij de lagere takken van de bevolking, hoe meer men van mathematiek hoorde, van geometrie, van astronomie, hoe vaker men het systeem van kunstmatige irrigatie zag, des te verder verwijderde dit volk zich van zijn veelgodendom en geloof aan geesten. Reeds tegen het einde van het Oude Rijk dat met Zoser, Cheops en Teti nog wondermensen op de faraotroon meende te zien, zette het ontgoddelijken van de koningen in totdat de goden ten slotte totaal van de menselijke gouden tronen verdwenen.

Was het dus een wonder dat de ontwikkelde Egyptenaren wel aan een leven na de dood geloofden maar niet meer in een almachtig zijn van hun doden? En dat de priesters en magiërs de eens gevreesde vloeken met de technische wetenschap van hun tijd hielpen?

Als stenen uit de gewelven van het graf vielen bij het aanraken van een mummie, dan was dat geen toeval, maar een fraai stukje techniek, een even eenvoudige als doeltreffende manier om grafschenners van een met rijkdommen getooide persoon van het gemummificeerde lijf te houden.

Dat daarbij de kosten, die voor de rust van een farao gemaakt werden hoger waren dan de kosten voor de eeuwige vrede van een 'nederige' burger, is begrijpelijk. Want in tegenstelling tot normale stervelingen konden de farao's al tijdens hun leven er voor zorgen dat hun lichaam na de dood met alle wereldse pracht omgeven werd en voor het nageslacht bewaard. En als de vloek van de farao's zich juist bij deze koning, die voor zijn grafrust het minst had kunnen zorgen, het meest doeltreffend toonde, dan is daar een eenvoudige verklaring voor: de begrafenis van Toet was een zaak van priesters en magiërs. Want Toetanchamon stierf op achttienjarige leeftijd. En hij stierf een gewelddadige dood.

Dertien van de twintig zullen sterven

Maar dit alles was nog niet bekend toen Howard Carter en Lord Carnarvon op 17 februari 1973 met de opening van de hoofdkamer van het graf van Toetanchamon begonnen.

Niemand van het twintigtal stafleden, dat zich op deze warme februaridag zo rond 14.00 uur in de naar beneden leidende gang had verzameld, wist of men in de hoofdkamer werkelijk de mummie van de farao zou vinden. En ook niemand wist dat er weldra dertien van de twintig dood zouden zijn.

Howard Carter noteert in zijn opgravingsprotocol:

Volgens afspraak troffen allen, die uitgekozen waren om bij het grote gebeuren aanwezig te zijn, zich om twee uur bij het graf. Dit waren o.a. Lord Carnarvon, Lady Evelyn Herbert, de minister van Openbare Werken, excellentie Abd El Halim Pascha Suliman, de directeur van het Antiquiteitenbeheer, Lacau, Sir William Garstin, Sir Charles Tust, de leider van de afdeling Egyptologie van het Metropolitan Museum van New York, Lythgoe, prof. Breasted, dr. Alan Gardiner, Winlock, Mervin Herbert, Richard Bethell, de hoofdinsp. van het Antiquiteitenbeheer, Engelbach, drie Egyptische inspecteurs van het Antiquiteiten Beheer, de afgevaardigde van de regeringspers en de leden van onze staf – in het geheel ongeveer twintig personen.[32]

Carter noemt maar dertien personen in zijn opsomming. Een nalatigheid die begrijpelijk lijkt als men de gebeurtenissen voor en na deze gedenkwaardige dag in ogenschouw neemt. Tot de door Carter genoemde Egyptische inspecteurs hoorden de gouverneur van de provincie Bey Fahmy en de opperbevelhebber van het Egyptische leger Sir Lee Stack Sirdah. Tot de archeologische staf behoorden de assistenten Astor, Bruère en Callender en de twee geleerden Alfred Lucas en Arthur Mace.

In afwachting van datgene dat zou komen had men in de voorkamer stoeltjes neergezet. De beide levensgrote beelden bij de ingang naar de voorkamer waren met houten planken bedekt. Ook had men elektrisch licht in de kamer aangelegd. Voor de stenen deur was een platform gemaakt waar Carnarvon en Mace op stonden om beurtelings de stenen, die Carter met hamer en beitel uit de muur brak, aan te kunnen nemen.

Nadat hij een gat ter grootte van een kinderhoofd in de muur had gebeiteld, verlichtte Carter met een elektrische lamp de duisternis voor hem. Het blinkende goud schitterde de archeologen die dicht bij Carter stonden tegemoet. Een gouden muur voor zover men kon zien.

Vóór het verdere werk stopten ze een matras door de opening tegen de muur aan, zodat neervallend gesteente geen schade aan zou kunnen richten.

Toen Carter eindelijk na twee uur lang steen voor steen uit de wand te hebben gehaald de bodem bereikt had, moesten ze het werk onderbreken. De archeologen moesten eerst de parels van een ketting verzamelen die kennelijk door grafschenners kapotgemaakt was en daarna vergeten.

Toen de opening in de wand zo breed was dat er een mens doorheen kon, zag men wat er in deze kamer te vinden was. In het gewelf, 5 x 3,30 m groot en 2,73 m hoog, stond een gouden kast, die aan de vier kanten van de kamer nog maar 65 cm ruimte overliet. Deze kamer lag iets dieper dan de ingang.

Howard Carter droeg die dag een donker pak: zijn colbertje had hij bij het begin van het beitelwerk al uitgetrokken. Nu liet hij zich in de hoofdkamer neer. Lord Carnarvon en Lacau volgden hem.

Met behulp van een lamp tastten de mannen zich door de smalle gang tussen de rotswand en de gouden kast. Voorzichtig, stap voor stap gingen ze verder, steeds met de mogelijkheid rekening houdend dat ze in een valkuil zouden kunnen stappen. Die werden in de meeste faraograven in het Dal der Koningen aangetroffen.

Carter ontdekte aan de smalle kant van de kast twee vergrendelde deuren zonder zegel. Gezien de vorige ervaringen moesten de grafschenners ook deze kast opengebroken hebben. Behoedzaam openden de mannen de deuren. Ze lieten zich openmaken alsof ze net gemaakt waren – licht en geruisloos.

In de kast stond een tweede kast, met eenzelfde grendel als de eerste. De archeologen huiverden toen ze dit zagen: de grendel had onbeschadigde zegels. Er was geen twijfel aan dat de grafschenners niet verder waren gegaan. Wat achter deze deur verborgen was, was sinds de dood van de farao niet meer door mensenogen aanschouwd.

'Ik geloof,' zo schreef Carter in zijn aantekeningen, 'dat we op dat moment het zegel helemaal niet wilden verbreken, want bij het openen van de deuren voelden we ons als indringers... In onze verbeelding zagen we de deuren van de kasten de een na de ander vanzelf opengaan tot de binnenste ons de koning zelf zou onthullen. Zorgvuldig en zo zachtjes mogelijk deden we de grote deur weer dicht...'[32]

Dit zijn niet de woorden van een groot en nuchter geleerde: dit zijn de woorden van een man die een directe getuige en ontdekker van een stuk wereldgeschiedenis is.

De voorbereidingen om de dode farao te bergen werden moeilijk. Wederom werd de toegang tot de rotsgroeve dichtgegooid. Lord Carnarvon reed terug naar Caïro, waar hij een suite in hotel 'Continental' gereserveerd had voor de duur van de opgravingen.

Het einde van Lord Carnarvon

Begin april ontving Carter in Luxor het bericht: 'Lord Carnarvon is zwaar ziek.' Hij schonk geen buitengewone aandacht aan het telegram. Pas toen hij het tweede bericht kreeg: 'Lord Carnarvon is ernstig ziek. Hoge koorts,' reisde Carter naar Catto.

Over hetgeen dan geschiedde, geeft de zoon van Lord Carnarvon, die tegenwoordig op het familiebezit Highclere woont de volgende informatie: de zesde graaf van Carnarvon, gedrongen, breedgeschouderd en zelfbewust, zegt: 'Yes, it's quite a story. – Ja het is een heel verhaal.'

De jonge lord was op reis in India terwijl zijn vader bezig was Toetanchamon uit te graven. Na het bericht van de ziekte van zijn vader nam hij direct het eerste schip naar Egypte. De ziekte van zijn vader begon vreemd. 'Ik voel me verschrikkelijk,' had de zevenenvijftigjarige lord op een morgen bij het ontbijt vastgesteld. Toen had hij al 40° koorts. Er volgden koude rillingen. De volgende dag voelde Carnarvon zich weer een stuk beter. Maar de hoge koorts kwam terug. Dit ging zo twaalf dagen achter elkaar. De doktoren stelden vast dat Lord Carnarvon zich bij het scheren gesneden had. Hij zou een muggenbeet met het mes opengesneden hebben. Maar dat kon toch onmogelijk de oorzaak van die lang aanhoudende koortsen zijn, vonden de doktoren.

De jonge Lord Carnarvon herinnert zich: 'Toen ik in Caïro aankwam, reed ik direct naar hotel Continental. Vader was bewusteloos. Howard Carter was er. En Lady Almina, mijn moeder. Die nacht, om tien voor twee, werd ik wakker gemaakt. De zuster kwam en vertelde dat vader gestorven was. Moeder was bij hem. Ze had zijn ogen toegedrukt. Toen ik de kamer binnenkwam, gingen plotseling alle lichten uit. Er werden kaarsen aangestoken. Na drie minuten ging het licht weer aan. Ik nam mijn vaders hand en bad.'

De zuster van Carnarvon, Lady Burghclere vertelt dat haar broer over Toetanchamon geijld had. Ze schrijft in haar memoires: 'Zijn laatste woorden waren: "Ik heb zijn roep gehoord, ik volg hem..."'

En de zoon van Carnarvon zegt: 'Voor de stroomuitval in heel Caïro was geen verklaring. Bij navraag bij de elektriciteitscentrale bleek dat er zowel voor het plotseling ophouden van de stroom als voor het plotseling weer werken ervan geen enkele natuurlijke verklaring bestond.'

De zoon vertelt verder: 'Vader stierf kort voor tweeën, Caïro tijd. Zoals ik later hoorde, gebeurde er hier op Highclere, vlak voor vier 's morgens Londense tijd, dat is dus om precies dezelfde tijd, iets vreemds. Onze foxterriër, een hond die in 1919 bij een ongeluk zijn linkervoorpoot verloor en waar mijn vader bijzonder op gesteld was, begon opeens te janken, ging op zijn achterpoten staan en viel dood neer.'

Nu pas spraken geleerden en ook de kranten over de vloek van de farao's en over de gevonden vloek die weer spoorloos verdwenen was. Er ontstond paniek toen in datzelfde jaar nog twee mensen die met Toetanchamons opgraving te maken hadden gehad, overleden.

De Amerikaanse archeoloog Arthur C. Mace was door Howard Carter om hulp gevraagd. Hij was het die het laatste stuk muur naar de hoofdkamer van het graf kapotsloeg. Na de dood van Carnarvon klaagde Mace over een voortdurend toenemend gevoel van uitputting; ten slotte raakte hij bewusteloos. De doktoren konden deze toestand niet verklaren en hij stierf in hetzelfde hotel als Lord Carnarvon.

De dood van Carnarvon was er de oorzaak van dat een vriend, die hij al vele jaren kende naar Egypte kwam. Het was de Amerikaanse multimiljonair George Jay-Gould. Jay-Gould reisde van Caïro naar Luxor en het Dal der Koningen opdat Carter hem de sensationele ontdekking van het graf van de farao zou laten zien. De volgende morgen werd de Amerikaan door zware koortsen overvallen. 's Avonds was hij dood. De doktoren stelden na de plotselinge dood van Jay-Gould ten slotte een schijn-diagnose: builenpest.

De mysterieuze sterfgevallen gingen door: terwijl Carter zijn archeologisch werk in het graf van Toetanchamon voortzette, kwam de Engelse industrieel Joel Woolf onder dezelfde omstandigheden als Carnarvons vriend Jay-Gould om het leven. Nadat hij het graf bezichtigd had, voer hij met een schip terug naar Engeland en overleed aan zware koortsen.

In 1924 stierf de röntgenoloog Archibald Douglas Reed. Hij had als eerste de mummiewindsels van de dode farao doorgesneden en het lijk doorgelicht. Niet lang hierna kreeg hij vreemde zwakteaanvallen. Na zijn aankomst in Engeland overleed Reed.

Het raadsel uit de twintigste eeuw

Tot 1929 stierven er niet minder dan tweeëntwintig mensen die met het graf van Toetanchamon of met het wetenschappelijke werk over Toetanchamon in aanraking gekomen waren een voortijdige of onverklaarbare dood. Dertien van de tweeëntwintig doden waren bij de opening van het graf persoonlijk aanwezig geweest.

Deze doden zijn de geleerden prof. Alan Gardiner, prof. dr. Breasted, de professoren Winlock, Foucart en La Fleur, de archeologen Garry Davies, Harkness en Douglas Derry, de assistenten Astor en Callender.

In 1929 sterft de vrouw van Lord Carnarvon, Lady Almina, zogenaamd na een insectenbeet. In hetzelfde jaar overlijdt ook de secretaris van Howard Carter, Richard Bethell, onder omstandigheden die het toppunt van deze angstaanjagende serie vormen; men vindt Bethell op een morgen dood in bed: stoornissen in de bloedsomloop. Als zijn achtenzeventigjarige vader, Lord Westerbury, over de dood van zijn zoon hoort, stort hij zich van de zevende etage van zijn huis in Londen. De lijkauto met het stoffelijk overschot overrijdt op weg naar het kerkhof een jongetje.

'De dood zal hem die de rust van de farao verstoort met zijn machtige vleugelen vellen.' – Wat is er met deze vloek aan de hand? Kan een mens of een vergoddelijkt wezen met zijn wil het levensritme van andere mensen beïnvloeden, misschien zelfs tot stilstand brengen met methoden die door innig religieuze mystici of hoogbegaafde geleerden ontdekt werden en door de mensheid weer vergeten zijn?

Waren het vergiften die hun werking duizenden jaren lang behielden, vergiften waarmee de onsterfelijk lijkende farao's hun van ingewanden ontdane en vergulde lichamen voor menselijke aanraking wilden behoeden?

Waren het stralen van vreemde chemische elementen of metalen die deze halfgoden in hun op paleizen lijkende rotsgraven beschermden? Of waren deze en masse optredende vreemde sterfgevallen aan de echtheid waarvan niemand twijfelt, werkelijk slechts puur toeval?

2

De dood en het toeval

Er zijn twee mogelijkheden om de voorgaande gevallen te verklaren. De ene is blind fatalisme, overgave aan het noodlot. Ongetwijfeld veel moeilijker is de tweede mogelijkheid, namelijk een hypothese op te stellen over de fenomenen die op het eerste gezicht in geen wetenschappelijk kader passen. We willen ons aan talrijke geleerden spiegelen en de tweede mogelijkheid nemen.

Wat men gewoonlijk toeval noemt, wordt in de wetenschap 'coïncidentie' genoemd. Vooral parapsychologen houden zich bezig met coïncidentie. De Zwitserse psycholoog Jung, een van de eersten die zich puur wetenschappelijk met dingen bezighield die buiten de zintuiglijke waarneming en fysische ervaring liggen, zegt hierover in zijn *Dynamik des Unterbewussten:*

Ik kwam vaak in aanraking met dit soort fenomenen en kon me er vooral van overtuigen hoeveel ze voor het onderbewuste van de mens betekenen. Het gaat immers meestal over dingen die men niet hardop zegt om niet bespot te worden.[95]

Een bekend onderzoeker van het toeval was de Oostenrijkse bioloog Paul Kammerer die in 1919 zijn belangrijke boek *Das Gesetz der Serie*[97] publiceerde. Hij had er meer dan tien jaar aan besteed om toeval en voorbeschikking in verband met de dood te onderzoeken. In 1926 pleegde Kammerer zelfmoord – hij kon het niet verdragen ervan verdacht te worden een wetenschappelijke proef te hebben uitgebuit. De uitbuiting van deze wetenschappelijke proef stamde – zoals later bleek van 'goede vrienden'.

Een landgenoot van Kammerer, Ernst Mally, professor aan de universiteit te Graz, leverde in 1938 een bijdrage tot de op de waarschijnlijkheidstheorie berustende basis van de natuurwetenschap met zijn boek *Wahrscheinlichkeit und Gesetz*.[120] Ook de Amerikaan Warren Weaver werkte op dit gebied; met zijn boek *Die Glücksgottin, der Zufall und die Gesetze der Wahrscheinlichkeit*[170] baarde hij in 1964 opzien. De nieuwste bijdrage tot dit thema werd door Arthur Koestler geleverd. In een van zijn laatste boeken probeert hij met de nauwkeurigheid van een geleerde *Die Wurzeln des Zufalls*[101] te ontrafelen.

Hoewel de wetenschappelijke onderzoekingen naar het toeval nog in de kinderschoenen staan, houdt de mensheid zich al duizenden jaren met dit fenomeen bezig. Het gaat terug tot de astronomische kennis van de Egyptenaren en Babyloniërs die in de stand van de sterren het eerst een periodiciteit ontdekten en vaststelden dat er een zeker verband bestond tussen de baan van een ster en de levensloop van een mens.

Ook al waren hun eerste onderzoekingen nog oppervlakkig en onnauwkeurig, toch kunnen de oude Egyptenaren zich erop beroemen de eerste sterrenbeeldencatalogi en jaarboeken over de stand van de sterren (efemeriden) opgesteld te hebben. Sirius of Sothis, zoals hij in het oude Egypte werd genoemd, was de ster die met zijn opkomst aan de ochtendhemel het overstromen van de Nijl aankondigde. Deze komst van Sothis was in het begin een onverklaarbaar toeval voor de Egyptenaren, een goddelijke voorbeschikking; maar toen honderden jaren lang na iedere komst van Sothis een overstroming van de Nijl gevolgd was, zag men hierin geen toeval meer maar causaal verband.

Tellurische waarnemingen stellen tenslotte de mensheid al eeuwenlang voor vragen over het toeval waarvan vele, doch niet alle, met behulp van bekende wetenschappen opgelost konden worden.

In de oudheid, reeds voor Christus' geboorte, kende men een verschijnsel dat de mens toen met eerbied en verbazing vervulde: de golvenperiode. De Griekse dichters Aeschylus en Euripides gebruikten al de benaming TPIKYMIA, hetgeen vertaald kan worden als het 'driegolven-effect'. Dit effect is aan het strand en zelfs aan de oever van grote meren waar te nemen: nadat er omstreeks tien golven van ongeveer dezelfde hoogte zijn komen aanrollen, komen er drie die aanzienlijk hoger zijn dan de vorige. Het is niet aan te nemen dat iemand dit verschijnsel dat, voor zover ik weet, ook heden nog niet volledig verklaard is onder toeval zal willen rekenen – alleen omdat het natuurkundig niet gerangschikt kan worden.

De mathematische coïncidentie

Als we het toeval mathematisch gaan bekijken, dan verliest het veel van zijn onberekenbaarheid. Wanneer we een muntstuk in de lucht gooien, dan komt kruis of munt boven. Theoretisch bekeken bestaat nog de mogelijkheid dat het op zijn kant blijft staan. Deze laatste mogelijkheid zullen we echter uitsluiten, omdat er maar een zeer geringe kans op is en het zou de volgende waarschijnlijkheidsberekening onnodig gecompliceerd maken.

De kans om met één keer gooien 'kruis' boven te krijgen is 1 : 2.

Twee keer gooien kan het volgende resultaat geven:

Kruis – kruis
kruis – munt
munt – kruis
munt – munt

Andere uitkomsten zijn onmogelijk. Breiden we het onderzoek uit tot drie keer gooien, dan krijgen we acht mogelijkheden:

Kruis – kruis – kruis
kruis – kruis – munt
kruis – munt – kruis
kruis – munt – munt
munt – kruis – kruis
munt – kruis – munt
munt – munt – kruis
munt – munt – munt

In zijn onderzoekingen naar filosofie en positieve wetenschap die hij publiceerde onder de titel '*Die Gleichformigkeit in der Welt*'[121] noemt

Karl Marbe het eerste en laatste resultaat van de serie, dus drie keer gooien met dezelfde uitkomst 'de zuivere groep' en de onregelmatige uitkomsten 'de normale groep'. Want hoe gelijkmatiger het resultaat van het gooien is, des te dichter komt het bij de serie, maar het wordt ook vreemder en onwaarschijnlijker.

Tien keer gooien met een muntstuk kan theoretisch resulteren in tien keer 'kruis'. Als we letters gaan plaatsen voor het aantal gevallen of handelingen, dan is de waarschijnlijkheid van het gebeuren $1 : n$. Bij een keer gooien met een muntstuk (met twee zijden) dus $1 : 2$. Het aantal mogelijkheden wordt in dit geval in de formule $2n$ weerspiegeld.

Zoals hierboven staat betekent dat bij drie keer gooien 2^3 aan mogelijkheden, dus acht verschillende oplossingen. De kans dat het muntstuk na 28 keer gooien 28 maal met kruis naar boven komt te liggen is:

$$1 : 2^{28} - 1 : 268.435.456$$

Veel ingewikkelder wordt het als er meer dan twee mogelijkheden het resultaat van een handeling beïnvloeden; Warren Weaver vertelt over een geval dat op 1 maart 1950 in Beatrice, Nebraska, gebeurde.[170]

's Avonds zou er in het kerkje van die stad een kooroefening gehouden worden. Er was afgesproken om 19:20 uur te beginnen. Maar het toeval wilde dat er om 19:25 uur nog geen van de vijftien koorleden aanwezig was. De dominee en koorleider was er niet, omdat hij op zijn vrouw wachtte die nog bezig was de jurk van haar dochter, die ook in het koor zong, te strijken. Twee vrouwen kregen – onafhankelijk van elkaar – pech mét de auto op weg naar de kerk; een schoolmeisje kwam niet op tijd met haar huiswerk klaar. Twee andere meisjes waren zo verdiept in een hoorspel over de radio dat ze de kooroefening vergaten. Een moeder en haar dochter hadden een dutje gedaan en zich verslapen. Allemaal heel redelijke argumenten dus voor het feit dat er om 19:25 uur nog geen mens in de kerk was.

Deze redelijke argumenten worden opeens echter in een heel ander licht geplaatst: want om 19:25 uur, 5 minuten dus na de vastgestelde tijd van het begin van de kooroefening, werd de kerk van Beatrice door een enorme gasexplosie in een puinhoop herschapen. Is het te laat komen van deze vijftien mensen een beschikking van het lot? Hadden ze een voorgevoel? Of is het werkelijk puur toeval dat deze mensen nog in leven zijn?

Weaver, de onderzoeker van het toeval, komt in dezen tot de volgende uitkomst: de kans is 1 : 1.000.000 dat alle tien redenen voor te laat komen op één avond tegelijktijdig optreden. Hij stelt als gemiddelde vast: te laat komen, kwam bij alle koorleden ongeveer een op de vier keer voor. Aangezien echter bij alle koorleden het te laat komen op dezelfde dag viel, staat de waarschijnlijkheid voor ieder afzonderlijk (l: 4)^{10}.

De overeenkomst van voorbeschikkingen in het karakter wordt door de meeste geleerden op het gesternte geschoven. Dat is zonder twijfel de gemakkelijkste en meest verbreide theorie. Weliswaar hebben er twaalf mensen op de maan rondgelopen, maar de invloed van de maan op de aarde is nog steeds niet volledig doorgrond. Het verband tussen de maan en de getijden van de zee is geaccepteerd, maar de invloed op ons leven is nauwelijks bekend. De correlatie tussen zonnevlekken en klimaat is onderzocht, maar de invloed van zonnevlekken op het uitbreken van epidemieën of internationale conflicten is tot nu toe alleen maar door Russische kosmobiologen[73] bevestigd.

De geleerden Lunatscharski en Semaschko hebben solaire cyclussen met een zeven-, elf-, vijfendertig-, en tachtigjarig ritme vastgesteld.

Magnetische stormen laten tijdens deze perioden zelfs elektrische netwerken uitvallen; statistische onderzoeken hebben aangetoond dat er een opmerkelijke verhoging aan psychosen, verkeersongelukken, zelfmoorden en 'natuurlijke' sterfgevallen was.

Dodelijke ritmen

Op 2 oktober 1970 verongelukten de Duitse toneelspeelster Grethe Weiser en haar man dr. Hermann Schwerin met hun auto op een kruising in Oberbayern. De tragische dood van deze geliefde toneelspeelster is voor ons daarom zo interessant, omdat zowel de toneelspeelster als haar man op de 2e oktober in een bijzonder slechte lichamelijke conditie verkeerden. In ieder geval werd dit door geleerden beweerd, die zich met bioritme bezighouden, een even verbluffende als omstreden leer die van de volgende hypothese uitgaat:

Met de geboorte begint bij de mens een levensritme van zijn lichamelijke, psychische en geestelijke krachten. De amplitudes van deze ritmen geven telkens een hoogtepunt en een dieptepunt aan dat invloed heeft op het prestatievermogen en de stemming. Het levensritme wordt zo gecompliceerd omdat die drie ritmen een onderling verschillende duur hebben. Een fysieke periode duurt bijvoorbeeld 23 dagen, een psychische 28 dagen en een geestelijke 33 dagen.

De mens is dus om de 23 dagen lichamelijk bijzonder goed in vorm, om de 28 dagen psychisch op zijn best en om de 33 dagen op zijn hoogtepunt wat geestelijke prestaties betreft. Uit het op- en afgaan volgt ook dat in hetzelfde ritme dieptepunten van lichamelijke, psychische en geestelijke krachten optreden. Bioritme-onderzoekers rekenden na het ongeluk van de toneelspeelster Grethe Weiser en haar man aan de hand van hun geboortedata de curve van hun levensritme uit voor de 2e oktober 1970. En toen werd het vermoeden van de geleerden bevestigd: Grethe Weiser en haar man reden op een dag hun dood tegemoet waarop ze 'toevallig' beiden op een lichamelijk dieptepunt aangeland waren. Toeval?

De door de Berlijnse arts Wilhelm Fliess opgestelde bioritmische theorieën zijn omstreden, hoewel opmerkelijk veel artsen aanhangers van deze leer zijn. Door tegenstanders van de bioritmiek worden positieve en negatieve verschijnselen als autosuggestie afgedaan. Als iemand dus van zijn zogenaamde psychische dieptepunt afweet, zal hij op deze dag ook bijzonder depressief zijn. Of: wie zich van zijn geestelijke hoogtepunt bewust is, zal op die dag ook bijzonder veel zelfvertrouwen hebben – en dus ook buitengewoon veel presteren. Dit werpt echter wel de vraag op: hoe is het dan met het levensritme van mensen die helemaal niet weten dat er zoiets bestaat?

Menselijk falen is de hoofdoorzaak van de talrijke ongelukken met Duitse Starfighters. Tot april 1973 stortten er 156 van deze miljoenenobjecten neer. Bij 23 verongelukte Starfighter-piloten werd de geboortedatum en het levensritme onder de loupe genomen. Resultaat:

13 piloten hadden op de bewuste dag een dieptepunt in hun levens-ritme. Taito Kokusai, de grootste taxiondernemer in Japan, laat zijn drieduizend chauffeurs iedere dag voordat ze gaan werken via hun rittenboek over de stand van hun levensritme inlichten. In Japan, waar men van oudsher geestelijke inzichten boven technische perfec-tie stelt, is het ook helemaal niet vreemd dat de vijftig telegrambestel-lers van het telegraafkantoor in Yokohama op bepaalde dagen met rode of gele wimpels aan hun motoren telegrammen bezorgen. 'Rood' betekent: Voorzichtig, chauffeur met dieptepunt. 'Geel' bete-kent: Kijk uit, chauffeur met komend of net overwonnen dieptepunt.

In Zwitserland heeft men al gebruikgemaakt van de Japanse erva-ring. Bij de 'SOS – Pannenhilfe' in Zürich wordt er rekening gehou-den met het bioritme van de chauffeur. Gevolg: een daling van zelf-veroorzaakte ongelukken met dertig procent. Een taxiondememing in Bazel registreert een daling van ongelukken met rond veertig procent en de Zwitserse trainer jack Günthard stelt de Zwitserse turnploegen bij de internationale wedstrijden samen op grond van het gunstige le-vensritme van zijn beschermelingen.

Als het noodlot van één persoon al niet alleen van het toeval afhan-kelijk is, is het fenomeen nog verbluffender als het verschillende onder-ling onafhankelijke mensen op vreemde wijze schijnt te verbinden.

Paul Kammerer vertelt over een Weense professor in de natuurwe-tenschappen die een voordracht over radioactiviteit hield en daarbij uitvoerig op het werk van Pierre Curie inging. Op hetzelfde moment kwam Pierre Curie bij een verkeersongeluk om het leven. Tot zover kan men dat alles nog op toeval terugbrengen. Maar het stemde tot nadenken dat eenzelfde gebeurtenis zich herhaalde toen deze Weense professor in een voordracht de gastheorie van de Oostenrijkse na-tuurkundige Ludwig Boltzmann uiteenzette. Precies op dezelfde tijd pleegde Boltzmann zelfmoord.

Hierdoor schijnt het slechts toevallig samenvallen van gebeurtenis-sen al veel minder waarschijnlijk. Bestaan er psychische of para-psychologische banden tussen mensen met dezelfde gewaarwordin-gen, interessen en problemen? Is de vloek van de farao's misschien ook niets meer dan het mislukken of het gevolg van een denkproces van gelijkvoelende en onderzoekende individuen?

Wij nuchtere, verstandige mensen van de twintigste eeuw moeten ons tevreden stellen dat de stap van datgene dat met de rede verklaarbaar is naar dat van de buitenzinnelijke waarneming soms zo klein is dat we het helemaal niet merken en pas verwonderd wakker worden als we voor een ondoordringbare muur staan. Fysiologen zijn heden weliswaar in staat om te verklaren waarom hysterici bij tijden doof zijn, maar desondanks toch intuïtief kunnen horen en waarom bij hen de taak van het ene zintuig door het andere overgenomen kan worden. Maar ze weten geen raad met het vraagstuk waarom de ene mens door kanker wordt getroffen en de ander niet.

Mensen en telepathie

De Tsjechische fysioloog S. Figar vertelt over zijn proeven met de plethysmograaf, een apparaat, dat de werking van de hersenen van de mens zichtbaar maakt.[135] Het principe van de plethysmograaf is veel eenvoudiger dan men zou denken: heel gevoelige sensoren registreren de druk en het volume van de bloedvaten in de hersenen. Druk en volume stijgen als er een denkproces op gang komt. De uitslag wordt dan geregistreerd net als bij een elektrocardiogram.

Figar sloot twee even gevoelige proefpersonen in verschillende kamers op afzonderlijke plethysmografen aan en gaf de ene toen een niet eenvoudige rekenopgave. De andere proefpersoon wist niets van deze opgave af. De meetapparaten begonnen gelijktijdig de hersenwerkingen van de proefpersonen te registreren. Het ongelooflijke en voor de wetenschap onverklaarbare gebeurde: beide apparaten tekenden dezelfde hersenwerking op, hoewel de ene persoon niet eens wist dat de ander een opgave moest uitwerken.

Russische onderzoekers slachtten in duikboten jonge konijntjes en maten gelijkertijd de hersenstromingen van de erbij horende moederdieren op[135] in een op honderden kilometers afstand gelegen instituut. De apparaten registreerden op het ogenblik van de dood van de jonge konijntjes extreem hoge hersenstromingen bij de moederdieren. Ze reageerden zonder twijfel ergens op. Maar waarop? Zijn het stralen, golven, stromingen?

De parapsycholoog dr. Hans Bender uit Freiburg spreekt deze theorie tegen. Hij zegt: 'Wanneer we de grootste hersengolven als toevallige radiosignalen beschouwen, kunnen we uitrekenen dat ze al op enkele millimeters afstand van de hoofdhuid onder het geluidspeil zouden vallen.'

Duidelijkheid over het feit dat het bij paranormale fenomenen en prestaties niet om stralen, golven of stromingen gaat, verkreeg de Russische parapsycholoog Leonid L. Wassiliew met een even eenvoudige als realistische natuurkundige proef. Voor zijn experimenten sloot hij proefpersonen op in een loden kooi. De onderzeebootachtige kamers waren door luikjes afgesloten die op kwikzilver dreven. Een absolute afsluiting dus tegen elektromagnetische golven.

Gammastralen, extreem korte golven en extreem lange golven konden een dergelijke 'Kooi van Faraday' weliswaar doordringen, maar extreem lange golven vereisen zo'n enorm hoog energieverbruik dat het menselijke hersenstelsel dat niet kan opbrengen – extreem korte golven zijn schadelijk voor de menselijke hersenen. En aangezien telepathische experimenten met proefpersonen in een loden kooi lukten, worden golven als energiedragers uitgeschakeld.

Volgens prof. Bender is vooral de sterk levende inhoud van het onbewuste actief waarneembaar. Dus als het om grenssituaties van het bestaan gaat, om levensgevaar, waaghalzerij en dood. Daarom zijn uit oorlogstijden de meeste gevallen van dit soort prestaties bekend, vaak verachtelijk betiteld met 'helderziendheid'.

Een voorbeeld voor velen is het geval van de Oostenrijkse boerin Rosa Schödl die in de nacht van de 14e november 1941 door het knarsen van haar slaapkamerdeur gewekt werd. De wind had de deur blijkbaar opengewaaid. Maar toen de vrouw opstond om de deur dicht te doen, kreeg ze een merkwaardig visioen. 'Het leek,' zei ze, 'alsof er buiten op de gang sneeuw was en in die sneeuw stond een baar en op die baar lag mijn zoon.'

De vrouw wekte angstig haar schoondochter en vertelde haar wat ze gezien had. Dat was tegen halftwee 's nachts. Drie weken lang leefde Rosa Schödl in de overtuiging dat haar zoon in Rusland gevallen was. Toen kwam de verschrikkelijke bevestiging. De aanvoerder van zijn compagnie schreef uit Smolensk dat haar zoon Leopold door een granaatsplinter in het hoofd was getroffen. Toen de zwaargewonde door de hospitaalsoldaten weggebracht werd, moesten de helpers vanwege een nieuwe overval de baar in de sneeuw laten staan en dekking zoeken. Leopold Schödl riep op dat moment twee keer 'Moeder, moeder!' en stierf. De brief vermeldde als datum van overlijden: 14 november 1941 1.30 uur.

'Geen alarm' voor de chirurgische afdeling

Het feit dat er in grenssituaties zelfs een communicatie met dieren bestaat, weerspreekt de hypothese van onbekende energie-overdragingen niet, integendeel: het beperkt ze in zoverre dat daarbij technisch intellect als voorwaarde uitgesloten kan worden.

Zo vertelde mevrouw Ida Loni H. uit Kreuzau in het Rheinland me:

In 1944, de tijd van de heftigste bombardementen op Duitsland, toen onze stad hier ten westen van de Rijn, in de buurt van Aken, wel bijzonder veel te lijden had en we bijna elke nacht in de schuilkelder moesten doorbrengen, zocht ik in het ziekenhuis een patiënte op en sprak naderhand met de hoofdzuster, Ursula, een zeer gemoedelijke, moederlijke non. Ik vroeg haar of het niet vreselijk was bij elk alarm die zwaar zieken van de chirurgische afdeling in de kelder te moeten brengen. Zuster Ursula zei daarop dat het niet zo erg was omdat ze haar zieken niet bij ieder alarm naar de kelder bracht. Ze vertrouwde op een klein hondje uit de buurt, dat heftig begon te blaffen, zodra er echt gevaar dreigde. Dit hondje was eenvoudig onfeilbaar en wist steeds of de bommenwerpers over onze streek zouden vliegen of dat ze naar het Roergebied zouden afdraaien.

Schijnbaar onbelangrijke dingen krijgen zo bijzonder grote betekenis. De dood van een mens wordt door zoveel schijnbare nevenfactoren bepaald dat we zo langzamerhand moeten besluiten ze eens nader te onderzoeken.

Waarom is een mens op een bepaalde dag, op een bepaald uur, zo nonchalant dat hij op de trap struikelt en zijn nek breekt?

Waarom krijgt een mens precies op deze dag, op dat uur, een hartinfarct?

Natuurlijk kunnen we de vraag ook omkeren. Waarom kwam één mens bij een vliegtuigongeluk niet om het leven, terwijl alle andere inzittenden stierven?

Het grootste vliegtuigongeluk uit de Duitse burgerluchtvaart eiste in december 1972 156 doden. Een chartermachine van de Spaanse luchtvaartmaatschappij Spantax stortte door menselijk falen van de piloot bij de start van het vliegveld Los Rodeos op Tenerife neer.

Waarom faalde de piloot die – zoals werd nagegaan – lichamelijk noch geestelijk ziek was, uitgerekend op deze morgen?

Waarom kreeg de vrouw van Josef Artmeier, de busondernemer uit Leithen in Niederbayern, voor de start van dit ongeluksvliegtuig plotseling 'hysterische aanvallen' en waarom weigerde ze absoluut om mee te vliegen?

Het echtpaar Artmeier verliet de machine die startklaar stond. 'Ik had zo'n voorgevoel,' zei Hildegard Artmeier. Een typisch voorbeeld van 'voorgevoel' – zoals de geleerden zeggen. Verklaren kunnen zij dit voorgevoel ook niet. Als ze het konden, dan zouden het geen vliegtuigrampen meer zijn.

Toen op de 10e april 1973 bij Bazel een Engels chartervliegtuig met 146 mensen aan boord tegen een met sneeuw bedekte berg vloog, verloren 140 kinderen uit het 1200 zielen tellende dorpje Axbridge in de buurt van Bristol hun moeder. De plaatselijke vrouwenclub had een dagvlucht naar Bazel ondernomen. Ook de veertigjarige Marian Warren wilde oorspronkelijk aan deze 'shopping' vlucht deelnemen; maar een paar dagen voor de reis had ze een droom: 'Ik zag hoe het vliegtuig op de bomen af raasde en in de sneeuw stortte. Het leek allemaal net echt. Overal lagen de lijken van vriendinnen... Daarna heb ik mijn ticket op het laatste moment voor de helft van de prijs, voor acht pond verkocht.'

Voorgevoelens over neerstorten van vliegtuigen komen veelvuldig voor. Het gebeurt betrekkelijk vaak dat passagiers hun tickets kort voor de start teruggeven of zich laten overboeken. We willen er niet aan voorbijgaan dat aerofobie, vliegtuigangst, hoofdzakelijk psychische oorzaken heeft.

De waarschijnlijkheid dat een vliegtuig neerstort is 1 : 330.000. Dat is statistisch bewezen. Zoals op een vergadering van de IATA, de vereniging van luchtvaartmaatschappijen, bekend werd, heeft de overtuiging van 25 'uit angstige voorgevoelens' afgeschrokken passagiers een schrikwekkend resultaat opgeleverd: in zes gevallen stortte het vliegtuig werkelijk neer. Dat wijst op een waarschijnlijkheid van ongeveer 1 : 4. Zijn er mensen die meer over de dood weten dan jij en ik?

De journaliste Ruth Montgomery beschrijft in haar boek *Ich sehe die Zukunft*[126] de opzienbarende prestaties van Jeane Dixon. De knappe zakenvrouw uit Washington zei in 1952 reeds dat een man met blauwe ogen eens tot president van de Verenigde Staten gekozen zou worden en in 1963 vermoord. Op die vrijdag, de 22e november 1963, ontmoette Jeane Dixon drie dames uit Washington voor een etentje in een restaurant.

'Wat is er toch aan de hand?' vroeg een van haar vriendinnen toen ze zag dat Jeane geen hap door haar keel kon krijgen. 'Ik ben gedeprimeerd,' antwoordde mrs. Dixon, 'er zal vandaag iets verschrikkelijks met de president gebeuren.' Een paar ogenblikken later kwam in heel Amerika over radio en televisie de extra uitzending: John F. Kennedy is vermoord.

Jeane Dixon had niet alleen de dood van Kennedy voorspeld, maar ook de eerste letter van de naam van zijn moordenaar Oswald. Hoe sensationeel het ook klinkt, aan de waarheid van Jeane Dixons voorspellingen is niet te twijfelen. Alle prognoses werden door onafhankelijke getuigen gegeven. Mrs. Dixon voorspelde ook de dood van U.N. secretaris Dag Hammerskjöld, de zelfmoord van Marilyn Monroe en de dood van Mahatma Gandhi.

De dood – zo lijkt het – wordt beslist niet aan het toeval overgelaten; hij wordt door zekere omstandigheden bepaald. Omstandigheden die door met bijzondere talenten begaafde mensen aangevoeld kunnen worden.

Vreemd genoeg is in diverse talen het begrip 'gevoel' zo ver van zijn eigenlijke oorsprong het 'voelen' afgeraakt dat het met 'tasten' en 'voelen' nauwelijks meer iets te maken heeft. Oorspronkelijk betekende 'voelen' het 'registreren van een materie of energie'. Materie of energie – dat zou ook de eenvoudigste verklaring voor het gevoel van naderende dood door Jeane Dixon zijn. De eenvoudigste – wel te verstaan.

Het moeilijke hoofdstuk bio-energie

De oude Chinezen geloofden dat ieder mens een krachtcentrale is die de energie 'levenskracht' produceert. Deze vitale kracht zou ook in het heelal verder werken. Tussen het heelal en de mens zou dus een energetische samenhang bestaan. Variaties op deze theorie zijn in de hele loop van de geschiedenis der mensheid te vinden. De hindoes noemen deze energievorm 'prana'. 'Prana' wordt met het inademen door zuurstof opgeladen, z.g. geïoniseerd. Bij yoga speelt de ademhaling daarom zo'n belangrijke rol.

De vitale energie krijgt pas omstreeks 1600 n.Chr. weer nieuwe aspecten. De grote arts en onderzoeker Paracelsus schrijft deze energie de kracht toe een mens te kunnen laten leven en sterven. Hij beweert zelfs dat deze energie van de ene mens op de ander over te dragen is. Paracelsus noemt deze energie 'munis'.

De Brusselse arts en scheikundige Johan Baptist van Helmont, ontdekker van koolzuur en van het dubbelkoolzuurammonium, verdedigt honderd jaar later de mening dat de 'vitale energie' die hij 'magnale magnum' noemt, de wil van een ander over een bepaalde afstand kan beïnvloeden. Helmont is hiermee de telepathie op het spoor.

Vanuit een fysisch standpunt onderzocht de Duitse arts Franz Anton Mesmer (1734-1815) het 'animale magnetisme'. Hij schreef zelfs magnetische behandelingen voor om de energiehuishouding van de mens 'weer in orde te brengen'. Hij was er stellig van overtuigd dat de in de mens aanwezige kosmisch-magnetische krachten door handoplegging genezend zouden werken, want 'ziekte is een storing van de harmonische circulatie van elektromagnetische krachten in ons organisme'. Genezing is de herstelling van de harmonie en die wordt bewerkt door het gebruik van magnetische uitstraling...[64]

Sindsdien duikt de bio-energie onder de meest verscheiden namen op, als odische kracht, als N-stralen, etherische kracht of X-kracht. De moderne wetenschap spreekt van psychosomatiek of psychotronische energie; het zijn beide grensgebieden van de wetenschap, ook al hebben prominente artsen en geleerden als de medicus en fysicus Joseph Wüst en de grote Berlijnse chirurg Ferdinand Sauerbruch zich daar ernstig mee beziggehouden.

Karl von Reichenbach, Duitse baron en scheikundige onderzocht omstreeks 1850 de 'aura', het stralingsveld van de mens. 'Zoals Mesmer dacht dat het dierlijke magnetisme een vloeistof was, een fijne vloeistof, zo dacht Reichenbach bewezen te hebben dat de lichamen een gloed afgaven die hij Od noemde. Deze zenuwkracht of hoe men het ook wil noemen, straalt volgens de aanhangers van deze leer ook in het water uit dat daardoor een bijzondere smaak krijgt. Gevoeligen en helderzienden kunnen het Od ook als gloed, als licht waarnemen.'[130]

Helaas zijn nieuwe resultaten op dit gebied een buitenkansje voor fantasierijke geestenzieners en bovenzinnelijke occultisten, zodat van de zijde van de wetenschap meteen al moeilijkheden opgeworpen worden die exacte onderzoeken en bewijzen verhinderen. Zo duurde het precies zesentwintig jaar tot het werk van Heydweiler die in 1902 met een kwadrantenelektrometer het elektrische veld om de mens heen bewees, door Sauerbruch en Schumann weer werd opgenomen. De beide geleerden experimenteerden in de neutraliteit van kooien van Faraday die absoluut ontoegankelijk waren voor stralen en toonden met behulp van de snaargalvanometer spanningsvelden in het menselijk lichaam aan, die bij spierreacties hun intensiteit veranderden.

Nog niet zo lang geleden hebben dr. Joseph Wüst en de fysioloog prof. Rohracher de experimenten met deze fenomenen weer opgenomen. Wüst hield zich onder andere bezig met lichaamsstralen.[181-186] Hout bleek niet stralend te zijn; daarom werden alle onderzoeken op houten tafels verricht. Nieuw was bij deze experimenten de ontdekking dat stralende materie (gesteente, metalen, vloeistoffen) ook dan nog meetbaar is als ze reeds uit de proefvolgorde verwijderd is. Dat zou dan op een ionisering van de omgeving (lucht, onderlaag) wijzen.

Vreemd genoeg konden overeenkomstige stralingsresten steeds met een lap weggeveegd worden.

Omstreden en wetenschappelijk niet bewezen zijn de op de aardstralentheorie gebaseerde gevoelige strepen.[181] Omdat wichelroedelopers deze theorie het eerst aanhingen, wordt ze door de wetenschap niet erkend. Hoewel proeven bij dieren en planten wel onweerlegbare bewijzen opleverden. Ook wat mensen betreft zijn er verbluffende aanwijzingen op het gebied van deze geopatische zones. Men denke bijvoorbeeld aan gevallen van chronische slapeloosheid die door verschuivingen van het bed verholpen konden worden.

Zoals Sauerbruch al vaststelde, is de lichaamsspanning van de mens ook van de energieverhoudingen in zijn omgeving afhankelijk. Karl Heinz Jaeckel, die zich in zijn boek *An den Grenzen menschlicher Fasfungskraft*[92] met dit thema bezighoudt, vertelt over een interessant experiment met de Westfaalse wichelroedeloper Hans Danner.

Dodelijk ongeluk bij kilometerpaal 23,9

Er zijn talrijke 'dodenwegen' in Duitsland. Dat zijn wegen waar zonder duidelijke reden een opeenhoping van dodelijke verkeersongelukken plaatsvindt. Op een loodrechte weg bij Bremen zijn bij kilometerpaal 23,9 sinds 1932 honderden verkeersongevallen gebeurd. Danner, die met twee andere roedelopers 's nachts over de afgezette weg vervoerd werd, ontdekte op een bepaalde plaats een sterke stoorzone van aardstralen. Danner kende de weg niet. De kilometerpaaltjes waren met zakken bedekt. Op de plaats waar Danner de stoorzone ontdekt had, stond een kilometersteen. Er stond het getal 23,9 op.

Als aarde, lichaam en materiestraling energieën zijn, dan kan men deze energieën ook vergroten. Er bestaan inderdaad ook proefnemingen die erop wijzen dat bepaalde geometrische lichamen in staat zijn energieën te accumuleren en geconcentreerd weer af te geven. De geleerden uit de hele wereld denken daarbij vooral aan de Egyptische piramiden.

Van de Afrika-ontdekkingsreiziger Paul Brunton is bekend dat hij zich een nacht in de koningskamer onder de piramide van Cheops heeft laten opsluiten. Zoals uit betrouwbare bronnen wordt vermeld, heeft hij daar bijna het verstand bij verloren. Zijn bewustzijn werd gespleten zoals dat voorkomt bij een lsd-roes, hij had visioenen over zijn eigen dood en toen men hem er de volgende morgen vandaan haalde, was hij volkomen apathisch.

In Praag woont een radio-ingenieur, die in 1959 patent vroeg op een kleine piramide.[135] Karel Drbal kreeg het patent nr 91 304 op een – scheermesjesslijper. Drbal had een verband tussen de vorm van de binnenste kamers waargenomen, dat gebaseerd was op de experimenten van de Franse radio-estheet Jean Martial. Deze had met modellen van piramiden geëxperimenteerd en de reactie van organische stoffen daarin dagenlang bestudeerd. Resultaat: de piramidevorm versnelt mummificering. Bijvoorbeeld: een vis verloor in de nauwkeurig nagebouwde piramide in 13 dagen tweederde van zijn gewicht, de luchtpijp van een schaap verloor binnen 6 dagen meer dan de helft. Een kippenei met de schaal er nog omheen, verschrompelde in 43 dagen van 52 gram tot 17 gram. Zelfs de vis vertoonde geen spoor van schimmel of rotte lucht.

Experimenten met piramiden

Drbal die op deze proeven voortborduurde, ontdekte de fysische werking van de vorm van de piramides en maakte daar gebruik van. Van karton construeerde hij een piramide met een basislijn van 74 centimeter en een hoogte van 15 centimeter. De bodem was open. Toen begon het volgende experiment: het stompe scheermesje wordt op een onderlaag van hout of karton gelegd, dat ongeveer een derde van de totale hoogte van de piramide uitmaakt, 5 centimeter dus. Het slijpproces duurt ongeveer 6 dagen. De piramide wordt over het scheermesje op het voetstuk gezet en aan het normale daglicht blootgesteld. Het is echter wel belangrijk dat het scheermesje en de piramide precies noord-zuid staan. Dat betekent dat de snijkant van het mesje dwars op oost-west komt te liggen.

De beide voorbeelden van de experimenten met piramidengeometrie werpen de volgende vragen op: Wisten de oude Egyptenaren – of tenminste de ingewijden onder hen – precies alles af van oorzaak en werking van energieën en heeft de moderne wetenschap die tot op heden nog niet herontdekt? Worden er – zoals de onderzoeker Paul Brunton beweert – door bepaalde geometrische vormen psychische krachten gemobiliseerd, die zelfs tot de dood kunnen leiden? Kunnen wij, van hieruit bekeken, ons langzaam naar een oplossing van de vloek van de farao's werken?

Het staat vast dat er na de opening van het graf van Toetanchamon dertien mensen die erbij waren op onnaspeurlijke wijze om het leven kwamen. En het staat ook vast dat de dood van een mens in geen geval het gevolg is van een toevallige weigering van een of ander orgaan.

Een vlieg wordt gemiddeld 75 dagen oud, een bijenkoningin 5 jaar, een kat 10, een paard 40 jaar. Een olifant kan 50 jaar oud worden, een krokodil 100, een walvis wel 300, een mens echter nauwelijks meer dan 100.

Gemiddeld haalt hij zelfs nauwelijks de 70. Van elke 100 mensen in Europa bereikten in de tijd van Toetanchamons opgraving 66 een leeftijd van 55 jaar. Van de 23 die deelnamen aan de opgraving haalden slechts 10 deze leeftijd. En dat is geen toeval.

Geheimen van het onderzoek

Soms lijkt het ongelooflijk over welke natuurkundige kennis de oudste cultuurvolken van de mensheid al beschikten. Zo betoogt Herodotus dat Egyptische priesters hem verteld hadden dat de zon al vier maal in een andere richting was ondergegaan dan heden. Er zouden al twee tijdperken geweest zijn waarin hij in het oosten onderging.

Waar Herodotus het hier over heeft, is niets anders dan de verschuiving van het magnetische veld en de daarmee verbonden poolverplaatsing waar we later nog uitvoeriger op zullen terugkomen. Alleen – toen dit voor de laatste keer het geval was, ongeveer 700.000 jaar voor onze tijdrekening, bestonden er nog geen mensen. Hoe wisten de oude Egyptenaren dan van dit fenomeen af? Overlevering was het beslist niet. Er is maar één logische verklaring voor: ze hebben het magnetische veld rond de aarde berekend en ze hebben de verschuivingen gemeten. Voor de moderne wetenschap is dat geen enkel probleem. Tegenwoordig staan ons precisiemeetapparatuur en onderzoekstations over de gehele wereld ter beschikking. Maar hoe kregen de Egyptenaren dat voor elkaar die het kompas nog niet eens kenden?

Herodotus heeft zich ook niet door een of andere Egyptische fantast laten beetnemen, die toevallig de waarheid sprak zoals moderne onderzoekingen aantonen. Want de in 195 v.Chr. in Alexandrië overleden Griekse algemene geleerde en dichter Eratosthenes, die zich vooral met het systeem van lengte- en breedtegraden bezighield, wijst op de Babylonische geschiedkundige Berosus die hem inlichtte over het feit dat de noordpool van de aarde 403.000 jaar geleden 'in het veld van de eeuwige duisternis lag'.

We moeten er echter wel rekening mee houden dat de Babyloniërs en de Egyptenaren nog niets van de bolvorm van de aarde afwisten. Ze hielden onze planeet voor een platte schijf en de rand was de oceaan.

Ondanks de verbazingwekkende resultaten van hun wetenschappelijke onderzoekingswerk lukte het de oude Egyptenaren slechts een kleine kring van uitverkorenen in hun kennis in te wijden. Voor de brede massa van het volk waren de onderzoekingen met net zo'n sluier van geheimzinnigheid omgeven als de mannen die zich daarmee bezighielden. Wat voor de kleine ontwikkelde bovenlaag een kwestie van wetenschap was, was voor het volk godenwerk, een wonder, magie. En zo is het dan ook te verklaren dat belangrijke Oudegyptische onderzoekers hun kennis mee het graf in konden nemen. Kennis, die slechts een korte tijd een bepaalde functie vervulde om direct daarop weer uit het bewustzijn van de mens te verdwijnen. Misschien voor duizenden jaren, misschien voor altijd.

Deze geheime kennis werd bij het volk pas populair, toen de Egyptische cultuur reeds uiteen begon te vallen.

En toch: de laatste getuigenissen uit deze grootse tijd waren belangwekkend genoeg dat wijze en beroemde mannen studiereizen naar het land van de Nijl maakten om hun ontwikkeling uit te breiden. Homerus, Orpheus en Euripides zouden zulke studiereizen ondernomen hebben, de staatshoofden Lycurgus en Solon, de filosofen Thales en

Plato, de mathematici Endoxus en Archimedes. Ook al kan men voor deze reizen niet instaan, dan is toch alleen het vermoeden ervan al een teken welk een betekenis de Egyptische cultuur voor de geestelijke ontwikkeling toegekend werd.

De wijze Plato ging zelfs zover zijn eigen volk, de Grieken, in vergelijking met de Egyptenaren als kinderen aan te duiden *(Tmaios, 22)*. Plato legt dit wijselijk een Egyptische priester uit Sais in de mond, die zich tot Solon wendend zegt:

O Solon, gij Grieken zijt altijd kinderen, er bestaat niet één enkele wijze oude man onder u. Gij hebt geen traditie en uw sagen van Deukalion en Phaeton zijn slechts een onbeduidend deel van datgene dat door vuurgloed en overstromingsrampen vernietigd werd. Rampen, die op bepaalde tijden het mensdom bezochten, hele landen met zich meesleurden en daarmee schriftelijke getuigenissen en alle wetenschappelijke kennis. De Nijl heeft ons land voor een dergelijke rampspoed bewaard; daarom hebben wij in onze tempels historische getuigenissen van ons verleden bewaard, terwijl u in uw geschiedenis steeds weer van voren af aan moet beginnen en niet weet wat vroeger in uw eigen, laat staan wat in andere landen gebeurde.

3
Zelfmoord voor de wetenschap

Woensdag, 10 maart 1971. Bij de enorme dodenakker van Sakkara, een kleine dertig kilometer ten zuiden van Caïro, heerst een stemming van: we zijn bijna klaar voor vandaag. Het is weliswaar pas 14.00 uur, maar de met woestijnstof bedekte arbeiders gooien met veel lawaai hun draagmanden, die uit gehalveerde vrachtautobanden gemaakt zijn, in het zand. Sinds die morgen 7 uur vroeg hebben de mannen uit tien meter diep zand, stof en gesteente naar boven gesleept – geen gemakkelijk werkje, maar het wordt goed betaald. En wat valt er verder hier aan de rand van de Lybische woestijn te verdienen?

Sinds die gekke archeologen omstreeks 1935 met hordes tegelijk hierheen kwamen, is het dorp Sakkara opeens een attractie geworden. Over een lengte van 7 kilometer en 500 tot 1500 meter breed strekt zich de enorme begraafplaats van Sakkara uit, eenmaal de dodenstad van Memphis. En hoog boven alles uit verheft zich de bijna vijfduizend jaar oude trappiramide van koning Zoser, het oudste stuk architectuur door mensenhand gewrocht.

Aan de rand van de schacht staat Walter Bryan Emery, een Engelsman, professor in de Egyptologie en sinds 1935 leider van de opgravingen in Sakkara.

Bryan – zoals zijn vrienden en collega's hem noemen – houdt een klein, ongeveer twintig centimeter hoog beeldje van Osiris, de God van de Dood, in zijn hand. Steeds opnieuw bekijkt hij het nauwkeurig van alle kanten; dan verdwijnt hij met zijn Egyptische assistent in de richting van het dorp.

De archeologen hebben in Sakkara een klein gelijkvloers huisje met een kantoor en badkamer – maar geen van de geleerden woont hier in het woestijndorp. Wanneer Emery en zijn assistent Ali el Khouli in

47

het kantoortje zijn aangekomen zakt Ali, afgemat door de hitte, neer op een sofa. Emery gaat naar de badkamer. Wat er dan gebeurt, vertelt de assistent mij een tijdje later op de plaats des onheils.

'Ik zit hier op de sofa. Plotseling hoor ik in de badkamer gesteun. Ik kijk door de openstaande deur en daar zie ik hoe Emery zich aan de wastafel vastklemt. "Voelt u zich niet goed?" roep ik, maar de professor geeft geen antwoord. Hij staat daar als door de bliksem getroffen. Ik pak hem bij zijn schouders en sleep hem naar de sofa. Toen ben ik naar de telefoon gerend...'

Een ziekenauto brengt Walter B. Emery naar het Engelse ziekenhuis in Caïro. Daar constateren de artsen: de archeoloog is rechts verlamd, hij heeft zijn spraakvermogen verloren. Emery's vrouw Mary, die haar man op de meeste onderzoekingsreizen begeleidde, wijkt de gehele nacht niet van zijn ziekbed. Maar de volgende dag – donderdag 11 mei 1971 – sterft Walter B. Emery.

De krant van Caïro *Al Ahram* schrijft een dag later: 'Dit vreemde voorval doet ons geloven dat de legendarische vloek van de farao's weer toeslaat.'

Emery, van wie de inheemse opgravers zeggen: 'Hij was geen Engelsman, hij was een Egyptenaar,' heeft de vloek van de farao's steeds genegeerd. Hij kende hem. Als journalisten er hem naar vroegen, gaf hij nooit een mening. Ali el Khouli zegt: 'Hij sprak eigenlijk over alles. Alleen daarover niet.'

Emery kwam pas via omwegen in de archeologie terecht: de Egyptologie was voor hem aanvankelijk niets anders dan een adembenemend wetenschappelijk avontuur, want eigenlijk was de geleerde uit Liverpool een werktuigkundige. Walter B. Emery beëindigde zijn studie als scheepsbouwkundig ingenieur in Liverpool en was ook betrokken bij de constructie van twee Engelse slagschepen. Maar hij had zich zijn leven anders voorgesteld.

Daarom ging hij in 1921 naar de universiteit terug. Hij studeerde bij prof. T.E. Peet Egyptologie – een terrein dat al sinds zijn schooltijd zijn interesse had. Het broeden over oude teksten kon hem echter ook niet gelukkig maken; daarom onderbrak hij al na twee jaar zijn opleiding en nam deel aan een studiereis naar Luxor die door Sir Robert Mond gefinancierd werd. In 1926 had hij al meer dan een dozijn Oudegyptische graven blootgelegd, waaronder een van de meest waardevolle van de 18e dynastie, dat van de vizier Ramose. Ten slotte verlegde hij zijn onderzoekingen in 1929 naar Nubië, waar in die tijd, in verband met de plannen tot verhoging van de oude Assoeanstuwdam, talrijke gedenktekens voor het toestromende water gered moesten worden.

In 1935 werd Emery leider van de opgravingen te Sakkara. Zijn eerste opgave was de enorme begraafplaats uit de 1e dynastie bloot te leggen. Een opgave waar de geleerde zich in de komende twintig jaren aan wijdt – weliswaar met onderbrekingen: in de Tweede Wereldoorlog wordt overste Emery chef van de Engelse inlichtingendienst.

Na de oorlog is er eerst geen geld voor de opgravingen en dan komt de Suez-crisis. Maar aangezien Walter B. Emery zo aan Egypte gewend is geraakt, accepteert hij een diplomatieke functie in Caïro. De universiteit van Londen bevordert hem ten slotte tot hoogleraar in de Egyptologie en als de opgravingen in Sakkara voortgaan, forenst Emery tussen voordrachten in Londen en onderzoeken in Egypte heen en weer. Slechts één jaar voor zijn dood had Emery zijn voordrachten in Londen opgegeven.

Imhotep, het allround genie

Op 5 oktober 1964 begon Walter Emery met het onderzoek dat hij als zijn levenswerk zag: het zoeken naar het graf van Imhotep.

Imhotep is een bijzonder interessante figuur. Hij is – volgens Emery – 'de eerste vorm van een arts, die zich duidelijk uit de nevels van de oudheid naar voren dringt'. Imhotep, die in de tijd van de allereerste farao's leefde, had natuurkundige kennis die hem in de ogen van het volk tot een God in de geneeskunde maakte. Hij was ook de bouwmeester en raadgever van de farao Zoser, vizier en 'leider van de werken van de koning van Boven- en Beneden-Egypte'. Hij bouwde de trappiramide van Zoser en zou zelfs het schrift en de kalender uitgevonden hebben. Een allround genie dus.

Aangezien men zijn graf tot op heden niet kent, is het aan te nemen dat het nog niet door grafschenners is geplunderd. Voor deze opvatting

pleit het feit dat Imhotep een zeer bekwaam bouwkundige was en misschien al tijdens zijn leven een graf gebouwd heeft – anders dan dat van
zijn farao Zoser, maar beslist niet minder mooi. Emery wist heel zeker
dat het graf van Imhotep voor de geschiedenis van het Oude Rijk van
minstens even grote betekenis zou zijn als de ontdekking van Toetanchamons graf voor de geschiedenis van het Nieuwe Rijk. Alleen, waar
moest men in deze woestijnomgeving de spade in de grond steken?

De eerste proefopgravingen maakten duidelijk dat het hele dal be-
zaaid was met bovengrondse bouwwerken uit de vroegdynastieke
tijd. Veel van deze mastaba-graven zijn alleen behouden gebleven
omdat men in de Ptolemaeïsche tijd steengruis tussen de gedenktekens gestrooid had. Ze waren zelden hoger dan drie meter en door die
ophoging werd er terrein voor nieuwe bouwwerken gewonnen.

In een verslag over de opgravingen in de *Illustrated London News*
van 6 maart 1965 schrijft prof. Emery:

Ik interesseerde me al enige jaren voor het dalgebied ten westen van
de archaïstische begraafplaats van Noord-Sakkara. Het hele land is
daar bedekt met aarden scherven uit de tijd van de Ptolemaeërs en
Romeinen. Deze doen denken aan vondsten in Umm el Quab bij
Abydos. Nog voor het eind van de opgravingen van de *Egypt Exploration Society* in 1956 had ik twee proefopgravingen in dit gebied gedaan, waarbij muren uit de 3e dynastie tevoorschijn kwamen. Ik vond twee graven van heilige stieren en resten van
gemummificeerde ibissen in afgesloten aardewerk kruiken. Weliswaar wisten verschillende onderzoekers in de jaren vijftig al dat er
in de onderaardse gangen graven van ibissen te vinden waren, maar
tot nu toe had men om de een of andere reden niet begrepen dat die
tot de graven van de 3e dynastie behoorden... Met betrekking tot de
algemeen verspreide opvatting dat het graf van Imhotep zich ergens
op het archaïstische kerkhof zou moeten bevinden – zoals Firth,
Quibell en Reisner geloofden – bleek uit de vondsten van de stier
en ibissen dat hun ligging op de een of andere manier met een graf
verband moest houden. In ieder geval wijzen uiterlijke omstandigheden erop dat dit gebied ten tijde van de Ptolemaeën en Romeinen
een bedevaartsoord was.

Emery werkte, met zijn doel voor ogen, steeds koortsachtiger. Op 10 december 1964 stootte hij op tien meter diepte op een schacht van een graf uit de 3e dynastie. Voor hem opende zich een wijd vertakt labyrint: aangeboorde gangen, dichtgemetselde muren en ontelbare gemummificeerde ibissen. Hier waren verschillende generaties in elkaars vaarwater gekomen, dat was duidelijk. Een beeld uit de Ptolemaeische tijd versterkte Emery in zijn opvatting dat hij op het juiste spoor was. Op de sokkel van het beeld zijn de feesten opgetekend die ter ere van de God van de geneeskunde gevierd werden. Een van die feesten keerde elk jaar terug op de dag dat hij overleden was. Imhotep wordt daarbij beschreven als hij, die 'in het grote Dehan rust, een grot, die hem na aan het hart ligt'. 'Het is mogelijk,' meende prof. Emery, 'dat de grot die genoemd wordt, dit grote onderaardse labyrint is.'

Nee, er was nauwelijks nog twijfel mogelijk, Emery was Imhotep op het spoor. Hij wist alleen niet of het nog dagen of jaren zou duren voor hij zijn ontdekking deed. 'Ik twijfelde toen veel meer dan prof. Emery,' zegt zijn assistent Ali el Khouli, 'op het eind was hij er bijna van overtuigd dat we Imhotep weldra zouden vinden.'

Zoals eens Ariadne in het labyrint van Minos op Kreta, bonden de archeologen ook een koord om hun pols om er zeker van te zijn dat ze weer uit het wijdvertakte labyrint in het daglicht zouden terug keren. Er werden schetsen gemaakt waarop onderzochte gangen afgekruist werden. Toch gebeurde er iets onbegrijpelijks: na maandenlang zoeken onder de grond moest Emery erkennen dat geen van de gangen naar het graf van de geleerde Imhotep voerde. Hij was teleurgesteld, maar niet ontmoedigd. Hij meende dat, indien men de ingang niet gevonden had, dat nog lang niet bewees dat het graf van Imhotep niet met het labyrint in verband stond. Integendeel: het was zo geraffineerd opgezet dat elk systematisch graven zinloos was.

Daarom begon Emery op een andere plaats te graven. Tevergeefs. De grootste triomf van zijn leven, de ontdekking van het graf van Imhotep, was hem niet gegund.

Waarom moest Emery sterven?

Ik ben het lot van talrijke archeologen nagegaan. Ik wilde uitvinden of er in de levenswijze of het sterven van verschillende onderzoekers parallellen liepen. In hun leven – dat moet dadelijk gezegd worden – ontdekte ik nauwelijks bijzonderheden als men van de bezetenheid afziet waarmee ze hun beroep uitoefenen. Maar er is een groot aantal opmerkelijke coïncidenties.

Een vloek uit het verleden

Archeologen zijn – daarover bestaat geen twijfel – moeilijk over één kam te scheren. Dat heb ik bij het naslagwerk voor dit boek steeds weer vastgesteld. Ik denk hierbij niet alleen aan de verschillende wetenschappelijke theorieën die sommigen huldigen, maar hoofdzakelijk aan de verschillende typen en karakters die onder archeologen worden aangetroffen. Men kan ook in Duitsland archeologen ontmoeten die, als ze over de vloek van de farao's worden aangesproken, alles als pure onzin afdoen en anderen die halsstarrig weigeren om een faraograf binnen te gaan. Ik vroeg een archeoloog uit München: 'Waarvoor bent u in een faraograf bang?' en hij antwoordde als het Orakel van Delphi: 'Voor de goden!'

Ik bedoeld: als de vloek van de farao's geen uniek toeval is in verband met de ontdekking van het graf van Toetanchamon, dan zouden er toch al voor de ontdekking van dit graf onderzoekers en archeologen op onverklaarbare wijze om het leven moeten zijn gekomen.

Nu kan men weliswaar in staatsarchieven minutieuze beschrijvingen vinden over archeologische ontdekkingen en theorieën over de betreffende geleerde – of avonturier – er is meestal maar weinig bekend. Mijn nasporingen over het leven en sterven van vooraanstaande Egyptologen brachten echter feiten aan het licht die tot nadenken stemmen. Feiten die bewijzen dat de vloek van de farao's al hondenvijftig jaar geleden toesloeg. En altijd trof hij onderzoekers die langere tijd in Egypte waren en op de een of andere manier in verband stonden met opgravingen.

Prof. Johannes Dümichen uit Straatsburg, een Silezische domineeszoon die volgens de wens van zijn vader ook geestelijke moest worden, reisde naar Egypte en Nubië en leed zware ontberingen. Hij stortte zich daar met ware verbetenheid op een werk, dat in de tijd waarin de fotografie nog in de kinderschoenen stond, niet hoog genoeg aangeslagen kon worden: Dümichen kopieerde graf- en tempelinscripties. Hij bracht vaak wekenlang onder de grond of in een ruïne door. En daarbij kwam hij tot een vreemde ommekeer. Hoe zou deze anders te verklaren zijn dan door bepaalde invloeden waarvan de uitwerking in dit geval niet fysisch merkbaar werd maar psychisch? Was prof. Dümichen een geval op zichzelf dan zouden we het ad acta leggen. Maar hij is een van de velen.

Dümichen begon plotseling te fantaseren. Hij vertoonde duidelijke tekenen van een beginnende schizofrenie. Hij vertelde urenlang van belevenissen op archeologische plaatsen – belevenissen die hij beslist nooit gehad had. Zo vertelde Dümichen bijvoorbeeld aan iedereen over zijn uitputtende werk in het graf van Petemenophis in Thebe 'waar het zo verschrikkelijk naar vleermuizen stonk dat ik alleen kon kopiëren als ik sinaasappelschillen voor mijn mond bond'.[62]

Krankzinnigmakende verdovende middelen

Toen de archeoloog naar Duitsland terugkeerde, was hij al een meelijwekkende figuur. Hij kon nauwelijks meer een zin logisch ten einde brengen en hij sprong van de hak op de tak. En wat het ergste was: zo schreef hij ook.

Zijn uitgevers werden daar bijna dol van. Zoals Baedecker die het boek *Oberägypten* door Dümichen liet schrijven. Het boek werd ten slotte als waardeloos ingetrokken. Ook de uitgever Oncken voor wiens *Weltgeschichte* hij het deel *Ägypte* voor zijn rekening zou nemen, had slechte ervaringen. Dümichen schreef maar door. Na driehonderd bladzijden stelde de opdrachtgever verbaasd vast dat de professor nog steeds niet klaar was met de inleiding.

Zulke symptomen doen sterk denken aan de psychische invloeden van bepaalde verdovende middelen die door Amerikaanse leraren waargenomen zijn. Het is bekend dat vele voor het oog van de buitenwereld volledig gezonde mensen latent schizofreen zijn zonder dat de ziekte ooit uitbreekt. Psychotomimetica of hallucinogenen kunnen schizofrenie echter opwekken, vooral als deze middelen plotseling in een te sterke concentratie aan het organisme worden toegediend.

De Amerikaanse amfetamine-specialist dr. John Griffith vertelt: 'Ik heb eens een student gehad die amfetamine nam. Op een dag stelde ik hem een vraag. Hij kon er geen antwoord op geven. Hierover had hij zo het land dat hij een boek van 453 bladzijden over dit onderwerp uit zijn hoofd leerde.'[86] Een andere Amerikaanse arts vertelt over een student, die zijn hele examen onder invloed van verdovende middelen op de eerste regel van zijn vel papier schreef.

We zullen nog horen dat verdovende middelen bij de oude Egyptenaren bekend waren. En zoals we tegenwoordig weten, bestaan er middelen die al door nonchalance – als men zich bijvoorbeeld met een niet helemaal schone hand over de mond wrijft – in het organisme kunnen belanden en invloed uitoefenen.

Bijvoorbeeld de 'toevallige' ontdekking van het lsd door de Zwitserse farmaceut dr. Albert Hofmann. In 1938 in het laboratorium van Sandoz AG te Bazel kreeg hij enige miljoenste gram (!) van het middel in de mond en veertig minuten later had hij visioenen. Voor overbrenging van zulke geringe doseringen is werkelijk de aanraking van het voorwerp met de wijsvinger en vervolgens de aanraking van de lippen al genoeg!

Maar men kon ook op een volkomen andere manier 'high' worden. Opgraven, onderzoeken, veroveren – het heeft al zovelen in extase gebracht. Het was alsof de vloek van de farao's die op dat moment nog niet tot het bewustzijn van de mensen was doorgedrongen, met magische kracht zijn slachtoffers zou zoeken. Het leek alsof vooraanstaande mannen zelfmoord voor de wetenschap pleegden. Alsof ze verward van geest van hun onderzoekingen in Egypte terug *moesten* keren.

De vreemde daden van Heinrich Brugsch

De leider van het Egyptisch museum te Berlijn, prof. Adolf Erman[62] vertelt over de geniale Berlijnse archeoloog Heinrich Brugsch die pochte in Sais een groene koningskop te hebben opgegraven, hoewel het algemeen bekend was dat Brugsch de kop bij een antiquair gekocht had. Erman herinnert zich een typerend gesprek met Brugsch dat in het muntenkabinet van het museum plaatsvond. Ze stonden net voor enkele waardevolle renaissance medailles:

Brugsch: 'Wat hebt u daar?'
Erman: 'Italiaanse medailles uit de 15e eeuw.'
Brugsch: 'Wat betekent: *Pisanus pictor fecit?*'
Erman: 'Dat is de handtekening van de kunstenaar.'
Brugsch: 'Zoiets heb ik ook gehad toen ik met Visalli in de Nijl-delta groef. We hebben er een heleboel gevonden.'
Erman: 'Waar zijn die gebleven?'
Brugsch: 'Och, dat weet ik niet, ik heb ze zo hier en daar weggeven.'
Erman: 'Maar dan hebt u toch een vermogen weggeven.'
Brugsch: 'Ja.'

Erman vermoedt dat zijn vriend Brugsch eens een stukje koper heeft gevonden bij zijn opgravingen. Niet meer.

Heinrich Brugsch (1827-1894) kwam uit de beste 'kringen' van Berlijn. Zijn vader was wachtmeester en woonde in de kazerne aan de Kupfergraben waar Heinrich ter wereld kwam. Brugsch heeft deze schande zijn hele leven niet kunnen vergeten en zelfs als bekend ge-leerde beweerde hij nog in volle ernst dat zijn vader een prins was ge-weest.

Waren het complexen? Of was de geest van Brugsch door een of andere invloed van buitenaf vertroebeld? Brugsch hoefde geen com-plexen te fokken. Hij was zestien jaar toen hij op het gymnasium reeds het demotisch schrift ontcijferde. 'Maar daarna,' zegt Adolf Erman, 'zat hij steeds vol met zielige verhalen en kwam nooit meer tot rust.'

Brugsch bracht vele jaren in Egypte door. En daar begon hij ook vreemd te doen. Gaston Maspero, de directeur van het Egyptische Antiquiteitenbeheer, beweerde zelfs dat Brugsch in een van zijn we-tenschappelijke werken bewijsstukken had verzonnen. En Erman vertelt over twee elkaar volledig tegensprekende hypothesen over de zogenaamde zeevolken, die Brugsch in twee verschillende werken beide met nadruk verdedigd heeft.

Toch is het verwonderlijk dat Heinrich Brugsch, ondanks deze schizofrene symptomen, door de wetenschap als een van de grootste Egyptologen wordt beschouwd. Deze reus van een man, die de wereld vergat als hij een historisch probleem op het spoor was, deze man die met mummies omging alsof het levende mensen waren, is hij door de vloek van de farao's getroffen?

Hoe langer de Berlijnse archeoloog zich in Egypte ophield, hoe vreemder hij werd. Ten slotte verliet hij Caïro halsoverkop. Van tevoren had hij zich echter bij de daarvoor in aanmerking komende instanties in Berlijn als opvolger van Richard Lepsius aangekondigd, die echter nog volop aan het werk was. Brugsch zette zijn bewering kracht bij door te zeggen dat hij anders een dergelijke betrekking in Parijs zou aannemen. Dit was volkomen uit de lucht gegrepen.

Toen hij eenmaal in Berlijn was, beklaagde hij zich bij de pers dat hij steeds door een geleerde achternagezeten werd. Brugsch werd, zoals velen van zijn collega's, een slachtoffer van zijn beroep. Adolf Erman schrijft in zijn memoires: 'Daarin zien wij thans slechts de aardse gebondenheid van Brugsch die aan elk geniaal mens kleeft en ook al was deze aardse gebondenheid bij Brugsch bijzonder pijnlijk, dan moeten we toch de "grootste helft van zijn schuld aan zijn ongelukkig gesternte toeschrijven".'[62]

Het korte leven van François Champollion

Als we nog een eindje verder teruggaan, stoten we op de bijna legendarische François Champollion die erin slaagde hiëroglyfen te ontcijferen. Champollion is het geweest die hiermee de basis legde voor alle verdere onderzoeken.

Het begrip hiëroglyfen is van het oude Griekse woord ΙΕΡΟΓΛΥΦΙΚΑ ΓΡΑΜΜΑΤΑ (heilige schrifttekens) afgeleid. En inderdaad golden deze tekens vanaf de Griekse oudheid tot hun wederontdekking door Champollion als mysterieus, geheimzinnig en heilig. Tot het einde van de 18e eeuw geloofden sommige mensen werkelijk dat deze tekens een magische inhoud hadden en bleven er daarom maar liever van af. De Duits-Deense archeoloog Zoëga was ten slotte een van de eersten die zich, weliswaar zonder resultaat, iets meer met dit Oudegyptische schrift bezighield. Zoëga kon de hiëroglyfen niet ontcijferen maar hij kwam wel tot een niet onbelangrijke ontdekking, waarop Champollion later doorborduurde: Zoëga ontdekte dat de ovale inlijsting van bepaalde tekens op de naam van een farao wees.

Het noodlot speelde een grote rol in het korte, wonderlijke leven van Champollion. Niet alleen dat zijn vader, een boekhandelaar uit het Zuid-Franse Figeac van een helderziende hoorde dat hij een zoon zou krijgen die een 'licht van de komende eeuw zou worden', vader Champollion deed ook alles om dat te verhinderen; maar het lukte hem niet.

Jean-François die in 1790 werd geboren, toonde tijdens zijn eerste levensjaren al een buitengewone begaafdheid. Hij was nog geen vijf toen hij zich door zijn moeder uit de Bijbel passages liet voorlezen die hij dan later uit het hoofd herhaalde. Beangstigd door de vroegrijpe prestaties van zijn jongste zoon, dwong zijn vader zijn moeder het Bijbelvoorlezen te staken. Dit was voor de vijfjarige echter geen beletsel en hij zocht heimelijk in de boekwinkel een Bijbel om in een schuilplaats verder te studeren. De kleine Champollion kon weliswaar nog niet lezen of schrijven maar hij kende elke bladzijde van de Bijbel uit zijn hoofd en – hij wist waar deze passages in de Heilige Schrift te vinden waren. Hij vergeleek de klanken van de taal met de lengte van de gedrukte woorden, stelde overeenkomsten vast en registreerde dat de Franse uitspraak heel vaak van het geschrevene afwijkt. Jean-François leerde spelenderwijs, hij herkende lettergreepfuncties en de volgorde van woorden voor hij naar school ging.[83]

Zijn vader stuurde zijn jongste zoon in Figeac naar school. Hij mocht onder geen enkele voorwaarde een wonderkind worden. Maar de oudere broer van Jean-François, Jacques-Joseph, herkende het genie in zijn jongere broertje. Jacques-Joseph zelf was een tragisch figuur. Hij had gestudeerd en zich in de Egyptische kunstgeschiedenis verdiept en hij spande al zijn relaties ervoor in dat Napoleon hem op zijn Egyptische veldtocht in 1798 zou meenemen. Maar Napoleon die behalve een leger ook nog een volledige staf van geleerden en historici naar Egypte meenam, ging zonder Jacques-Joseph Champollion.

Teleurgesteld hing deze daarop zijn kennis aan de kapstok, trok naar Grenoble en werd koopman.

De steen van Rosette

In 1801 haalde koopman Champollion zijn jongere broertje naar Grenoble om hem een betere opleiding te kunnen geven. Een krant was beslissend voor de verdere levensloop van de jonge Champollion. Jacques-Joseph was geabonneerd op de *Courier de l'Egypte* – de laatste stuiptrekkingen van zijn verloren liefde.

In deze krant stond op een dag een bericht over een steen die door de troepen van Napoleon op de Nijldelta in de buurt van het dorp Rosette gevonden was en die weer een nieuwe stoot in de richting van de ontcijfering van de hiëroglyfen gaf.

De steen was van basalt. Er stonden drie alinea's op met verschillende inscripties: hiëroglyfen, daaronder waarschijnlijk koptische of demotische tekens en daaronder Grieks. Het Grieks was gemakkelijk te vertalen. Het ging over een uit het jaar 196 v.Chr. stammende dankbrief van priesters uit Memphis aan koning Ptolemaeus Epiphanes. De vijfde Ptolemaeus had net het koningsschap aanvaard en hij genoot grote geliefdheid daar hij de priesters uitstaande belastingen kwijtschold, de kas van de tempels van nieuwe inkomstbronnen voorzag en bij oorlogsgevaar bijzondere beschermingsmaatregelen voor de tempels trof. Ptolemaeus V gaf de vergoddelijkte Apis en Mnevisstier grotere geschenken dan Egyptische koningen gewoonlijk deden. En vanwege dit alles vonden de priesters het nodig deze steen voor hem te beitelen met de devote aanhef :

Ptolemaeus, de eeuwig levende, die door Ptah geliefd wordt, de God Epiphanes, Eucharistos, de zoon van koning Ptolemaeus en koningin Arsinoë, de goden Philopatoren*, die veel goed deed voor de tempels en hun bewoners en allen die onder zijn heerschappij

* Noot (vertaalster): Dit is de Griekse vertaling van de Oudegyptische tekst 'De twee Goden die hun vader liefhebben'.

leven, doordat hij een God is en een zoon van een God, gelijk Horus, de zoon van Isis en Osiris, die zijn vader beschermde.

Het vermoeden dat de beide daarboven staande teksten dezelfde inhoud hadden als de Griekse was niet zo absurd. De Steen van Rosette werd gecopieerd, getekend en er werden afgietsels van gemaakt. Geleerden van de hele wereld verdiepten zich in de ontcijfering van deze schrifttekens. De middelste tekst werd als het toentertijd gesproken demotisch herkend.

Jean-François was elf jaar oud toen hij besloot de onbekende tekens van de Steen van Rosette te gaan ontcijferen. De ongekende energie die in deze weetgierige jongen stak, blijkt duidelijk uit het feit dat hij eenentwintig jaar lang aan dit probleem werkte. Eenentwintig jaar waarin hij de ontsluiering van het geheim stap voor stap naderde.

Toen Champollion in 1807 op zeventienjarige leeftijd van school kwam en naar de wetenschappelijke academie ging, verdiepte hij zich in de Koptische taal, de verdere ontwikkeling van het priesterlijke schrift en het daaruit voortgekomen demotisch. Hij ontdekte bij een vergelijking met het Koptisch dat het hiëroglyfenschrift acht persoonlijke voornaamwoorden kende die analoog aan klanktekens waren. Daaruit maakte hij op dat de hiëroglyfen niet alleen uit symbolen bestonden. Champollion telde op de Steen van Rosette 486 Griekse woorden, maar daarentegen 1419 hiëroglyfen. Hij ging verder op dezelfde manier als indertijd toen hij nog niet kon lezen en schrijven en de Bijbelpassages met zijn uit het hoofd geleerde teksten vergeleek.

Farao- en eigennamen moesten wel in alle drie talen hetzelfde zijn. Dat was aan te nemen. De Engelse natuuronderzoeker Thomas Young had op basis van het veelvuldige herhalen in de tekst de naam Ptolemaeus al ontcijferd. Champollion nam een omweg om verder te komen. Hij liet zich kopieën sturen van een obelisk, want uit de Griekse tekst van de inscriptie daarop wist hij dat de naam Cleopatra er vaak op voorkwam.

Hij ordende de klanken in zijn systeem, herkende de letters L, P, en T, die ook in de naam van Ptolemaeus voorkwamen en wist toen dat die symbolen geen woorden betekenden maar klinkers. Het symbool voor de L in Cleopatra moest dus een K of een C zijn.

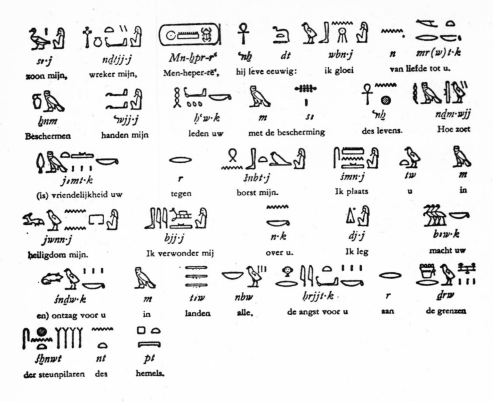

sꜣ·j	*ndꜣjj·j*	*Mn-ḫpr-rꜥ,*	*ꜥnḫ*	*dt*	*wbn·j*	*n*	*mr(w)t·k*
zoon mijn,	wreker mijn,	Men-heper-rēꜥ,	hij leve eeuwig:		ik gloei		van liefde tot u.

ḫnm	*ꜥwjj·j*	*ḫꜥw·k*	*m*	*sꜣ*	*ꜥnḫ*	*ndꜣm·wjj*
Bèschermen	handen mijn	leden uw	met de bescherming		des levens.	Hoe zoet

jꜣmt·k	*r*	*šnbt·j*	*smn·j*	*tw*	*m*
(is) vriendelijkheid uw	tegen	borst mijn.	Ik plaats	u	in

jwnn·j	*bjj·j*	*n·k*	*dj·j*	*bꜣw·k*
heiligdom mijn.	Ik verwonder mij	over u.	Ik leg	macht uw

šndw·k	*m*	*tꜣw*	*nbw*	*ḥrjjt·k*	*r*	*drw*
en) ontzag voor u	in	landen	alle,	de angst voor u	aan	de grenzen

sḫnwt	*nt*	*pt*
der steunpilaren	des	hemels.

De Egyptische hiëroglyfen zijn woord- en lettergreepsymbolen. Het afgedrukte tekstvoorbeeld geeft het fonetische schrift en de vertaling ervan weer. Bij het fonetische schrift ontbreken alle klinkers; zij waren onbekend bij de Egyptenaren.

Toen Champollion op 14 september 1822 verschillende afschriften van farao-kardoezen uit Egypte ontving, ontcijferde hij er direct twee: Ramses en Thoetmoses. Geen twijfel meer – Champollion had het raadsel van de hiëroglyfen opgelost.

'Je tiens l'affaire – ik heb het,' riep hij enthousiast naar zijn broer Jacques-Joseph, wierp de armen in de lucht en zakte als door de bliksem getroffen in elkaar. Vijf dagen lang lag hij in een diepe coma; dit wordt door verschillende schrijvers aangehaald. Ook Adolf Erman vertelt dit.[62]

Als Champollion weer bijkomt, spreekt hij over merkwaardige vi-

In deze drie schriftsoorten zijn de Egyptische documenten ons overgeleverd. Boven: de hiëroglyfen met ongeveer 600 tekeningetjes. In het midden het priesterschrift dat sinds de 5e dynastie gebruikt werd. Onder het demotisch schrift, sinds de zesde eeuw algemeen verspreid.

sioenen en stamelt steeds namen van farao's van wie hij het schrift net ontcijferd heeft.

Champollion deelt zijn ontdekking op 27 september 1822 aan de Parijse Academie mee. Hij wordt tot professor in de Egyptologie benoemd en in 1828 in dienst van de wetenschap naar Egypte gestuurd. Hij en de Italiaanse prof. Ippolito Rosellini uit Pisa, leiden de door koning Karel X en de Toscaanse regering uitgeruste expeditie.

Zijn wensdroom gaat in vervulling: maar deze vervulling is gelijktijdig zijn doodvonnis: Champollion sterft na terugkeer uit Egypte. Waar hij aan stierf, is nooit duidelijk geworden. Hij was 42 jaar oud.

Niet minder mysterieus is de vroege dood van Giovanni Belzoni, de kleurrijkste verschijning van alle Egyptische archeologen. Belzoni, de zoon van een kapper uit Padua, had veel beroepen voor hij zich aan het opgraven van mummies wijdde. Zijn vrome ouders wilden eigenlijk dat hij geestelijke zou worden. Maar hij werd circusartiest, boeienkoning, toneelspeler, operazanger, ingenieur en ontdekkingsreiziger. Het is bijna gemakkelijker te vertellen wat Belzoni *niet* was.

In ieder geval bracht hij maar weinig tijd door in zijn geboorteland Italië. Hij woonde in Engeland, Portugal en Afrika. Hij kwam met een toneelgroep naar Engeland en aangezien hij als Italiaan gebroken Engels sprak, maakte hij van de nood een deugd en gaf pantomimevoorstellingen. Tijdens een verblijf in Lissabon trouwde hij met de toen zeer bekende operazangeres Angelica Valabreque – een collega zogezegd; want in Engeland was Belzoni intussen als operazanger gelanceerd.

Het was een drang die hij zelf niet kon verklaren. Hij werd van stad naar stad gedreven en toen hij een aantal beroepen geprobeerd had, stelde hij zich ten slotte tevreden met de bezigheid van 'reiziger'. Hij liet kaartjes drukken met zijn naam erop en bescheiden daaronder: 'The celebrated traveller' – de beroemde reiziger.

Belzoni's grote liefde was Afrika. Hij zwierf als ontdekkingsreiziger door West-Afrika en probeerde de destijds veel omstreden vraag te beantwoorden of de Nijl en de Niger één rivier waren, zonder bron, maar met twee mondingen.

In 1815 kwam Belzoni voor het eerst naar Egypte. Niet als zanger of als archeoloog maar als uitvinder. Hij had een waterrad geconstrueerd dat vier keer zoveel kon verwerken als de toen gebruikelijke en bood zijn patent aan de almachtige sultan Mohammed Ali aan. Maar aangezien Zijne Hoogheid vriendelijk weigerde, wijdde de 'beroemde reiziger' zich aan een andere zaak: de archeologie.

De tijd was precies goed. Sinds de veldtocht van Napoleon waren Egyptische voorwerpen over de gehele wereld geliefd. Tekeningen, schilderijen en opgegraven voorwerpen uit het sprookjesland aan de Nijl werden goed betaald. De boeienkoning ging aan het werk. Vijf jaar lang zocht hij naar verborgen schatten en wat hij met zijn hersens niet voor elkaar kreeg, knapte hij met zijn bekende spierkracht of dynamiet op.

Door bemiddeling van de Zwitser Johann Ludwig Burckhardt (1784-1817) werd hij naar de Engelse consul-generaal verwezen die Belzoni als expediteur voor de in Luxor gevonden kolossale buste van Memnon aannam. Hij bracht die naar Alexandrië vanwaar hij verder naar Londen werd gestuurd. En hoe meer antiquiteiten Belzoni transporteerde – een obelisk glipte bij het overladen in de Nijl, maar hij viste hem er weer uit – des te groter werd zijn wens om zelf te gaan graven.

Ontdekking in hef Dal der Koningen

Hoe het in het begin van de vorige eeuw in de dodenstad Thebe toeging, daarover vertelt Belzoni in zijn later gepubliceerde boek *Narrative of the operations and recent discoveries in Egypt and Nubia* (Verhalen over werkzaamheden en nieuwe ontdekkingen in Egypte en Nubië).[9]

> Op een dag ontdekte ik een gang, die zo nauw was dat ik me er maar net door kon wringen. In de gang waren mummies zodanig opgestapeld, dat ik niet heb kunnen voorkomen de gezichten van enige vergane Egyptenaren te beroeren. Omdat de gang schuin naar beneden liep, werd ik door mijn eigen gewicht omlaag getrokken. Ik kon niet verhinderen dat armen, benen en schedels op me vielen. Zo kwam ik van de ene grot in de andere. In iedere ruimte waren mummies opgestapeld. Sommige stonden rechtop, andere ondersteboven.

Benevens ontelbare mummies die zonder veel grafgeschenken begraven waren of er reeds van beroofd waren, vond Giovanni Belzoni na vele teleurstellingen toch ook cultuurhistorisch gezien belangrijke voorwerpen. Vele van deze rotsgraven werden rond deze tijd namelijk al door boeren met hele gezinnen en huisdieren bewoond. Des te enthousiaster was de ontdekkingsreiziger dan ook toen hij in 1817 op het graf van een farao stootte, de zoon van Ramses, Sethos I. Dit hield hem een vol jaar bezig: want behalve zakelijke interesse ontwikkelde Belzoni langzamerhand ook een wetenschappelijke onderzoekingsdrang.

Hij maakte kopieën van reliëfs en tekeningen. 'Deze ontdekking,' schreef hij in zijn dagboek, 'maakt alle moeite goed, die ik bij mijn onderzoeken heb moeten doen. Misschien was deze dag wel een van de mooiste van mijn hele leven.'[50]

Belzoni stortte zich in een ware opgraafroes – een roes die hem noodlottig zou worden. Zijn bijzondere interesse gold de piramide van Chefren waarvan de ingang tot de grafkamer was vergeten. Belzoni noteert: 'Mijn plan was belangrijk. Ik was er vast van overtuigd dat een mislukking van deze poging me de spot van de hele wereld op de hals zou halen.'

Dus onderzocht de amateur-archeoloog koortsachtig bijna iedere steen van het 136 meter hoge bouwwerk. Maar hij vond geen spoor van een mogelijke ingang. Belzoni was zeker van zijn zaak: als de ingang tot de grafkamer niet op de piramide te vinden was (zoals bij de indertijd geopende piramide van Cheops), dan moest de ingang ergens onder de grond gemaakt zijn.

Aan de noordzijde van de piramide torenden zandduinen. Belzoni liet ze door een groep ijlings gehuurde arbeiders afgraven. En inderdaad: onder het woestijnzand kwam een gang tevoorschijn die blijkbaar naderhand door grafschenners gemaakt was. Halverwege de niet direct smalle ingang gebeurde het: een blok steen donderde naar beneden in de piramideingang Belzoni beschrijft de afmeting als 1,80 m bij 1,20 m. Een Egyptische arbeider kwam met het onderlichaam klem te zitten. Maar het zand in de gang dat tot de knieën reikte, redde hem het leven: hij kon bevrijd worden.

Slagen op het overige gesteente wezen uit dat het levensgevaarlijk was hier verder te gaan. Alle blokken steen lagen los. Belzoni is de wanhoop nabij. Hij staat dagenlang voor de iets grotere piramide van Cheops, vanwaar in het midden het enorme gat hem aangaapt dat Ma'mûn met dynamiet maakte. Hij tekent plattegronden en hoekschetsen, vergelijkt de hemelrichtingen en zandverstuivingen en komt ten slotte tot de overtuiging dat de ingang verder naar het oosten te vinden moet zijn.

Drie door zand toegedekte granietblokken bevestigen Belzoni's veronderstelling. Daarachter komt een gang tevoorschijn die schuin naar beneden loopt en na dertig meter voor een geweldige muur van blokken natuursteen ophoudt. Het duurt dertig dagen voor Belzoni met behulp van hefapparaten één steen uit de muur gebroken heeft. Dan kan hij zich door de nauwe opening heen wringen.

Giovanni Belzoni heeft een uit verscheidene kaarsen gedraaide fakkel bij zich. De gang loopt nu horizontaal verder. Het oriënteren valt hem niet moeilijk. Het systeem van de gangen is hetzelfde als dat van de piramide van Cheops.

'Toen ik verder naar het westen liep,' vertelt Belzoni, 'was ik verbaasd dat ik in de bodem een groeve vond. Er lagen echter alleen maar stenen en beenderen in.'[50]

De teleurstelling is groot als Belzoni in de wand van de grafkamer een zwarte inscriptie ontdekt: 'De meestermetselaar Mohammed Ali heeft deze geopend. De meester Osman was bij de opening aanwezig. Ook koning Ali Mohammed was van het begin tot het eind erbij.' Belzoni kwam slechts een paar honderd jaar te laat.

Ook al werden deze ondernemingen niet met succes bekroond, Belzoni had met zijn ontdekte graven toch genoeg verdiend. De sarcofaag alleen al die hij in het graf van Sethos ontdekte, bracht 20.000 gulden op. Toen Belzoni in 1820 uit Egypte naar Engeland terugkeerde, gaf hij zijn opgravingen voor openbare bezichtiging vrij. Daarna had hij weer genoeg geld om een nieuwe ontdekkingsreis naar Afrika te beginnen.

Egypte zag hij nooit terug. Was het toch de vloek van de farao's die ook Belzoni trof?

Het einde van Belzoni

In het voorjaar van 1823 ging Giovanni Belzoni weer in Londen aan boord, ditmaal op een oude sloep met een cabine voor zes personen en een badkamer waar de planken uit elkaar weken zodat er bij hoge golven zeewater door de scheepswand stroomde. Belzoni's vrouw was ook aan boord. In Tanger gingen ze aan wal. Het was april. Van hieruit wilde hij de Sahara doorkruisen en doorreizen naar de Soedan. Maar hij kwam slechts tot Fez. Daar ging zijn vrouw, zoals afgesproken, alleen terug naar Engeland.

Maar ook Belzoni moest niet lang daarna terugkeren. De Toearegs verhinderden hem en zijn gehuurde inheemse dragers verder het binnenland in te gaan. En dus besloot hij per schip door te reizen in de richting van Sierra Leone. Hier werd hij door een raadselachtige ziekte met koortsaanvallen en waanvoorstellingen overvallen.

Belzoni krijgt van een medicijnman wonderolie en opium. 'Ik voel dat de hand van de dood op me rust,' roept de doodzieke ontdekkingsreiziger. Hij wordt aan boord gebracht in de hoop dat de zeelucht hem goed zal doen. Belzoni spreekt wartaal. Hij zegt: 'Ik heb nog maar een paar uur te leven. Ik weet het.'[48]

Met deze woorden neemt hij een ring met een amethist van zijn vinger. 'Geef deze ring aan mijn vrouw,' zegt hij tegen zijn zwarte dienaar. Die middag overlijdt hij. Het is 3 december 1823.

Waaraan stierf prof. Bilharz?

Niet minder raadselachtig dan Belzoni's dood zijn de omstandigheden waaronder de Zwabische arts en natuuronderzoeker Theodor Bilharz op zevenendertigjarige leeftijd in Egypte overleed. Bilharz kwam uit Kenzingen in Baden, waar zijn vader kamerheer bij de vorst von Hohenzollern-Sigmaringen was. Tijdens zijn schooltijd verzamelde de kleine Theodor al stenen, planten en kevers. Hij legde catalogi en een eigen archief aan en was, afgezien van de wiskundevakken, een voorbeeldige leerling. Op achttienjarige leeftijd ging hij naar de universiteit in Freiburg om medicijnen, zoölogie, literatuurgeschiedenis, archeologie en oude kunst te studeren. Maar na twee jaren verhuisde Theodor van Freiburg naar Tübingen om daar zijn studie in de medicijnen af te maken. Het toeval wilde dat net omstreeks deze tijd de deken van de medische faculteit van Tübingen een wetenschappelijke wedstrijd uitschreef. Bilharz deed er aan mee: hij schreef over het onderwerp 'Beschrijving van de huidige toestand van onze kennis over het bloed van wervelloze dieren' en – hij won de eerste prijs. Na het afleggen van het staatsexamen kreeg de vijfentwintigjarige Bilharz op basis van dit werk de doctorstitel toegewezen.

Eerst werkte hij als onderzoeker aan de universiteiten van Tübingen en Freiburg. In Tübingen werkte hij samen met de internist Wilhelm Griesinger en toen deze in het begin van de jaren vijftig door de vicekoning van Egypte als lijfarts en medisch directeur werd aangesteld, nam hij de jonge Bilharz als zijn assistent mee. Natuurlijk had Bilharz zich zelfs in zijn stoutste dromen niet kunnen voorstellen dat hij weldra zelf de functies van Griesinger zou overnemen, want deze had zich zijn werk als lijfarts aan het hof van de koning blijkbaar heel anders voorgesteld. In ieder geval hield hij er vrij snel mee op en Bilharz nam alle functies van zijn vriend over.

Nu kon hij, die zich al sinds zijn schooljaren in de archeologie verdiept had, aan al zijn interessen tegelijkerijd aandacht schenken. Bilharz nam deel aan de opgravingen waar hij altijd dubbel welkom was – enerzijds vanwege zijn uitstekende vakkennis, anderzijds vanwege zijn grote talenkennis, waarmee hij tussen Arabische, Engelse en Italiaanse onderzoekteams als tolk optrad.[49]

Bilharz verdiepte zich bovenal in de lijkschouwing van mummies: want hij was in 1856 tot 'professor in de beschrijvende anatomie' benoemd. Er waren twee redenen voor zijn mummieonderzoeken: Bilharz verdiepte zich tegelijk in antropologie en pathologie.

Als antropoloog schonk hij de universiteit van Freiburg bij het vierhonderdjarig bestaan in 1857 een kist met Egyptische mensenschedels. Als patholoog schonk hij de gehele mensheid het volgende: hij ontdekte de verwekker van een reeds sinds duizenden jaren in Egypte bestaande tropenziekte, de naar hem genoemde Bilharzia. Deze ziekte wordt door een heel klein zuigwurmpje veroorzaakt, de 12 mm lange *Schistosomum haematobium,* die in de modder van de Nijl leeft. Verkalkte eieren van deze parasieten werden zelfs nog in de nieren van mummies uit de 20e dynastie ontdekt.

In de tijd dat Theodor Bilharz in Egypte onderzoekingen deed, leefde het volk aan de Nijl in doorlopende angst voor besmettelijke ziekten. Pest, tyfus en cholera eisten toen eigenlijk niet veel meer slachtoffers dan ze al eeuwenlang deden, maar de door Robert Koch en Louis Pasteur gedane ontdekkingen op het gebied van de bacteriologie brachten de oorzaken en bestrijdingsmogelijkheden van deze ziekten meer onder de aandacht van bredere bevolkingslagen.

Toen in de zomer van 1858 vier Europese toeristen na een bezichtiging van de piramide van Gizeh en de faraograven in het Dal der Koningen korte tijd na elkaar overleden, had niemand het over de vloek van de farao's, maar allen spraken over pest en tyfus. Om de openbare mening tevreden te stellen werden de vier toeristen in Alexandrië geobduceerd. Als doodsoorzaak werd oosterse pest, pneumonie met pestsymptomen, petèchiënkoorts en icterische tyfus vastgesteld. Zoals de Oostenrijkse chirurg Alexander Reyer en zijn landgenoot Georg Lautner, professor in de anatomie, die enige tijd later bij de geneeskundige dienst van Alexandrië aangesteld werden, bevestigen, was het obductieverslag een beetje te mooi opgesteld. In ieder geval konden de beide Oostenrijkse artsen de dood van de vier toeristen medisch niet verklaren.

Het vervalste obductieverslag had echter tot gevolg dat de gezondheidsinstanties van Alexandrië quarantainevoorschriften afkondigden waardoor de wetenschap in Egypte in ernstige moeilijkheden geraakte. Pas op aanraden van Lautner en Reyer werden deze enigszins overhaaste maatregelen weer opgeheven. Ik heb dit voorval daarom aangehaald, omdat het aantoont hoeveel waarde men in die tijd kon hechten aan de doodsoorzaak die vermeld wordt in een in Egypte opgestelde akte van overlijden.

Theodor Bilharz, die sinds 1858 vicepresident van de *Egyptian Society* was, moest steeds meer representatieve verplichtingen nakomen waarbij hij als veeltalige kunstkenner hooggeplaatste personen uit de hele wereld de archeologische plaatsen van Egypte moest tonen. In de zomer van 1862 kwam hertog Ernst II von Coburg-Gotha naar Egypte. De hertog was vooral geïnteresseerd in de jacht, terwijl zijn vrouw zich meer voor de graven in het Dal der Koningen interesseerde. Prof. Bilharz was uitgekozen om de vorstin naar Luxor te begeleiden. Op de terugreis naar Caïro kreeg Bilharz koortsaanvallen.

Toen prof. Lautner dit hoorde, liet hij Bilharz naar huis brengen. Veertien dagen lag Bilharz in coma: toen stierf hij zonder nog tot bewustzijn gekomen te zijn. Prof. Lautner kon de oorzaak van zijn dood niet vaststellen. Het heette dat Bilharz aan tyfus stierf. Lautner sprak dat tegen, zijn vriend en collega was het slachtoffer van een raadselachtige koorts geworden. Maar waar kwam die vandaan en waardoor was die teweeg gebracht?

Drie doodsoorzaken

Het aantal Egyptische archeologen, die reeds in de vorige eeuw op een onverklaarbare wijze stierven, is nog veel groter. Bij een nader onderzoek van de sterfgevallen zijn er eigenlijk drie doodsoorzaken vast te stellen: koortsen met waanvoorstellingen en voorgevoel van naderende dood, beroerten met bloedsomloopstoornissen en plotseling optredende kanker die in korte tijd tot de dood leidt.

Richard Lepsius (1810-1884) de beroemde Duitse archeoloog die complete graven uit het Dal der Koningen naar Berlijn bracht (onder andere een pilaar uit het graf van Sethos I) werd weliswaar ouder dan zijn meeste collega's, maar ook hij werd door een beroerte getroffen die hem voor de helft verlamde. Als doodsoorzaak constateerden de doktoren later kanker.

De Egyptoloog Georg Möller, die de opgravingen in het prehistorische gravenveld van Aboesir en in de dodenstad van Thebe bij Der el-Medine leidde, werd slechts vierenveertig jaar oud. Hij overleed op 2 oktober 1921 aan koorts met koude rillingen op een reis naar Uppsala in Zweden.

Tot de gebieden waarin Möller zich specialiseerde, behoorde onderzoek naar het Oudegyptische begrafeniswezen en daarom hield hij zich ook veel met graven bezig. Het lijkt erop dat hem dat noodlottig geworden is.

Möller, de zoon van een Duitse koopman werd in Caracas, Venezuela, geboren. Toen hij zes jaar was, kwamen zijn ouders naar Duitsland terug om de jongen een goede opleiding te geven. Zoals veel Egyptologen werd hij tijdens zijn schooltijd al zo door zijn latere be-

roep gefascineerd dat hij op het gymnasium al hiëroglyfen kon ontcijferen.

Als achtentwintigjarige nam hij een betrekking als wetenschappelijk attaché bij het Duitse consulaat-generaal in Caïro aan. Zijn be-
noeming tot gehonoreerd professor heeft hij slechts een paar maanden overleefd.

James Henry Breasted, een Egyptoloog uit Chicago, werd tijdens
een expeditie aan de Nijl door een verlamming getroffen. Breasted
had in 1899 van de koninklijke academie te Berlijn de opdracht gekregen Egyptische inscripties voor een groot Egyptisch woorden-
boek te kopiëren. In november 1905 kwam hij voor het eerst naar
Egypte. Hij bleef een poosje in 'Hôtel du Nil' in Caïro en reisde toen
met een expeditie verder naar Luxor, Assoean en Ethiopië.

Op de terugreis bleef Breasted in Luxor over. Howard Carter had
toen net het graf van Toetanchamon ontdekt en Breasted wilde dat
zien. Hij logeerde in het hotel 'Winter Palace' in Luxor, een oker-
kleurig sprookjesslot uit de verhalen van Duizend en één nacht. 'Iedere middag,' vertelt Charles, de zoon van Breasted, in zijn memoires[22], 'kwam de koorts weer opzetten. Hij werd afgemat door keelpijn
en koude rillingen en bij tijden brandde het bloed in zijn aderen en
bonsde het in zijn hoofd. Hij dacht dat het een nieuwe malaria-aanval
was; die ziekte had hij ergens in Irak opgelopen. Maar de proeven in
het laboratorium van de Engelse arts, die hem verzorgde, konden de
ziekte niet thuisbrengen en kinine hielp niet.'

Zes weken lang moest Breasted in bed blijven. Iedere middag
kwam de koorts weer zwaar opzetten om de volgende morgen weer
te dalen. Toen kon echter niets de archeoloog meer in bed houden.
Met een linnen masker voor mond en neus liet hij zich iedere dag naar
het Dal der Koningen rijden. Zoals Charles vertelt kwam zijn vader
steeds weer met koude rillingen in het hotel terug.

Breasted werkte onvermoeibaar verder aan de chirurgische Edwin-
Smith-papyrus en maakte al weer plannen voor een expeditie op het
schiereiland Sinaï. 'Ik moet reizen,' zei Breasted, ondanks alle bezwaren wegens zijn slechte gezondheidstoestand, 'ook al moet ik gedragen worden.'

In het hotel 'Winter Palace' had Breasted een parterrekamer. Op een dag in het begin van februari betrok een Canadese professor in de Engelse literatuur de kamer naast hem. Hij droeg de welklinkende naam La Fleur en bleef in Luxor omdat hij het net door Carter ontdekte graf van Toetanchamon wilde bezichtigen. La Fleur deelde Howard Carter mee dat hij het graf graag wilde zien. Charles Breasted bracht Carter deze brief.

Carter nodigde de Canadese professor de volgende dag voor een rondleiding uit. La Fleur kwam opgewonden van deze gebeurtenis terug. In de loop van de nacht werd de grote pezige man door koortsaanvallen geplaagd. Breasted die de Engelse expeditiearts die ook hem behandelde naar La Fleur stuurde werd erg ongerust.

De volgende nacht, tegen drie uur 's ochtends, kwam de Engelse arts uit de kamer van La Fleur. Charles, de zoon van Breasted, die de hele nacht was opgebleven, liep op de dokter toe. Deze knikte stom. La Fleur was dood.

'Toen ik daar in stilte stond te wachten,' vertelt Charles Breasted, 'dacht ik dat het vreselijk moest zijn om moederziel alleen midden in de nacht in een vreemd land naast een grote tijdloze rivier in een vreemd hotel vol onbekende mensen te moeten sterven.'

Intussen was de arts met twee hotelbedienden teruggekomen. De Egyptenaren droegen een lange tenen korf, waarin ze de dode professor wegdroegen.

Charles Breasted, die deze scène aanzag, herinnert zich de eerste woorden die de arts tot hem richtte nog goed: 'Nu moeten we ervoor zorgen dat uw vader niet naar Sinaï gaat.'

Toen de dokter de volgende morgen op visite kwam, zei James Henry Breasted: 'Ik weet wat u wilt zeggen, dokter. We zullen het Sinaï-avontuur uitstellen.' Het heeft nooit plaatsgevonden.

Hoewel Breasted door zwakte en koorts afgemat was, stond hij er toch op aan het werk van Carter aan de toen nog gesloten sarcofaag van Toetanchamon mee te doen. Breasted was het ook die bij een twist tussen Carter en de Egyptische regering over onacceptabele voorschriften als bemiddelaar optrad. Hij is beslist, naast Howard Carter, een van de mensen geweest die het langst in het graf van Toetanchamon doorbracht.

Breasted, die zich in Luxor weer een beetje ontspande, vertelt dat

Carter bij het opgraven een zieke, uitgeputte indruk maakte en bij tijden tekenen van geestelijke afwezigheid toonde en dan niet meer in staat was om beslissingen te nemen. En toch overleefde Howard Carter, de man voor wie het graf bijna een tweede tehuis was geworden, alle andere archeologen. Dat lijkt weer tegen het effect van de vloek van de farao's te pleiten. Ik persoonlijk geloof dat hij de beroemde uitzondering is die de regel bevestigt.

De vrouw van Breasted die haar man vaak op zijn onderzoekingsreizen begeleidde, stierf jong in juli 1934. Charles schrijft over de dood van zijn moeder –'Ze werd steeds vermoeider en vermoeider tot ze "in slaap viel en niet meer wakker werd".'

James Henry Breasted leefde slechts anderhalf jaar langer dan zijn vrouw. Hij hertrouwde zelfs nog. De uitverkorene, Imogen Hart, was een jongere zuster van zijn vrouw. Met haar reisde hij naar Egypte.

Op 21 november 1935 noteert hij in zijn dagboek: 'Ik verheug me als een kind om weer achter mijn bureau te kunnen gaan zitten en aan mijn *Geschichte Ägyptens* te gaan werken.' Breasted schrijft deze regels in de haven van Genua. Hij is onderweg naar New York.[22]

Maar midden op de Atlantische Oceaan wordt hij opnieuw door koortsen overvallen. Breasted dacht eerst dat het door een keelontsteking kwam, maar als ze steeds heftiger worden, houdt hij het op een malaria-aanval. De scheepsarts is radeloos.

Breasted komt weliswaar nog levend in New York aan, maar hij is door de dood getekend. Zijn zoon Charles zegt: 'Hij had een virulente haemolitische streptococcen infectie die absoluut dodelijk was. Sulfa kende men in die tijd in Amerika nog niet. De artsen in het Rockefeller Instituut bewonderden zijn weerstand. Maar helpen konden ze hem niet meer.'[22] James Henry Breasted stierf op 2 december 1935. De farao's aan wie hij het grootste deel van zijn leven gewijd had, hadden ook hem tot zich geroepen.

4

Graven en grafschenners

Wat het Duitse persagentschap op 8 februari 1973 om 20.14 uur als buitenlands bericht nr. 260 over zijn telex bekendmaakte, werd de volgende dag in de uitgave van vele kranten achtergehouden, zo ongeloofwaardig klonk de kop van dit bericht: '5000 graven uit de tijd van de farao's leeggeroofd.'

En toch: in 18 zinnen berichtte het D.P.A. over het grootste Egyptische grafschennersschandaal sinds ongeveer twintig jaar.

'Bij Jebel Abu Seir wordt geschoten!' Met deze woorden rende een katoenarbeider het politiebureau te Beni Suef binnen, een dorpje, honderdentwintig kilometer ten zuiden van Caïro op de westelijke oever van de Nijl gelegen: een kleine provinciehoofdstad waarvan alleen als bijzonderheid vermeld kan worden dat er een station is. De berg (Jebel) Abu Seir ligt aan de rand van de woestijn waar vrijwel niemand woont.

Het was al donker toen een politiepatrouille in dat gebied uitrukte. In de verte waren lichten tussen de rotsen te zien en er werden schoten gehoord. Toen de politieauto dichterbij kwam, werd het stil, de lichten verdwenen. In het licht van de schijnwerpers was een enorm bouwterrein te zien. Hier, aan de rand van de woestijn?

Op het roepen van de politie kwam geen antwoord. Uit een diepe schacht stak een ladder. Toen een van de agenten met een zaklantaarn naar beneden scheen, zag hij op ongeveer twintig meter diepte drie mannen zitten.

'Wat is er hier aan de hand?' riep hij naar beneden.

'Niet schieten!' galmde het antwoord.

Geschrokken klommen de drie mannen langs de ladder weer naar boven. Eerst beweerden ze met het schieten niets te maken te hebben, maar op het politiebureau kwamen ze uiteindelijk met de waarheid voor de dag: Een van hen had zeven maanden geleden bij Jebel Abu Seir een Oudegyptisch graf ontdekt, een paar dagen later nog een en ten slotte een hele rij. Hij vertelde een paar collega's op de katoenfabriek over zijn vondst en er werd besloten samen van deze ontdekking te profiteren.

Hoe langer de katoenarbeiders groeven hoe meer graven ze vonden. Uiteindelijk namen ze hun ontslag bij de fabriek en groeven alleen nog maar. Eerst stilletjes, met een die de wacht hield, vervolgens zonder wacht en in dag- en nachtploegen. Wie bij hen kwam, kon aan de zaak meedoen. De bodem herbergde immers onmetelijke schatten.

Zeven maanden liep de zaak uitstekend. Het viel niemand op dat een paar vroegere fabrieksarbeiders die nog in lemen hutten woonden, plotseling een auto kochten ook al was die tweedehands. Het kon ook eigenlijk niemand opvallen. Want degenen die het had moeten opvallen, waren zelf bij de zaak betrokken.

Maar toen, begin februari, stootten twee opgravers op een graf dat alle vijfduizend tot dan toe ontdekte graven wat inhoud en inrichting betreft overtrof.

'We hebben een mummie van een farao gevonden.' Dat nieuws verspreidde zich als een lopend vuurtje. De grafschennersgemeenschap eiste dat de opbrengst van deze vondst verdeeld werd, maar dat wilden de twee gelukkige vinders niet. Daarop werden ze zonder veel omhaal uit het syndicaat gestoten.

Toen deze twee op een nacht hun buit wilden komen halen, kwam het tot de bewuste schieterij die er toe leidde dat de hele onderneming spaak liep. Dit alles klinkt misschien als een avontuurlijke roman. Maar het is de werkelijkheid van het jaar 1973 – in deze omvang beslist wel enig in zijn soort. Niet ieder jaar worden er vijfduizend graven in één keer leeggeroofd. Maar grafschennerij is in Egypte ook in onze tijd bijna nog steeds aan de orde van de dag.

Wie tegenwoordig ten westen van Luxor in het woestijndorp Biban-el-Moeloek komt en ook maar een klein beetje archeologische interesse toont, die wordt door een in lompen gehulde jongen aan de mouw meegetrokken en naar de grauwe hutten tegen de stenige berghelling gevoerd waar men de vreemdeling al opwacht. Daar trekt dan een voor deze omgeving bijzonder vriendelijk uitziende Egyptenaar een pakje in krantenpapier uit de plooien van zijn boernoes tevoorschijn en zegt vroom: 'Mumia, Mister.'

Bij het uitpakken wordt de verbaasde toerist soms een beetje misselijk. Wat daar aan het licht komt, zijn menselijke handen, vingers, voeten en hoofden. Met huid, haar en nagels. Gekrompen, zwart en verdroogd. Voor een klein zwart handje vragen ze vijfentwintig euro. Een hoofd kost veel meer.

Op de westelijke Nijloever bij Luxor worden tegenwoordig nog steeds mummies opgegraven. Geen koningen meer, gewone mensen, minder mooi begraven, vaak in massagraven. Deze vondsten hebben nauwelijks enige kunsthistorische waarde. Maar omdat er een inleveringsplicht bestaat, vloeit er een geheime handel. Vaak rustig gadegeslagen door beambten van de witgeklede Egyptische toeristenpolitie. Eventuele bezwaren worden door de mummiehandelaren in hakkelend Engels tegengesproken: 'Ze zijn van ons!'

Het mummielaboratorium van dr. Benam

Zelfs het vervalsen van mummies heeft zich tot een levendige en lonende handel ontwikkeld. In het begin van de jaren vijftig werd door de politie van Caïro het grootste mummievervalsingsschandaal uit de geschiedenis ontdekt.

De bekende arts dr. Ali Schükri Benam was het hoofd van een vervalsersbende die contacten onderhield met bijna alle grote Egyptische verzamelaars op de hele wereld. In de in beslag genomen correspondentie van de mummieonderneming doken ook de namen van talrijke prominente privéverzamelaars op. Dr. Benam verstuurde offertes per serie als hij weer iets had 'binnengekregen'.

Het geheim van dr. Benam werd snel onthuld: de arts had goede contacten met de doodgravers van de stad. Tegen een vast bedrag leverden deze lijken die dr. Benam dan in wekenlang durende huisvlijt tot Oudegyptische mummies prepareerde. Daarbij kwamen hem de leerboeken van het Anatomisch Instituut van de universiteit van Caïro waar men zich ook met mummies van koningen bezighoudt, zeer goed van pas. De firma moest haar bezigheden op 2 juni 1952 staken.

Op die dag ontdekten namelijk douanebeambten in de haven van Port Saïd aan boord van het vrachtschip 'Enchantress' vier langwerpige kisten. Toen ze naar de inhoud van die kisten vroegen, werd hun een hoge fooi aangeboden als ze hun aandacht op de rest van de lading van de 'Enchantress' wilden vestigen.

De douanebeambten waren echter plichtsgetrouw en verlangden dat de kisten geopend zouden worden. Daarop legde de exporteur officiële papieren over van vier Oudegyptische mummies. Het plotseling opduiken van 'echte' papieren maakte de douanebeambten alleen maar nog wantrouwiger. De kisten moesten weer van boord gebracht worden.

In een opslaghal moesten ze geopend worden. Het bleek toen dat niet alleen de douanepapieren maar ook de mummies vervalst waren.

De politie koesterde al lang verdenking. Het was de directeur van het Egyptische Antiquiteitenbeheer reeds geruime tijd opgevallen dat er mummies 'op de markt' waren van wie niemand wist waar ze gevonden waren.

Zoals de exporteur beweerde, had hij de opdracht tot verscheping van de vervalste mummies van een man genaamd Mohammed Nezlet Manauat gekregen. Het opgegeven adres bleek echter vals te zijn. Toen werd de politie door het toeval geholpen.

Voor de grote bazar Khan el Khalili in Caïro bleef een vrachtauto met een gebroken vooras staan. Een paar kisten van de lading gleden op de weg. Een politieagent haastte zich om een verkeersopstopping te voorkomen. Toen zag hij onder de versplinterde deksel van een kist het gemummificeerde hoofd van een lijk.

De chauffeur van de auto zwoer bij Allah dat hij niets met de zaak te maken had en noemde de naam van zijn opdrachtgever: dr. Ali Schükri Benam.

De laatste acte van het drama verliep spectaculair: de politie omsingelde het hele stadsdeel waarin zich de woning van dr. Benam bevond. Toen werd zijn huis bestormd. Verscheidene employés van de arts waren net bezig lijken te balsemen en in 'echte' sarcofagen te verpakken. Op de droogzolder van het huis werden verdere geprepareerde lijken bewaard.

Een spreker van het National Museum te Caïro sprak na de bezichtiging van het mummievervalsers-laboratorium: 'Ik geloof dat zeventig procent van de mummies die in de afgelopen tien jaar uit Egypte de wereld ingestuurd zijn, vervalst was.'

Tegenwoordig is men – vooral in Amerikaanse musea – helemaal niet zo zeker of men nu een 'origineel' of een vervalsing van een mummie heeft gekocht.

In het Dal der Koningen

Geld heeft altijd een grote rol bij de opgravingen gespeeld. Geld, rivaliteit en eerzucht. Het waren beslist niet alleen maar kunstzinnige idealisten die hier groeven. Hebzuchtige schatgravers waren minstens evenveel aanwezig als argeloze avonturiers. Zo is ook de geschiedenis van de dodenstad Thebe een groots avontuur. Van de eerste getuigenissen aan de oosthelling van EI-Cocha, het graf van de gouwvorst Ihi (Middenrijk), tot aan de ontdekking van het graf van Toetanchamon.

De dodenstad Thebe, ten westen van het tegenwoordige Luxor, strekt zich in noord-zuid richting over een oppervlakte van drie kilometer uit. Tot op heden is onbekend hoe de prachtige hoofdstad, die pas door de Grieken Thebai werd genoemd, werkelijk heette. In ieder geval heeft ze op de oostelijke oever van de Nijl 500 kilometer ten zuiden van Caïro indrukwekkende bewijzen achtergelaten.

De opkomst van Thebe begon tijdens de 11e dynastie, toen machtige vorsten die meestal Mentoehotp heetten, voor een van de acht oergoden van de Midden-Egyptische stad Hermopolis, Amon, in Karnak een tempel bouwden zoals de wereld tot dan toe nog niet gezien had.[156] De graven die omstreeks deze tijd op de westelijke oever van de Nijl werden aangelegd, zijn echter wat aantal noch inhoud betreft bijzonder interessant. Vanaf de 13e tot de 16e dynastie (1790-1600 v.Chr.) en tijdens de vreemde overheersing door de Semitische herderskoningen, de Hyksos, verzinkt Thebe ten slotte in de vergetelheid totdat de koningen van het Nieuwe Rijk de stad uit het midden van de 14e eeuw tot de schoonste van de wereld maken. Memphis met zijn piramidesteden van Aboe Rodsj in het noorden tot Medoem in het zuiden doet niet meer mee.

Thoetmoses III, Hatsjepsoet en Amenhotep III zijn de belangrijkste faraofiguren die in deze stad en haar dodendal aan de andere oever van de rivier hun invloed lieten gelden. Een voortijdig einde van het 'Thebe met de honderd poorten' (Homerus) schijnt op komst te zijn als Amenhotep IV de stad Echnaton Amarna, halverwege tussen Caïro en Luxor, als residentie kiest. Maar de regering van de ketterse epileptici wordt slechts een historische episode.

En zo is de dodenstad aan de westelijke oever van de Nijl een begraven spiegelbeeld van de historische gebeurtenissen die de stad aan de oostelijke oever honderden jaren lang tot een geschiedkundig middelpunt maakte.

Zoekt men naar de oudste overblijfselen van dit dodenrijk, dan moet er in het dorp Gurna aan de rand van de Lybische woestijn gezocht worden, waar over een lengte van ongeveer twaalfhonderd meter en enige honderden meters breedte massagraven in de rotsbodem gehakt zijn. Hier bevinden zich vermoedelijk ook de graven van de drie eerste koningen van de 11e dynastie (2100-2000 v.Chr.) Intef I, Intef H, en Mentoehotep I. De Franse archeoloog Auguste Mariette die in de jaren zestig van de vorige eeuw hier opgravingen verrichtte, ontdekte boven deze groeven nog resten van piramiden, waarvan de grootte echter zeer bescheiden te noemen is. Anders dan bij de rotsgraven in de buurt van het Dal der Koningen vonden ook de eerste hofdienaren hier in de buurt van hun heersers hun laatste rustplaats.

Door de groeiende betekenis die de koningen van Thebe als Pan-Egyptische farao's kregen, zochten ze naar een indrukwekkender omgeving voor hun teraardebestelling. Het aan kalksteen rijke keteldal van Der-el-Bahri werd hiertoe uitverkoren. In het midden richtten Mentoehotep II en Mentoehotep III hun door een piramide overkoepelde gemeenschappelijk graf op. In veertig rotsgraven werden de mannen die Mentoehotep terzijde gestaan hadden, begraven: zijn vizier Ipi, zijn kanselier Achthoes, de bevelhebber van zijn oostelijke strijdkrachten Meroe, het hoofd van zijn huishouding Henenoe en zijn hoofd-boogschutter Neferhotep.[166]

Een bijzonderheid vormen de drie massagraven die zestig ongebalsemde mummies zonder kist borgen: soldaten die hun leven in de

78

strijd verloren hadden. Hun verschrompelde lichamen waren door talrijke pijlen doorboord.

We moeten nu vier dynastieën overslaan, ruimtelijk gezien niet veel meer dan duizend meter, om het historisch belangrijke gebeuren verder te volgen. In de 17e dynastie begon de dodenstad in Aboe'n-Naga weer belangrijk te worden. De vorsten van Thebe, die de Hyksos verdreven hadden, werden hier ter aarde besteld. Een gebeurtenis waarachter verschillende historici de in de Bijbel beschreven uittocht van de joden uit Egypte vermoeden. De graven in dit dal van Aboe'n-Naga zijn trouwens het meest geplunderd. De oude Abbott-papyrus spreekt reeds van zes geplunderde faraograven en het graf van de relatief onbelangrijke Nubcheper-rê-Intef werd pas in 1827 door Arabische boeren leeggeroofd.

Mariette, de Franse opgravingspionier, had in Aboe'n-Naga geluk, hoewel het een enigszins twijfelachtig geluk was. Mariette, in die tijd nog volkomen onbekend, maar succesrijk wat betreft het ontdekken van begraven schatten, kreeg van Khedive Said de opdracht bepaalde vondsten op een zekere plaats weer te begraven. Uit Parijs was namelijk de boodschap gekomen dat Louis Bonaparte, de neef van Napoleon III, naar Egypte zou komen.

Als een bijzondere eer zou voor de ogen van de gezant van Napoleon de glans van duizenden jaren her weer aan het daglicht blootgesteld worden en de hoge gast in alle eerbied worden aangeboden. Mariette moest het keurig begravene helaas zonder de bezoeker uit Parijs weer onder het zand vandaan wroeten: de prins kwam niet. Mariette stuurde de 'vondst' toch naar Parijs, naar Zijne Doorluchtigheid Louis Bonaparte. Hij werd er bepaald niet slechter van. De invloed van de Bonapartes in Egypte was nog steeds zo groot dat Mariette per kerende post tot 'Directeur de Service des Antiquités' werd benoemd.

Dienaren op de plaats van de waarheid

Ook als we de talrijke privégraven in dit gebied buiten beschouwing willen laten, hier waar blijkbaar meer mensen onder de grond zijn te vinden dan er boven, dan moeten we ons toch nog even in het gravenveld van Der el-Medine verdiepen. In Der- el-Medine werden namelijk alleen maar bepaalde mensen begraven. Geen koningen, geen hofbeambten, geen rijken. Het waren de beeldhouwers, steenhouwers, schilders en voorlieden die de onderaardse praalgraven in het Dal der Koningen en in Biban-el-Meloek geschapen hadden. Deze mannen droegen de eretitel: 'Dienaren op de plaats van de waarheid'.

Aangezien artiesten ook in die tijd hun gedachten al graag schriftelijk vastlegden, is ons van geen bevolkingsgroep zoveel overgeleverd als van de grafhouwers in het Dal der Koningen. Papyri van deze artiesten zijn schaars, maar daarvoor in de plaats zijn de ostraca-aantekeningen legio. Zelfs onbelangrijke en oninteressante dingen werden in het kalkzandsteen of op aardewerk gekrast, in de zak gestopt en later weer weggegooid.

Bij Gurnet Murai woonden de 'dienaren op de plaats van de waarheid' in een artiestenkolonie. Het was de enige plek waar mensen op de westelijke oever van de Nijl woonden.* De lijsten van het bureau van bevolking van dit dorp zijn gevonden. Ze vermelden niet alleen alle inwoners en hun beroepen, maar ook het aantal bewoonde huizen waarvan er al alleen al tussen Medinet Haboe en de nederzetting Mainnehes honderdvijfenvijftig stonden.

Deze kunstenaars en handwerkslieden werkten in diepe vroomheid en goddelijke verering voor de dode farao's. Zo weten we van verscheidene papyri dat zij zich onwaardig voelden de goden van de staatsreligie te aanbidden en slechts hun eigen goden, de goden voor het volk, vereerden. Daartoe behoorden de Aziatische goden Resjef en Kadesj, maar ook de kat, de zwaluw of de bergtop.

Amenhotep IV evacueerde de kunstenaarskolonie tijdens zijn regeringstijd naar Amarna waarvan ze echter na zijn dood en het herstel van de oude religie terugkeerden.

Wat in Biban-el-Moeloek door slaven en krijgsgevangenen met onvoorstelbare moeilijkheden in de rotsen gehakt werd en door hofbeambten en familie van de koningen met onmetelijke rijkdommen gevuld werd, vindt in de gehele geschiedenis van het mensdom zijn

---

* "Stadsregister betreffende het westelijk deel van de stad van de tempel Sethos I tot aan de nederzetting van Mainnehes" – Papyrus 10.068 – British Museum.

weerga niet. Dat is dan ook de reden geweest waarom reeds tweeduizend jaar voor het begin van onze jaartelling en vijfhonderd jaar na de oprichting van het eerste rotsgraf alle faraograven leeggeroofd en geplunderd werden. Het graf van Amenhotep II bevatte nog wel de mummie van de koning, maar geen kunstschatten meer. En ook de rotsgroeve van Toetanchamon was al tweemaal het doel van rovers die zich echter tevreden moesten stellen met kleine kostbaarheden uit de voorkamer. Waarschijnlijk werden ze tijdens hun roverij gestoord of door iets onverwachts gehinderd.

Het is dus niet verwonderlijk dat de farao's van het Nieuwe Rijk besloten de tot dan toe geldende traditie te beëindigen. Hierna werd er boven de grafkamers een meer of minder mooie plaats voor de dodencultus opgericht. Want de dodentempels en piramiden aan de rand van de Lybische woestijn waren de beste wegwijzers voor de grafschenners.

Amenhotep I en Thoetmoses I waren de eersten die hun grafkamers diep en voor de buitenwereld onzichtbaar in de rotsen lieten hakken. De bouwmeester van Thoetmoses, Inemi, vertelt over het bouwwerk op een inscriptie in zijn eigen graf: 'Ik had helemaal alleen het toezicht op het uithakken van het rotsgraf voor Zijne Majesteit, zonder dat het gezien of gehoord werd.'

Dit brengt Georg Steindorff tot het niet onomstreden vermoeden dat alle krijgsgevangenen die aan de bouw hadden deelgenomen na de beëindiging van het werk naar het hiernamaals gezonden werden'.[166]

Maar zelfs al waren de graven in de tijd voor onze jaartelling niet geplunderd, dan waren er toch maar weinig in hun oorspronkelijke staat behouden gebleven omdat de rivaliteit onder de almachtige goddelijke koningen zelfs niet ophield bij de rotsgraven van hun voorvaderen. Zo heeft Thoetmoses maar een paar jaar in zijn rode zandsteensarcofaag mogen liggen. Slechts tot zijn dochter en opvolgster Hatsjepsoet – een vrouw die alles deed om op een man te lijken – hem eruit zette en in een voor haar zelf gemaakt graf liet plaatsen. Haar stenen kist moest voor dit doel een beetje langer gemaakt worden.

De farao's konden niet ter verantwoording geroepen worden in tegen-stelling tot de talrijke 'gewone' grafschenners.* In deze processtukken worden ook de grafplunderingen van Amenhotep III, Sethos I en Ramses II afgeschilderd. De laatstgenoemde farao werd indertijd in het graf van Sethos I gelegd. De mummies van Sethos I en Ramses H werden naar het graf van koningin Inhapi gebracht waar uiteindelijk ook Ramses I zijn laatste rustplaats vond. De verwarring wordt compleet als de Franse archeoloog, Victor Loret, mededeelt dat hij in het graf van Amenhotep II de mummie van Amenhotep III in de sarcofaag van Ramses III afgesloten met de sarcofaagdeksel van Sethos II ontdekt heeft.

Ongeveer tweehonderdenvijftig jaar na de dood van Toetanchamon, tijdens de 20e dynastie werd, bleek uit gevonden documenten, een intrige tussen de oostelijke stadvorst Peser, en de westelijke dodenstadvorst Pewero, waarin Peser zijn ambtscollega uit het westen van nalatigheid van zijn plicht tot toezicht houden beschuldigt.

Grafschennerijen zijn aan de orde van de dag. De stadbestuurder en vizier Chamwese stelde daarop een onderzoekscommissie in die uit twee priesters, twee schrijvers en twee politieautoriteiten bestond.

Deze commissie kwam ten slotte met het volgende gedetailleerde rapport:

1. Het 120 el diepe graf van Amenhotep I ten noorden van de Amenhotep tempel, waarvan de oostelijke stadvorst Peser beweer-de dat het geschonden werd en dit voorval meldde aan de vizier en stadsbestuurder Chamwese, de koninklijke drost Nesamun, de schrijver van de farao, de rentmeester van de opperpriesteres van Amon-Re en de koninklijke drost Neferkere-em-per Amon, de spreker van de farao en aan de grote vorst, werd door ons na uitge-breid onderzoek onbeschadigd gevonden.
2. Eveneens werden onbeschadigd gevonden de piramide van Antef de oudere, zoon van Ra, die ten noorden van het voorhof van de Amenhotep tempel ligt. De piramide zelf is vernield en nog maar

* Papyrus Abbott en Papyrus Amherst.

één deel staat overeind met de afbeelding van de koning en zijn hond Bekha tussen de benen.

3. De piramide van koning Nubcheper-Re, zoon van Re Antef werd door dieven aangeboord. Er bevond zich een gat van twee el doorsnee aan de voet van de piramide. Een tweede gat van één el doorsnede ontdekten wij in het voorportaal van het graf van de offerleider van de Amontempel, Jurai. De grafschenners waren echter niet tot in de graven doorgedrongen.

4. Op dezelfde wijze bleek de piramide van koning Sechemre Wepmat, de zoon van Re Antef de oudere, aangeboord te zijn, doch deze was niet opengebroken.

5. De piramide van koning Sechemre Schedtawe, zoon van Re Sebekemsaf was opengebroken en wel vanuit de buitenhal van het graf van Nebamoen, de opslagleider van Thoetmoses III. De mummie van de koning was geroofd, evenals die van zijn vrouw Chasnoeb.[22|66|44]

Tot hier het rapport van het onderzoek. De grafrovers konden ontdekt worden. Het waren acht steenhouwers en dienaren van de Amontempel. Onder stokslagen legden de grafrovers de volgende bekentenis af:

Wij waren het die in de piramide van koning Sebekemsaf en zijne koninklijke gemalin Chasnoeb doorgedrongen zijn. Wij braken hun sarcofaag open en de omhulsels waarin ze lagen. De eerbiedwaardige mummie van koning Sebekemsaf was met een lange rij gouden amuletten en sieraden van goud aan hoofd en hals bedekt. De mummie was helemaal met goud overtrokken en de mummiekisten bevatten vanbinnen en vanbuiten goud, zilver en verscheidene prachtige edelstenen. Al het goud dat we op de mummie van de koning vonden, de amuletten en de sieraden om zijn hals hebben we eraf gehaald, de mummieomhulsels hebben we meegenomen. De mummie van de koningin was net zo uitgedost. We hebben alles weggenomen dat we gevonden hebben. Het mummificeringsmateriaal hebben we verbrand. Alle gouden, zilveren en bronzen huishoudelijke voorwerpen hebben we meegenomen. En we hebben al het goud, de amuletten, sieraden en mummieomhulsels in achten verdeeld.

De opperrechter was in die tijd de vizier. Onder hem stonden zes ge-rechtshoven met speciaal bevoegde rechters. Rechter werd men slechts met de genade van de farao. Zoals de vizier Chamwese. Hij stuurde alle processtukken aan de farao die een oordeel moest vellen. De delinquenten werden intussen in de gevangenis van de Amontem-pel vastgehouden. Het oordeel van de farao is niet door overlevering bekend geworden. Op grafschennerij stond echter de doodstraf.

De achtvoudige terechtstelling in Thebe had overigens helemaal *geen* afschrikwekkende werking. De verleiding was ook te groot om tijdens één nachtelijke roofpartij onmetelijke schatten buit te kunnen maken. Schatten die de eenvoudige man rijkdom voor zijn verdere leven beloofden.

Faraograven werden in de loop van de volgende duizenden jaren steeds weer opnieuw ontdekt, geplunderd of gerestaureerd en weer vergeten. Diodorus vertelt over zevenenveertig koningsgraven die in Thebe zouden liggen, waarvan hij er zelf tijdens een reis in Egypte in het jaar 57 v.Chr. maar zeventien kan vinden, terwijl Strabo dertig jaar later er slechts veertig als bezienswaardig beschrijft.

Dat brengt ons op de vraag: bestaat de mogelijkheid dat er ook tegenwoordig nog een faraograf ontdekt kan worden?

Engelse en Franse archeologen die ik ter plaatse deze vraag stelde, willen de mogelijkheid niet uitsluiten, hoewel – daar leggen ze de na-druk op – het onwaarschijnlijk is om nu nog een onberoerd graf te vinden. Maar Georg Steindorff en Walther Wolf hebben nog een paar graven op hun lijstje van vermiste graven staan – bv. dat van Thoet-moses II en Semenchkere. Maar boven alles echter het graf van Im-hotep waarover de vroegere assistent van Walter B. Emery, Ali el Khouli, op een groots gravenveld in Sakkara tegen mij zei: 'Ziet u, hier ergens ligt de grote Imhotep,' en al sprekende maakte hij een weids gebaar met zijn hand, 'ik weet alleen nog niet precies waar.'

De eerste archeologen

Het is allemaal de schuld van Napoleon: als hij er niet geweest was, dan had heel Egypte en ook het Dal der Koningen misschien nog honderden jaren als Doornroosje geslapen. Zo af en toe opgeschrikt door ondernemende avonturiers als Richard Pococke, die reeds in 1745 veertien graven in het Dal der Koningen ontdekte en beschreef. Napoleon ontdekte het land aan de Nijl, niet alleen voor Frankrijk – ook al verstond dit land uitstekend de kunst om hieruit de grootste voordelen te trekken. Zijn plechtige uitspraak: 'Soldaten, meer dan drieduizend jaren kijken op u neder,' werd overal in Europa gehoord. Door avonturiers, natuuronderzoekers en archeologen, hoewel echter haast geen van de laatstgenoemden een geleerde in de academische zin van het woord was.

De ons al bekende Giovanni Belzoni schrijft over een reis door het Dal der Koningen:

De verstikkende lucht in sommige graven, die vaak bewusteloosheid veroorzaakt, konden veel mensen niet verdragen. Een enorme stofwolk stijgt op van zulk fijn stof dat het in de neus en keel doordringt: de longen hebben de grootste moeite dit stof en de uitwasemingen van de mummies te bestrijden. Maar dit is nog niet alles. De ingang of doorgang waar de lijken liggen, is grofweg uit de rotsen gehakt en het zand dat van het plafond af de gang in naar beneden stuift, vult het bijna geheel op...

Er liggen overal hopen mummies, iets dat me met afschuw vervulde tot ik er aan gewend was. De zwarte muur, het zwakke licht van de kaarsen of fakkels, de verschillende voorwerpen die met elkaar leken te spreken en de Arabieren die daar naakt en door stof overdekt met kaarsen of fakkels in de hand stonden en zelf op levende mummies leken, leverden een onbeschrijflijk schouwspel op.[50]

Belzoni's beschrijving vereist een paar opmerkingen. De uitwasemingen die de avontuurlijke Italiaan aan de mummies toeschrijft, stammen beslist niet van hen, want ze zijn volkomen reukloos. De zwarte muren duiden erop dat de eerste moderne onderzoekers met hun pekfakkels meer schade in de graven hebben aangericht dan de grafrovers uit de oudheid die zich tot het stelen van gouden sieraden en voorwerpen beperkten. Door het roet van de fakkels zijn de wandschilderingen sterk aangetast en vaak zelfs vernield.

De oude Egyptenaren gebruikten bij de bouw en versiering van de faraograven geen fakkels als verlichting: ten eerste omdat het roet de beschilderingen zou hebben beschadigd, maar ook omdat ze hitte veroorzaakten en de arbeiders in de rotslabyrinten honderden meters in het berggesteente van de laatste zuurstof beroofd hadden. Men had toen al een hulpmiddeltje dat ook tegenwoordig nog wel door inheemse gidsen gebruikt wordt: de spiegel. Een spiegel is zonder meer in staat het zonlicht honderden meters de rotsen in te laten schijnen. De zon kan met extra, loodrecht opgestelde spiegels zelfs meermalen om een hoek naar onder en naar boven gedraaid worden. Deze methode garandeert daglicht dat de glans van de kleuren niet bederft. Het Egyptische Antiquiteitenbeheer houdt daar thans rekening mee en men verlicht tot bezichtiging vrijgegeven graven met wit neonlicht. Slechts leken zien hierin een inbreuk op de stijl.

Giovanni Belzoni vermeldt over zijn onderzoekbezigheden niet zonder trots: 'Toen ik me met mijn volle gewicht op een mummie plaatste, zakte die onder mij als een kartonnen doos in elkaar zodat ik natuurlijk op mijn handen moest steunen om niet te vallen. Hiermee kreeg ik echter niet veel houvast. Ik gleed weg in kapotte mummies en botten, lompen en houten kisten barstten. Er ontstond zo'n stofwolk dat ik een kwartier moest blijven staan en wachten tot het stof weer tot rust was gekomen.'[22]

De nachtelijke mummieprocessie

Het heeft een bijzondere oorzaak dat er tweeënvijftig faraomummies behouden zijn, ondanks georganiseerde roverij uit de rotsen van Biban-el-Moeloek. In zaal 52 in het Nationale Museum van Caïro bevinden zich enige daarvan.

In de tijd van Ramses III (1197-1165) kwam het in het Dal der Koningen voor het eerst tot overvallen op wachters die voor de graven met hun schatten waren opgesteld. De priesters uit de 21e dynastie voerden daarom een weldoordacht plan uit. Ze braken alle hun bekende graven open en haalden de mummies van de farao's eruit: het waren er negenenveertig. Dertien mummies werden in het geheime graf van Amenhotep II ondergebracht. De overige zesendertig droegen de priesters in een angstwekkende processie naar een schacht in het rotsdal waar een negen meter diep rond gat in de bodem gehakt was. Aan het eind van deze schacht leidde een gang naar een zeven bij zeven meter grote kamer. Hier werden de gebalsemde lijken uit de 18e en 19e dynastie neergelegd en ingemetseld.

Bijna drieduizend jaar lang bleef deze plaats onontdekt. Tot op een februaridag in 1871. De boer Ahmed Abd-el-Rasoel uit het dorpje El-Koerna die zijn karige levensonderhoud tot dan toe door de verkoop van bij illegale opgravingen gevonden schatten verbeterd had, trok toen de stoute schoenen aan. Hij daalde, geholpen door zijn broer Mohammed, met een henneptouw in een raadselachtig labyrint af.

Hij kende de gang al lang en had zich door met stenen te werpen akoestisch georiënteerd. Beneden aangekomen moest hij eerst moeizaam een stenen muur doorbreken: toen stond hij voor de mummies, die de priesters meer dan duizend jaar voor het begin van onze jaartelling daarheen gebracht hadden.

'Trekken,' riep hij enthousiast omhoog naar zijn broer. Deze haalde hem naar boven.

'Ik heb spoken gezien,' stamelde Ahmed. Dit zette zijn oudere broer en grafschennerhulp aan om halsoverkop ook eens naar beneden op onderzoek uit te gaan.

Ahmed zocht de schachtingang nog een paar keer op voor hij het waagde om zich nog eens naar beneden te laten zakken. Nu pas bemerkte hij dat de mummies hun sieraden en de Uraeus, het slangensymbool, op het voorhoofd, nog droegen. Als oude grafschenner wist hij: hij had mummies van farao's ontdekt.

Illegale opgravingen werden zelfs laat in de 19e eeuw nog streng gestraft. Het was dus zaak het geheim niet prijs te geven. Alleen Ahmed en de familie Abd-el-Rasoel wisten ervan. Maar Ahmed zei en hij had gelijk: 'Je mag de mummies niet heel verkopen: je moet de sieraden van de dode farao's door elkaar en stuk voor stuk aan de man brengen.'

Inderdaad wijdde Ahmed Abd-el-Resoel behalve zijn familie maar één mens in het geheim in: consul Moestafa Aga Ayat. Hij vertegenwoordigde in Luxor Engeland, België en Rusland en gold voor bijzonder integer. Ahmed was een tijdje butler bij hem geweest. Consul Moestafa nam het op zich om tien jaar lang te verkopen hetgeen Ahmed uit het labyrint aan het daglicht bracht. Het waren waardevolle vondsten van een kwaliteit die een vakman achterdochtig moest maken.

De eerste die achterdocht kreeg was de toenmalige leider van het Antiquiteitenbeheer, Sir Gaston Maspero. Sir Gaston had op de zwarte markt verscheidene kleinodiën ontdekt die hij zonder meer aan de 21e dynastie toeschreef. Dus moest er een graf uit deze tijd ontdekt zijn. De oudheidkundige liet verschillende vondsten kopen om hun herkomst te kunnen bepalen. Alle sporen eindigden óf bij consul Aga Ayat óf bij de gebroeders Abd-el-Rasoel.

Als consul kon Aga Ayat niet vervolgd worden: Ahmed Abd-el-Rasoel loochende alles en gaf zijn geheim ondanks stokslagen niet prijs. Hij werd twee maanden opgesloten, vrijgelaten en daarop maakte hij ruzie met zijn broer. En deze verraadde de mummiebergplaats aan de goeverneur van de provincie.

De mummiebergplaats werd korte tijd later door de Amerikaanse archeoloog James Henry Breasted bezocht. Hier volgt zijn verslag:

Habeeb en een gids smeekten me niet naar beneden te gaan, maar ik luisterde niet naar die onzin en trok alle overtollige kleren uit. Daar ik er niet op vertrouwde dat ze me zeker in de twaalf meter diepe schacht naar beneden zouden laten gaan, stelde ik ze achter naar voren springende rotsen op. Daar liet ik ze liggen, hun benen gespreid zoals bij touwtrekken op school en het touw vasthouden. Met een kaars en een paar lucifers in mijn zak ging ik over de rand en liet me langzaam naar beneden zakken.

Ik stak de kaars aan en begon door een zeer lange gang te kruipen die ook nog door gevallen gesteente vernauwd was. Na twee rechte hoeken leidde de gang 65 meter de berg in. De lucht die door duizenden jaren zonneschijn verhit was, was verstikkend heet. Het zweet stroomde uit mijn poriën. Voor en achter me hing een pikzwarte duisternis en een zo diepe stilte dat zelfs het knetteren van de kaarsvlam te horen was. Plotseling klonk er een ruisend geluid, de kaars ging uit en in het eerste moment van de duisternis sloeg me iets in het gezicht. Het was slechts een vleermuis. Hoewel er niets was om bang voor te zijn, leek het me in deze verschrikkelijke duisternis een eeuwigheid voor de kaars weer aan was.

De gang eindigde in een kamer van ongeveer zeven meter in kwadraat. Hier hebben de priesterkoningen van de 21e dynastie de lijken van de grote koningen van de 18e en 19e dynastie verborgen. Zelfs in die tijden was het onmogelijk geworden de graven tegen grafschenners te beschermen. Maar hier in deze geheime, in de rotsen uitgehouwen kamer hadden ze bijna drieduizend jaar zeker en ongestoord gelegen, tot de tegenwoordige bevolking, nakomelingen van de vroegere grafschenners, ze in 1881 ontdekten...

Enorme blokken steen waren neergevallen zodat het moeilijk was in de kamer rond te lopen. Over een paar jaar zal de ruimte volkomen versperd zijn. Als ik niet de laatste bezoeker was, dan zullen er in ieder geval niet velen meer na mij komen. Ik zette de kaars op een gevallen rotsblok en ging een paar minuten zitten. In gedachten probeerde ik me de vreemde scène voor de geest te halen die zich hier drieduizend jaar geleden moet hebben afgespeeld: eerst hakten de arbeiders deze schacht en deze kamer in de kalksteenberg, vervolgens hebben betrouwbare priesters de mummies heimelijk naar deze schuilplaats gebracht. Als de muren konden vertellen wat hier ooit gezegd was, als door een wonder de gehele kennis van één lid van deze betrouwbare groep aan ons overgeleverd had kunnen worden, dan zou dat een hoofdstuk in de geschiedenis van de mensheid zijn dat enig in zijn soort zou zijn. Mijn hart klopte in mijn keel bij de gedachte aan die mogelijkheid. Ik pakte de kaars weer op, kroop door de gang naar de schacht terug en trok me weer in het heerlijke daglicht en de redelijke koelte van de buitenwereld omhoog.[22]

Het beroep van archeoloog was in de vorige eeuw nog sterk met avontuur en romantiek verbonden. Vooral in Egypte. Wie voor de eeuwwisseling in Egypte naar farao's wilde graven, kon dat doen – naar opleiding en beroepskennis werd niet gevraagd. Zo gebeurde het dat aan de rand van de Lybische woestijn en voor de Nubische poorten kooplui en circusartiesten, professoren en playboys konden graven.

Duistere zaken

Wie waar mocht graven, dat besloot een regeringscommissie voor antiquiteiten die elk jaar één maal bij elkaar kwam en concessies uitgaf met de voorwaarde dat de helft van alle opgravingen aan Egypte geschonken zou worden. De andere helft kon de betreffende zelf houden of naar het buitenland brengen. Het is trouwens geen geheim dat de antiquiteitencommissie Egyptische antiquiteitenhandelaren bij de verdeling van opgraafplaatsen voortrok onder het motto: geld stinkt niet. En aangezien de hoge commissie maar één keer per jaar bij elkaar kwam, verloren Amerikaanse en Europese archeologen vaak een heel jaar als hun graafplaats niets waard bleek te zijn. Deze praktijk en de hoge temperaturen tussen maart en september zijn er oorzaak van dat sommige opgravingen vaak jaren duurden.

Het gelukte Victor Loret de overige dertien mummies die door de bezorgde priesters uit de 21e dynastie waren verstopt, te ontdekken. Hij legde in 1898 het graf van Amenhotep II bloot. De hierin verstopte mummies waren bijna onbeschadigd gebleven. Vooral de mummie van Amenhotep, voor wie het graf oorspronkelijk gemaakt was, was onberoerd want dit graf was in de oudheid reeds vergeten. Loret bracht de dertien mummies die hier drieduizend jaren verstopt waren geweest naar Caïro: Amenhotep liet hij in zijn sarcofaag. Vanaf dit moment werd de ingang tot het graf van Amenhotep door twee wachters bewaakt.

De wachters droegen geweren en deze voorzorgsmaatregel was niet overdreven: Op 24 november 1901 overvielen, net als drieduizend jaar daarvoor, gewapende grafschenners de wachters, ze grepen de mummie, roofden de sieraden en amuletten en een als grafgift bedoeld schip.

Door dit misdadige voorval kwam een man in het spel die tot die tijd inspecteur van het Antiquiteitenbeheer in Luxor was. Hij was nog geheel onbekend, de zoon van een Engelse dierenschilder en beschermeling van de professor in de archeologie Newberry. Zijn naam: Howard Carter.

Carter liet in het graf voetafdrukken nemen, zette speurders aan het werk en kwam uiteindelijk in het bekende grafroversdorp El-Koerna terecht. Hier kwam Carter bij een huis waar een bekende grafschennersfamilie woonde: de Abd-el-Resoels die reeds een andere grote mummiebergplaats leeggeplunderd hadden.

Eerst ontsloeg Carter de ene wachter, die hij van omkoperij beschuldigde en hij daagde de grafschenner in Luxor voor het gerecht. Het proces werd uitgesteld, vertraagd en oneindig langzaam verder gevoerd. Heel Luxor, zo leek het, speelde onder één hoedje. De stad spande samen tegen die heetgebakerde Engelsman. Het proces eindigde met vrijspraak voor de grafschenner. Carter had zich bij de Egyptenaren niet geliefd gemaakt en werd overgeplaatst. Zijn vijanden hadden hem vijfhonderd kilometer Nijlafwaarts in Sakkara een nieuwe betrekking verschaft: Carter werd inspecteur van het Antiquiteitenbeheer van Beneden- en Midden-Egypte.

In 1902 begon een advocaat en geldmagnaat uit Newport, Rhode Island, met opgravingen in het Dal der Koningen: Theodore M. Davis begon weer eens daar waar reeds drie anderen voor hem waren opgehouden omdat ze geloofden dat hier niets meer te ontdekken viel. Maar Davis vond in de twaalf jaren van zijn opgravingswerkzaamheden nog zeven graven. Hij ontdekte het graf van Thoetmoses IV, van Hatsjepsoet, Juja en Tuju, het graf van de schoonouders van Amenhotep III, het graf van Horemheb, dat van Siptah, een anoniem graf met de juwelen van de vrouw van Siptah, Tewosrat, en nog een anoniem graf dat juwelen en voorwerpen van Amenhotep IV en zijn moeder Teje bevatte.

Toen Theodore M. Davis in 1914 zijn graafvergunning teruggaf, deed hij dat omdat hij er vast van overtuigd was dat zijn ontdekkingen in het Dal der Koningen de laatste waren geweest. Davis had een medelijdend hoofdschudden over voor de Engelse Lord Carnarvon en zijn bezielde archeoloog Howard Carter, die in Luxor al eens pech had gehad. Als Davis geweten had wat Carnarvon en Carter zouden ontdekken, dan had hij zijn vergunning nooit aan hen overgedaan.

5

De lijkschouwing van een farao

Het menselijk wezen dat in het Anatomisch Instituut van de universiteit van Caïro voor prof. Douglas op de grond lag was al meer dan drieduizend jaar dood. Het was 11 november 1925. Tegen 9.45 uur steeg de spanning ten top: prof. Derry en Howard Carter liepen op de in witte doeken gehulde figuur toe die op de obductietafel lag. Onder deze doeken bevond zich het lijk van Toetanchamon, maar niemand wist nog hoe hij eruit zou zien.

Carter en Derry hadden voor deze gebeurtenis van de eeuw verschillende geleerden en prominente personen uitgenodigd: Saleh Enan Pascha, de onderstaatssecretaris van het ministerie van Openbare Werken, Said Fuad Bey el Choli, de gouverneur van de provincie Kena, Pierre Lacau, de directeur van het Antiquiteitenbeheer, dr. Saleh Bey Hamdi, de directeur van de gezondheidkundige dienst van Alexandrië, de scheikundige en archeoloog Alfred Lucas, Harry Burton van het Metropolitan Museum in New York, Tewsik Effendi Boulos, de hoofdinspecteur van het Antiquiteitenbeheer van Boven-Egypte en Mohammed Saaban Effendi van de directie van het Nationale Museum in Caïro.

De obductie van de mummie van Toetanchamon in het Anatomisch Instituut in Caïro was vooral zo spannend omdat tot die tijd nog nooit een meer dan drieduizend jaar oude ongerepte faraomummie geobduceerd was.

Douglas Derry had gewetensbezwaren, was misschien zelfs wel bang. In zijn verslag schrijft hij – en het klinkt als een zielige verontschuldiging – :

'Misschien is hier een rechtvaardiging op zijn plaats ten aanzien van het verwijt dat wij Toetanchamon onthuld en onderzocht hebben.

Velen vinden onze ingreep een ontwijding en zijn van mening dat we de koning met rust hadden moeten laten. Maar daar het graf toch reeds gevonden was en er door de eeuwen heen altijd grafschenners geweest zijn, had de gedachte dat er zich ongekende rijkdommen in het koningsgraf bevonden de rovers vast geen rust gelaten. Zelfs een sterke bebewaking had roofovervallen slechts voor een korte tijd kunnen verhinderen.'[31]

Hier moet nog aan toegevoegd worden dat de mummie van Toetanchamon weliswaar net als alle andere faraomummies, voor obductie naar Caïro gebracht was, maar later werd Toet toch weer in zijn sarcofaag in het Dal der Koningen in de nabijheid van Luxor bijgezet.

Dr. Derry had paraffine klaargemaakt en hield het kokend. De weinig soepele doeken en windsels waarmee de mummie omhuld was, waren reeds bij de eerste voorzichtige aanraking uit elkaar gevallen. Daarom bestreek hij ze met vloeibare paraffine in de hoop het lijk op die manier uit de verstijfde textielhuls te kunnen pellen. Derry plaatste het ontleedmes op het lijk. Voorzichtig, maar met de zekere hand van een chirurg bracht hij een paar millimeter diepe snee aan, van de borst tot aan het uiteinde van de voeten.

De 'onthulling' van het meer dan drieduizend jaar geleden geprepareerde faraolijk bleek echter moeilijker te zijn dan was verwacht. De windsels, soms zes tot negenenhalve centimeter breed, waren er op vele plaatsen zestien keer om heen gezwachteld. De zalfolie, waarmee de mummie luchtdicht afgesloten werd, had het textiel bijna zwart gekleurd en keihard gemaakt zodat het er op sommige plaatsen met een beitel afgeslagen moest worden.

Goud en edelstenen onder vergane windsels

Tussen de verschillende lagen van de windsels kwamen edelstenen tevoorschijn, totaal honderddrieënveertig. Ze zaten in linnen zakjes zodat ze het uiterlijk van de mummie niet beschadigden. Hoe dichter de linnen windsels op het lichaam zaten hoe erger ze vergaan waren. Maar men kon toch duidelijk herkennen dat de romp aan de borstzijde kruislings gezwachteld was. De armen, benen en de penis waren aanvankelijk apart gezwachteld en daarna in het geheel opgenomen. De rechterhand lag op de linkerheup, de linkerhand op de rechterribben, zodat de armen kruislings lagen. De vingers en de tenen waren met stof omwikkeld, daar overheen waren gouden hulzen geschoven. Het hoofd was met horizontale en schuinlopende linnen windsels gezwachteld, waaronder een soort opgevulde kroon tevoorschijn kwam die op de Atefkroon van Osiris leek. Het doel was waarschijnlijk het gezicht van Toetanchamon te beschermen tegen de zwaarte van het daarop liggende gouden masker.

Het amulet dat op deze opgevulde kroon lag, verdient onze bijzondere aandacht. Het had de vorm van een halve cirkel die op een steel bevestigd was en moest een gestileerde neksteun voorstellen. Twee dingen vallen aan deze amulet op: het materiaal waar het uit bestond, namelijk ijzer – ijzer komt verder in het graf van Toetanchamon absoluut niet voor – en de symbolische betekenis die aan dit amulet toegekend wordt. In het dodenboek (hoofdstuk 166) staat letterlijk:

Word wakker uit de bewusteloosheid waarin je nu verkeert. Je triomfeert over alles dat tegen je gedaan wordt. Ptah heeft je vijanden verslagen. Ze liggen nu terneder en bestaan niet meer.

Radiologen hebben dit merkwaardige amulet steeds weer onderzocht. De hypothese dat radioactieve stralen de oorzaak zijn van de steeds weer doeltreffende vloek van de farao's moet nog nader onderzocht worden. De tekst in het dodenboek met de dodenformule is in ieder geval verbluffend: een doodsaankondiging die voor twee geleerden, die bij de obductie aanwezig waren, weldra verschrikkelijke waarheid zou worden.

Behalve dit raadselachtige amulet droeg Toetanchamon nog eenentwintig amuletten om de hals. Maar de betekenis en symboliek daarvan is duidelijk geworden. Deze onder twee sierkragen aangebrachte hangers waren belangrijk voor de bijzetting: technische rekwisieten zoals de manchet, een grote lus die aan de achterkant van één van de kragen als tegengewicht diende: maar vaak waren het ook alleen maar sieraden.

Van onder de linnen windsels kwamen ten slotte nog een Isis-sym-

bool, twee gouden Osiris-symbolen en een scepter van groen veldspaat te voorschijn. Daaronder drie gouden hangers in de vorm van
palmen en slangen. Onder de volgende textiellaag een Thot van veldspaat, een slangenkop van rood karneool, een lazuurstenen Horus,
een Anubis van veldspaat en een papyrusscepter van hetzelfde materiaal. De acht amuletten in de onderste stoflaag bestonden uit gevleu-
gelde slangen met mensenhoofden, een koningsslang, een dubbele koningsslang en vijf Moetgieren resp. Nechbetgieren.

Deze talrijke amuletten om de hals van de dode farao hadden maar
één reden: de koning moest onderweg naar het dodenrijk beschermd
worden. Het volk geloofde vast in de kracht van de amuletten. Het is
alleen de vraag of ook de priesters, die immers de intelligente bovenlaag van het oude Egypte vertegenwoordigden, in de magische kracht
van de goden- en geestenbezwering door hun amuletten geloofden.
Of dat ze zich misschien van hun eigen machteloosheid en hulpe-
loosheid bewust waren en daarom natuurwetenschappelijke ontdekkingen gebruikten om op die manier de uitwerking van hun amuletten te bewijzen.

Het was totaal geen noodzaak om voor dit doel de theorie van een
natuurkundig systeem te kennen (virologie, radiologie). Alleen de uitwerking was belangrijk. Een typisch voorbeeld hiervoor zijn de kleine zandzakjes die lang voor de ontdekking van de stralentheorie in
het Bobeemse Joachimsthal als middel tegen hoofdpijn en reuma verkocht werden. Artsen werden woedend over de 'occulte onzin' om
zakjes zand op een pijnlijke plek te leggen. Maar de patiënten vonden
het prettig en het verminderde hun pijn. Wie had gelijk? – Het antwoord was verbluffend: niet de artsen. De zakjes bevatten radium-
houdende aarde, uraniet, en waren dus zwak radioactief. Radium lost
bijvoorbeeld urinezuur op en breekt het af tot koolzuur en ammo-
niak. Een schijnbaar onzinnig zandzakje was dus in staat fysische reacties teweeg te brengen, hoewel het wetenschappelijk gezien onmogelijk leek en natuurwetenschappelijke methoden in dit verband nog
lang niet ontwikkeld waren.

Het is niet de bedoeling dat hier de baan geëffend wordt voor occultisme en bijgeloof, integendeel, het is de bedoeling dat hier mogelijkheden afgewogen worden om het onverklaarbare verklaarbaar te maken.

95

De oude Egyptenaren waren een buitengewoon intelligent volk. Ze waren zo intelligent dat ze 4300 jaar geleden in staat waren om granietblokken, met een gewicht van elk zestien ton, van 1000 kilometer ver aan te slepen en op elkaar te stapelen tot een piramide van meer dan honderd meter hoogte. En dat terwijl ze maar één soort energie kenden: de spierkracht. Het gelukte hen bovendien om hun reusachtige bouwwerken zo precies op de noord-zuid-lijn te plaatsen dat de grootste onlangs gemeten afwijking minder dan een twaalfde graad is – een precisie die voor de Amerikanen bij hun eerste heelalonderzoeken een cybernetisch wonder betekend zou hebben.

Het is bewezen dat de Grieken de mystieke genezingsmethoden en het geloof aan wonderen van de Egyptenaren in het hellenisme opnamen. Ondanks hun eigen kritische waarneming van natuurfenomenen en het analyserende onderzoek zoals Hippocrates deed, speelt bij de Grieken de uit Egypte afkomstige ziektedemon een belangrijke rol: zo groot was de invloed van de Egyptische cultuur op andere volken. Zelfs nog tijdens de periode van haar verval. Bovendien is bewezen dat de mystiek van de Oudegyptische priesters niet opzij ging voor de geweldige vooruitgang van de natuurwetenschap, een vooruitgang die misschien meteen na de ontdekking weer in het vergeetboek geraakte en pas thans weer van het stof van het verleden wordt ontdaan, of nog steeds onder het gruis van de eeuwen of het afval van de moderne techniek begraven is.

Wat is die T?

Bij de obductie van Toetanchamon waren eenentwintig amuletten tevoorschijn gekomen. Maar nog steeds had niemand het gezicht van de farao gezien. Dr. Derry was bij het ontbloten van het lijk met de armen en benen begonnen en vervolgens verwijderde hij de rompwindsels.

Aan de armen, benen en romp bevonden zich nog meer sieraden, armbanden en ringen, alle omwikkeld. Toetanchamon had om zijn linkerarm zes en om zijn rechterarm zeven armbanden, sieraden die de farao reeds tijdens zijn leven gedragen had. Zoals Howard Carter in zijn obductieverslag verklaart, waren op het lichaam van de mummie tien onbekende voorwerpen mee ingezwachteld, die zowel wat functie als wat betekenis betreft onverklaarbaar waren. Carter schrijft:

Aan de linkerkant tussen de buitenste windsels bevond zich een merkwaardig Y-vormig amulet van bladgoud en vlak daarboven een elliptische gouden plaat. De betekenis van dit amulet kennen wij niet. Wij weten alleen dat in de teksten op de doodskisten van het Middenrijk een dergelijk voorwerp voorkomt dat ABET heet en dat een staf voorstelt. Daar het echter lijkt op het essentiële onderdeel van de schrifttekens voor linnen en kleding, moet het wel in redelijke samenhang met de windsels staan. In die overtuiging werden we nog gesterkt toen we zagen dat de erbij behorende gouden plaat precies de snee bedekte die op het lijk gemaakt was om de ingewanden eruit te halen. Het volgende voorwerp was een T-vormig symbool van bladgoud. Voor zover ik weet is iets dergelijks nog nooit gevonden. De betekenis ervan is onbekend.[31]

Daarnaast kwamen echter ook bekende sieraden voor doden tevoorschijn. Zoals bijvoorbeeld acht gouden banden om het onderlichaam, bovenbenen en bovenarmen. Onder de gouden gordel om de buik stak een dolk met een mes van verhard goud. En toen nam prof. Derry het laatste windsel weg. Gespannen volgden de toeschouwers deze opwindende gebeurtenis. Ze zagen op de benen een brokkelige grauwwitte huid die hier en daar scheurtjes vertoonde. Huid en bindweefsel vormden een twee tot 3 mm. dikke laag over het bot. Derry raakte de linker knieschijf aan. Die kon hij samen met de broze huid oplichten. Reeds na het blootleggen van de benen was te constateren dat Toetanchamon een tengere figuur was geweest en bij zijn dood waarschijnlijk nog niet volledig uitgegroeid was. Zelfs al hield men rekening met het verschrompelingsproces van het bindweefsel. Later is berekend, naar aanleiding van zijn botopbouw, dat Toetanchamon 164 cm. lang geweest moet zijn. Volgens Karl Pearson, de Engelse professor die de lichaamslengte van een mens aan de hand van de belangrijkste beenderen berekent, was de farao 167,6 cm. lang. In vergelijking met de beide levensgrote houten standbeelden van Toetancha-mon die de ingang tot de binnenste dodenkamer van zijn graf be-waakten, kwam men tot een lengte van 167 respectievelijk 169 cm.

Dat de legendarische farao inderdaad niet oud is geworden, kon prof. Derry vaststellen nadat hij de knieschijf had opgetild, waar aan het eind van het dijbeen duidelijk het blootliggende gewricht te zien was. In de regel vergroeit dit kraakbeenweefsel van het gewricht vóór de leeftijd van twintig jaar met het omliggende beenderstelsel. Hier lag het nog vrij. Het dijbeen was echter aan het bovenste uiteinde met het grote rolgewricht, een ander stuk kraakbeen, samen vergroeid. Het vergroeiingsproces van het kraakbeen met het dijbeen begint om-streeks het achttiende levensjaar. Dergelijke anatomische verschijnse-len werden ook aan het scheenbeen en later aan de bovenarm vastge-steld. Dit alles leidde ertoe aan te nemen dat Toetanchamon toen hij stierf nog geen twintig was, maar wel ouder dan achttien jaar.

Bij de onthulling van de armen ging men op dezelfde voorzichtige manier te werk. Dezelfde anatomische conclusie: grauwwitte huid, kraakbeenvergroeiingen. Dr. Derry hield bij zijn leeftijdsschatting ook rekening met het wetenschappelijk bewezen feit dat gewrichts-kraakbeen in Egypte vroeger vergroeit dan in Europa. Röntgenon-derzoeken hebben aangetoond dat bij jonge Egyptenaren de ellepijp en het spaakbeen zelden voor het achttiende levensjaar samengroeien. Tijdens het achttiende levensjaar echter neemt de groei opeens zeer snel toe. Het begint aan de binnenkant van de ellepijp: en precies op deze plaats werd ook bij het lijk van Toetanchamon een kraakbeen-vergroeiing vastgesteld, iets dat dus weer op een leeftijd van 18 jaar zou duiden.

De osteologie, de leer van de beenderen, kan ons precies inlichten over de leeftijd en de ziektes van mensen die eeuwen geleden of dui-zenden jaren geleden gestorven zijn; maar het gebeurt ook herhaalde-lijk dat er opzienbarende vergissingen gemaakt worden.

De beroemde Franse chirurg Paul Broca (1824-1880) – het naar hem genoemde spraakcentrum van de mens is zijn ontdekking – deed alle paleopathologen ter wereld versteld staan toen hij vaststelde dat syfilis reeds voor de ontdekking van Amerika in Europa verbreid was. Tot die tijd gold het voor een bewezen feit dat Christophorus

Columbus met zijn mannen 'deze op verschillende manieren aange-duide besmettelijke ziekte' naar binnen gesmokkeld had.

Broca leverde het bewijs dat dit niet klopte. Hij onderzocht men-selijke botten die bij de opgraving van een Parijse leprozerie uit de 13e eeuw aan het licht kwamen. De schedels van de skeletten toonden duidelijk symptomen van syfilis. Het scheen dat de palaeopathologie een illusie armer was.

Nooit had iemand het gewaagd aan de uitkomst van de onderzoe-ken van de grote chirurg Paul Broca te twijfelen indien de Deense me-dische historicus Vilhelm Möller-Christensen niet tot volkomen an-dere conclusies was gekomen. Möller-Christensen – hij is sinds 1964 directeur van het medisch-historisch museum van de universiteit van Kopenhagen – onderzocht skeletten op talrijke oude begraafplaatsen. Zijn osteologische onderzoekingen bevestigden de thesis dat syfilis voor het eerst omstreeks 1500 in Europa voorkwam. Had Paul Broca zich dan vergist? Möller-Christensen ging de onderzoeken van Broca eens na.

Het leed geen twijfel dat de grote Franse chirurg gelijk had; dit stel-de de Deen vast. Möller-Christensen onderzocht de geanalyseerde schedels uit de Parijse catacomben echter volgens nóg een andere me-thode die Paul Broca in zijn ijver volkomen vergeten was: hij onder-zocht de schedels op hun ouderdom. En dit veroorzaakte een paleo-pathologisch schandaal.

De schedels waaraan Paul Broca syfilis-symptomen had ontdekt, stamden weliswaar uit de ruïnen van een bouwwerk uit de 13e eeuw, maar de skeletten zelf waren uit de tijd tussen 1792-1814. Ze waren blijkbaar bij de ontruiming van een begraafplaats heimelijk hierheen gebracht om opzien te vermijden.

Met Thoetmoses in de taxi

De anatoom Elliot Smith had meer geluk. Hij verdiepte zich al jaren in de ziektes van de oude Egyptenaren. Hij was vaak zo ijverig met zijn onderzoeken bezig dat hij helemaal vergat dat zijn 'patiënten' mummies waren. Op een dag werd Smith in Caïro gezien terwijl hij met de mummie van Thoetmoses III (1502-1448 v.Chr.) in een taxi van het Nationale Museum naar een kliniek reed om Thoetmoses een röntgenonderzoek te laten ondergaan.

Nadat hij vijfhonderd schedels had onderzocht die bij de opgravingen in Gizeh gevonden waren, stelde Smith vast dat de oude Egyptenaren niet minder onder paraodontose leden dan de mens van vandaag. Elliot Smith onderzocht in totaal vijfentwintighonderd schedels op syfilis-deformaties. Tevergeefs.

De later in de adelstand verheven Franse bacterioloog dr. Armand Ruffer die aan de universiteit van Caïro studeerde en tot leider van het Egyptische Rode Kruis benoemd werd, ontdekte in de mummies grampositieve en gramnegatieve bacteriën. In de lever en de longen vond hij – in tegenstelling tot de scheikundige van de regering, Alfred Lucas – abnormaal grote hoeveelheden bacteriën. In de nieren van twee mummies uit de 20e dynastie vond Ruffer eieren van de Bilharizia-worm waarvoor de Egyptenaren bij het baden in de Nijl ook tegenwoordig nog bevreesd zijn. Zelfs het kolenstof in de longen van een mijnwerker kon Ruffer diagnostiseren.

Diagnosen van ziektes naar aanleiding van gemummificeerde organen zijn bijzonder moeilijk omdat ze apart van het lichaam in canopen urnen werden bewaard en meestal verloren gingen of niet behouden bleven. In tegenstelling daarmee waren vaatziektes betrekkelijk eenvoudig te herkennen. Ramses II (1301-1234 v.Chr.) die de geweldige rotstempel bij Aboe Simbel liet bouwen, stierf aan arteriosclerose. Aderverkalking was niet zelden doodsoorzaak in het oude Egypte.

Het is duidelijk: archeologische onderzoeken vereisen vaak samenwerking tussen verschillende takken van de wetenschap. Als er een analyse wordt nagelaten, dan moet men met een extra bron voor fouten rekening houden; dat werd al duidelijk bij de onderzoeken op de mummie van Toetanchamon.

De huid van de romp van Toetanchamon was minder goed intact gebleven dan die van de armen en benen. Van de navel tot aan de voorkant van het darmbeen liep een snee, zesentachtig millimeter lang, 'gescheurd' – zoals Derry zei – dus niet zuiver gesneden. Door deze lichaamsopening werd de farao van zijn ingewanden ontdaan die immers niet samen met het lijk gebalsemd werden, maar apart in het graf werden bewaard.

Volgens de oude Egyptenaren werd het hart bij het dodengericht voor Osiris gewogen en daarom moest het in een bijzondere ingewandenurn bewaard worden. Op de plaats van het hart legden de priesters meestal een scarabee neer, een nabootsing van het insect dat bij ons als 'mestkever' bekendstaat. Het was bij de Egyptenaren echter heilig en het had een minstens even sterke symbolische waarde als bij ons het kruis. Dat de overige organen ook uit het lichaam verwijderd werden, is eigenlijk vanzelfsprekend: ten eerste wisten de Egyptenaren dat het dode lichaam voor rottingsbacteriën ontvankelijk was en ten tweede hielden ze rekening met de symbolische betekenis van deze organen: ze bezorgden de mens honger en dorst – gevoelens die de dode onderweg naar de onderwereld niet mocht hebben. Dus werden de organen over vier verschillende urnen verdeeld, de zogenaamde 'canopen'. De deksels hadden afbeeldingen van Amset, Hapi, Doeamoetef en Kebehsenoef, de zonen van Horus, en ze moesten honger en dorst weren. In het Oude Rijk en het Middenrijk kregen de doden zelfs nog 'spijs en drank' mee in het graf, houten wijnkruiken en gebraden ganzen van albast. Minikeukens waar gekokkereld en bakkerijen waar gebakken kon worden.

In het Middenrijk en het Nieuwe Rijk was men er reeds van overtuigd dat het verwijderen van de ingewanden de houdbaarheid van het lijk beïnvloedde. In de tijd van Toetanchamon werden daarom alle doden voor de mummificering opengesneden. Dat is niet altijd zo geweest. De best bewaarde mummies die bij de tempel van Mentoehotep in Der-el-Bahri werden gevonden, vertoonden geen sneden in het lichaam: zij stamden uit de 11e dynastie (2052-1992 v.Chr.). Verdere mummievondsten bewijzen echter toch dat reeds in de 12e dynastie lijken opengesneden werden om de organen eruit te nemen.

Het blootleggen van Toetanchamons hoofd was het moeilijkst. Dr. Derry moest voorzichtig te werk gaan om het, hopelijk, gave gezicht niet te beschadigen. Hoe meer windsels er van het hoofd van de farao doorgesneden werden, des te duidelijker werd de vreemde vorm van zijn hoofd. Men had dit al bij de afbeeldingen op de wanden en graffiguren waargenomen: Toetanchamon had een sterk ontwikkeld ach-

terhoofd, een verschijnsel dat ook reeds bij farao Echnaton was vastgesteld.

De diadeem

Nadat nog meer textiel verwijderd was, kwam een nauwsluitende diadeem te voorschijn zo glad als een hoofdwindsel, maar van goud,
bezet met karneoolringen en beslagen met vreemde gouden plaatjes.
Er lagen naast de diadeem van de farao twee losgeraakte maar erbij
behorende symbolen, de gier van Nechbet en de slang van Boeto, de
symbolen van het zuidelijk en het noordelijk rijk. De twee zinrijke
dierenafbeeldingen werden naast elkaar op de benen aangetroffen. En
dat had een reden: in het graf van Toetanchamon stond de sarcofaag
in oost-west richting opgesteld, het hoofd wees naar het westen. De
ligging van de rijkssymbolen zijdelings naast het lijk kwam dus precies overeen met de geografische ligging van Onder- en Boven-Egypte. Men kon duidelijk aan de haakjes zien dat de symbolen oorspronkelijk aan de diadeem bevestigd waren geweest, want ze lieten zich
zonder moeite in de daarvoor bestemde opening van de diadeem
schuiven.

Er waren veel veronderstellingen over de betekenis van dit diadeem
die niet een door alle farao's gedragen 'koningskroon' was, maar voor
ieder apart gemaakt werd. Het staat wel vast dat de diadeem meer betekende dan alleen maar een sieraad op het hoofd van de koning. Go-
lenischeff-papyrus, een vondst van duistere herkomst maar zonder
twijfel 'echt', bevat tien hymnen die de diadeem verheerlijken 'dat
vreselijk schrikwekkend op het voorhoofd van de zonnegod en op het
voorhoofd van de aardse koning prijkt en hun vijanden in het verderf
stort'.[57]

Papyri zijn de oudste door mensenhand beschreven documenten
die er bestaan. De Egyptenaren gebruikten deze schrijftollen al sinds
drieduizend jaar voor Christus' geboorte. De oudste brief ter wereld
die behouden is gebleven dateert van 2400 v.Chr. Het is een brief van
een Egyptische soldaat die zich over de slechte uniformen beklaagt.

Om papyrusrollen te vervaardigen werd de stengel van de papyrus in repen gesneden, kruislings over elkaar gelegd en geperst. De kleverige stof van de papyrus hield het traliewerk bij elkaar. Met behulp van mosselen en visgraten werd de papyrus gepolijst en glad gemaakt. En dan kon het met rieten pennen beschreven worden.

De Egyptenaren leverden hun papyri aan Griekenland en Klein-Azië, aan Italië en Spanje. De Oostgoten, Longobarden en Vandalen schreven ook nog op papyrus. Oudegyptische papyri die meestal in de vorm van een bal in de graven werden gevonden, waren zeer geliefd in de baroktijd – voor geurig reukwerk. Pas in 1788 liet de Italiaanse kardinaal Stefano Borgia een papyrus die een reiziger uit Egypte had meegenomen, wetenschappelijk onderzoeken.

Dit gebeurde nog voor de veldtocht naar Egypte van Napoleon, nog voor de Egyptologie een wetenschap werd en nog voor de ontcijfering van de hiëroglyfen door Champollion. De Deense geleerde Nikolaus Schow die in opdracht van de Borgia-kardinaal de papyrus onder de loep nam, hoefde de hiëroglyfen ook niet te kennen. Het ging bij de 'Charta Borgiana' om Griekse aantekeningen uit het jaar 192 v.Chr. en wel om de telling van de bewoners van een dorp uit de Fajoem dat aan de dam en kanaalwerken had deelgenomen. Dit teleurstellende resultaat was mede oorzaak dat de interesse in de Egyptische teksten weer snel verminderde.

De Russische verzamelaar Waldemar Golenischeff gaf Adolf Erman voor korte tijd de diadeem-papyrus opdat deze hem eens kon onderzoeken. Golenischeff had de papyrus van een privépersoon uit Rusland gekregen, die hem in Egypte had gekocht. Het stuk was puntgaaf behouden gebleven. En ook dit zal wel weer een onnavolgbare weg gegaan zijn. Dat was nu eenmaal het lot van vele Egyptische kunstschatten, nadat ijverige grafschenners ze uit tot dan toe onontdekte diepten hadden gehaald.

Noch de leeftijd noch de maker van deze diadeem-papyrus is bekend. Archeologen nemen aan dat de 571 cm. lange papieren strook, samengesteld uit vijftien losse stukken en alleen aan de voorkant beschreven, uit de 17e eeuw v.Chr. stamt. De teksten zijn waarschijnlijk door een priester van de Sobek geschreven die in Fajoem de krokodillen vereerden.

De papyrusbewerker Adolf Erman komt echter tot de ontdekking dat de naam 'Sobek' meer in overdrachtelijke zin gezien moet worden en het beste met de benaming 'farao' te vergelijken is. Als bewijs daarvoor voert Erman aan dat op het bijna zes meter lange stuk papyrus niet eenmaal over een 'God' wordt gesproken.

Bij de oude Egyptenaren werden diademen bijzonder vereerd en dit zou erop kunnen wijzen dat de diadeem een magische kracht zou hebben. De slang die iedere farao op zijn diadeem had, zou – volgens verscheidene tekstoverleveringen – 'de macht hebben de vijand te vernietigen'.

Wat was dat voor een macht? Waren het radioactieve stralen? Dat zou zonder twijfel een verklaring zijn. Vooral een verklaring, die duidelijk maakt waarom er juist bij de opgraving van Toetanchamon zoveel mensen om het leven zijn gekomen. Toetanchamon was de enige farao die de diadeem bij zich in het graf had.

Dr. Derry stootte in de loop van de obductie, nadat hij nog een windsel van het hoofd van de farao verwijderd had, op een zachte linnen kap, met goud en parels bestikt, die nauw om het kaalgeschoren hoofd van Toetanchamon sloot.

Howard Carter schrijft:

Heel zorgvuldig moest nu dit laatste linnen omhulsel van het sterk verkoolde hoofd van de koning worden weggenomen. Want iedere beweging kon het gelaat beschadigen. Wij waren ons ten volle van onze verantwoordelijkheid bewust. Reeds bij de minste beroering met een penseel met haren van bont, vielen de spaarzame resten van het vergane textielweefsel uit elkaar en zo onthulden ze een vredig, zacht jongensgelaat...[31]

De lijnolie waarmee de mummie voor de begrafenis overgoten was, had chemische reacties opgeroepen die hitte veroorzaakten. Daardoor is de huid van de dode farao volkomen verbrand. Gedeeltelijk zelfs zwart. De oogleden hadden extreem lange wimpers, de ogen waren half geopend, de oogappels uitgedroogd. De neus was bij het inzwachtelen platgedrukt, hoewel neusproppen die met hars doordrenkt waren beide neusgaten opstopten; hierdoor waren ook de hersenen van de dode met een haak eruit gehaald.

Toetanchamon had een paardengebit, zijn lange snijtanden duwden de lippen omhoog. De oren waren naar verhouding klein en er zat een zeven millimeter groot gaatje in het oorlelletje, de huid van zijn gezicht was bros en opengesprongen. Het zal wel door de algemene opwinding van die 11e november 1925 komen dat de geleerden totaal geen aandacht aan de wond op de linkerwang van de farao schonken. Howard Carter zag die plek niet eens. En prof. Derry zegt in zijn obductieverslag: 'Hoe hij aan die verwonding komt is helaas niet vast te stellen.'

Hoe Toetanchamon stierf

Het raadsel over de hoofdwond van Toetanchamon werd pas veertig jaar later opgehelderd toen dr. Ronald Harrison, een professor in de anatomie uit Liverpool, de mummie van Toetanchamon in het Dal der Koningen met een draagbaar röntgenapparaat onderzocht. Dit was weliswaar niet het eerste röntgenologische onderzoek van de farao, maar beslist wel het grondigste.

Vijftig röntgenfilms leidden ten slotte tot de volgende diagnose: koning Toetanchamon stierf een gewelddadige dood. De gapende wond aan de linkerkant van zijn schedel was of van een wapen of van een val afkomstig. De eigenlijke doodsoorzaak was een bloedpropje onder de hersenhuid. Dit was dus de oplossing voor de vroege dood van de farao. Tot die tijd had men als doodsoorzaak adergezwellen, hersentumoren of tuberculose aangenomen.

De assistent van prof. Harrison, de seroloog dr. R.C. Conolly, stelde met behulp van een stukje weefsel zo groot als een speldenknop, de bloedgroep van Toetanchamon vast: A2, nevengroep MN.

Toetanchamon was dus van uitgesproken 'vreemden bloede' en kwam waarschijnlijk uit een 'zuiver' adellijk geslacht. De weinig voorkomende bloedgroep A2 duidt ook nog op iets anders. Harrison en Conolly konden in 1959 iets bewijzen dat tijdens de obductie in 1925 alleen maar een vermoeden was.

Howard Carter: 'De sprekende gelijkenis met zijn schoonvader Echnaton was het meest opvallend aan Toetanchamons gezicht. Dat had ik bij de beelden al vastgesteld.'

Hoewel hij nog niets van dezelfde bloedgroep wist, had Carter gelijk toen hij dacht dat Toetanchamon – over wiens afkomst niets bekend was – een natuurlijk kind van Echnaton was. Aangezien zijn vrouw Nefertete slechts dochters ter wereld bracht en Toetanchamon daarvan Anches-en-Amon tot vrouw nam, huwde de jonge farao – hij moet bij zijn huwelijk ongeveer twaalf jaar geweest zijn – dus zijn eigen zuster. Zijn schoonvader was ook zijn eigen vader.

Deze familierelatie die eerst onlangs bevestigd werd, had dr. Derry op basis van zijn anatomische onderzoeken reeds vermoed. Dr. Derry had de volgende vergelijkingstabel opgesteld over de hoofdmaten van Echnaton en Toetanchamon en er was een verbazingwekkende gelijkenis tussen deze twee naar voren gekomen:

	Echnaton	Toetanchamon
Schedellengte	190 mm	187 mm
Schedelbreedte	154 mm	155 mm
Schedelhoogte	134 mm	132,5 mm
Voorhoofdsbreedte	98 mm	99 mm
Gezichtshoogte bovenste helft	69,5 mm	73,5 mm
Gezichtshoogte onderste helft	121 mm	122 mm
Kaakbreedte	99,5 mm	99 mm
Hoofdomvang	542 mm	547 mm
Lichaamslengte (op basis van de beenderen van de ledematen)	1660 mm	1680 mm

De scheikundige van het staatsmuseum in Caïro, Alfred Lucas, onderzocht samen met dr. Derry de mummie van Toetanchamon. De bevindingen van Lucas zijn echter zo twijfelachtig dat wij ze in ons onderzoek naar bewijzen en verklaringen over de vloek van de farao's nauwelijks als hulpmiddel kunnen gebruiken. Lucas schrijft bijvoorbeeld in zijn rapport over het graf van Toetanchamon over schimmels en de chemische uitwerking die ze hebben op het weefsel en de beenderen van de mummie en aan de andere kant beweert hij dat het graf kiemvrij is.

In verband met de nog te onderzoeken giftheorie viel mij wel op dat er een dichte schimmelgroei op de muren van de grafkamer was en dat er talrijke dode insecten op de bodem lagen. De entomoloog van de koninklijke maatschappij voor landbouw te Caïro, A. Alfieri, identificeerde sommige van deze als 'kleine kevertjes die van afgestorven organische stoffen leven en deze vernietigen'. Dit soort kevers bestaan waarschijnlijk al meer dan drieduizend jaar in Egypte. Er werden trouwens ook gaatjes in de houten grafgiften ontdekt, die veel leken op de gaatjes die onze houtwurmen veroorzaken. En ten slotte vond men ook spinnen die enorme webben achtergelaten hadden.

Zoals alle farao's had ook Toetanchamon bloemen in zijn graf meegekregen. De bloementooi van de faraograven bestond uit zeer vreemdsoortige planten. Er werd bijvoorbeeld wilde selderij *(Apium graveolens)* gevonden waarvan de bladeren gebruikt werden om er kransen van te vlechten. Zulke selderijkransen lagen ook in het graf van de architect Cha van Amenhotep III en ook in een onbekend graf bij Thebe uit de 22e dynastie (950 v.Chr.).

De meest ontroerende bos bloemen uit de wereldgeschiedenis lag echter voor het graf van Toetanchamon. Het was een klein bosje bloemen dat aan de oever van de Nijl geplukt was, waarschijnlijk door Anches-en-Amon, de vijftienjarige faraoweduwe die het als laatste groet aan haar geliefde echtgenoot bedoeld had.

Het lijk zelf was met verschillende planten getooid. Aan het hoofdeinde van de tweede kist lag een krans van olijfbladeren, bloembladeren en bloesem. Prof. P.E. Newberry identificeerde dit als een 'rechtvaardigingskrans' die ook in een speciaal hoofdstuk van het dodenboek beschreven wordt en sedert het begin van het Nieuwe Rijk op de kist werd gelegd terwijl de priesters een bezweringsformule uitspraken.

Op de borst van de tweede mummiekist lag een bloemenguirlande en op de derde kist werd een ronde bloemenkrans gevonden. De planten waren niet alle even goed bewaard gebleven. Sommige vielen bij de eerste aanraking in kleine stukjes stof uit elkaar terwijl andere zelfs nog kleur hadden en zonder moeite herkend konden worden.

De korenbloem werd in de Egyptische faraograven het meest aangetroffen. Geen wonder, want het koren bloeide in de oudheid welig op de smalle vruchtbare strook land tussen de Nijl en de woestijn. Het behoeft nauwelijks vermeld te worden dat ook lotusbloemen en papyrusplanten, de beide rijkssymbolen, een grote rol speelden bij de kist- en grafversiering.

De raadselachtige demonenappels

Onopgehelderd is de herkomst van een plant die nergens in Egypte groeide en zowel in het graf van Toetanchamon als in andere farao-graven werd aangetroffen. Het is de alruin. Wandschilderingen in gra-ven uit de 18e dynastie tonen vaak fruitmanden met de vruchten-knollen van deze plant, een weergave die nogal omstreden is, omdat de felgele alruinvruchten eigenlijk als afrodisiaca bekendstaan. Het dichtst bij Egypte gelegen land waar de alruin voorkomt, is Palestina. Dat vertelt Tristram in zijn *Naturkunde der Bibel.* De Arabieren noe-men de alruin Tuffah el-jinn – demonenappel. De demonenappels worden in geringe dosering als opwekkend middel aangeduid, maar als de dosis verhoogd wordt, kunnen ze de mens tot razernij brengen.

Prof. Newberry vermoedt dat de gevonden en op wandschilderin-gen afgebeelde alruinvruchten dezelfde zijn als de zogenaamde didi-vrucht. In het Hebreeuws staat deze vrucht als dudaim bekend en hij wordt vooral in de schriftelijke getuigenissen van het Nieuwe Rijk vaak genoemd. Op het eiland Elephantine in de Nijl, dicht bij het tegenwoordige Assoean, werd de vrucht zelfs als narcosemiddel ge-bruikt.

Noch de chemische noch de anatomische onderzoeken op de mummie van Toetanchamon hebben de archeologen veel nieuws op-geleverd. Voor de wetenschap was het zonder twijfel veel beter ge-weest wanneer Toetanchamon pas in de jaren vijftig of zestig van deze eeuw ontdekt was. Dat blijkt alleen al uit de latere onderzoeken van prof. Harrison, die zich bij zijn werk weliswaar tot zwaar beschadig-de mummieoverblijfselen moest beperken maar die desondanks meer wetenschappelijk belangrijke resultaten bereikte dan alle andere on-derzoekers voor hem bij elkaar.

De obductie op Toetanchamon op 11 november 1925 in het Ana-tomisch Instituut van de universiteit in Caïro had tragische gevolgen: Alfred Lucas kreeg al gauw een hartaanval. Korte tijd later overleed prof. Derry, die de eerste snee in de mummie van Toetanchamon had gezet, aan bloedsomloopstoornissen.

De dood van deze twee geleerden die zich maar kort met de mummie van de farao beziggehouden hadden, verspreidde onrust onder geleerden over de hele wereld. Deze plotselinge dood zette zelfs sceptici, die de vloek van de farao's steeds als toeval hadden beschouwd, tot nadenken. Deze dood moest werkelijk door krachten veroorzaakt zijn waarvan men geen begrip (meer) had.

6

Koningen en magiërs

Wat was hij eigenlijk voor een mens, deze Toetanchamon? Waren er redenen die het noodzakelijk maakten dat juist zijn graf zo beveiligd moest worden? En dat de ontdekkers ervan de vloek van de farao's sterker zouden voelen dan bij alle andere koningsgraven?

Howard Carter zegt over de jonggestorven farao: 'Het enige opmerkelijke in zijn leven is het feit dat hij stierf en begraven werd.'[31] Dit oordeel van de zijde van de archeoloog is natuurlijk eenzijdig. Toetanchamon was dan niet *het* grote rad in het uurwerk van de Egyptische geschiedenis, maar ook kleine radertjes hebben hun betekenis.

Met Toetanchamon kwam de 18e dynastie van het Nieuwe Rijk ten einde. Wanneer we over dynastieën spreken waarin we de ongeveer driehonderdenzestig farao's en Egyptische koningen van buitenlandse oorsprong kunnen rangschikken, dan hebben we dat te danken aan het historische werk dat de Egyptische priester Manetho rond 305 v.Chr. in het Grieks schreef. Die dertig dynastieën die Manetho tussen de tijd van farao Menes (rond 3200 v.Chr.) tot Alexander de Grote (332 v.Chr.) telde, omvatten het Oude Rijk, het Middenrijk, het Nieuwe Rijk en ten slotte de laat-Egyptische tijd die met de Psammetichussen (rond 715 v.Chr.) begint.

Het Oude Rijk van 2850 tot aan het einde van de koningen uit Heracleopolis (2052 v.Chr.) telde grote farao's, zoals Zoser, Cheops, Chefren, Mycerinos, Oenas, Teti, en Pepi. Het Middenrijk begon met Mentoehotep (2052 v.Chr.) en werd afgesloten met de 16e dynastie, tevens het einde van de Hyksos-heerschappij. Rond 1610 v.Chr. kan men zeggen dat het Nieuwe Rijk aanving dat in 715 met de 24e dynastie eindigt. We hebben de meeste getuigenissen uit de 900 jaar van dit tijdperk.

Farao's als de verschillende Amenhoteps, Thoetmosessen en Ramsessen drukten hun stempel op deze periode.

De Egyptische indeling van de dynastieën is historische bekeken niet erg nauwkeurig en ze wordt regelmatig met nieuwe wetenschappelijk vergaarde kennis gecorrigeerd. Oorspronkelijk deelden de oude Egyptenaren hun tijd in op basis van het aantal regeringsjaren van hun farao's of volgens bepaalde gebeurtenissen, zoals: 'het derde jaar van Toetanchamon' of 'het jaar van de oorlog met de overwinning op de noordelijke volken'.

Er begon altijd een nieuwe dynastie wanneer een koningsgeslacht uitgestorven was en een nieuw begon. De 18e dynastie, waartoe ook Toetanchamon behoorde, begon met Amosis rond 1570 v.Chr. Na hem kwam Amenhotep I en Thoetmoses I en van toen af werden de familierelaties gecompliceerd.

Thoetmoses en zijn geëmancipeerde dochter Hatsjepsoet

Thoetmoses en zijn eerste vrouw Ahmes hadden vier kinderen, twee zonen Amenmose en Wezmose en twee dochters Hatsjepsoet en Bitnofroe. Thoetmoses had bij zijn tweede vrouw Isis ook een zoon. Die heette net als zijn vader Thoetmoses. Ook bij zijn derde vrouw Moetnofret had Thoetmoses een zoon, die Thoetmoses genoemd werd. In het begin hadden alleen de kinderen uit Thoetmoses' eerste huwelijk met Ahmes recht op de faraotroon. Maar de beide manlijke opvolgers stierven vroeg. Prinses Bitnofroe was ziekelijk en stierf eveneens op jeugdige leeftijd. Toen restte er alleen Hatsjepsoet die nog tijdens het leven van Thoetmoses I als zijn opvolgster werd aangeduid. Weliswaar meer als vrouw die het geslacht moest voortzetten dan als farao.

Hatsjepsoet was een geëmancipeerde vrouw, verstandig en bovendien knap van uiterlijk. Thoetmoses had dan ook geen moeilijkheden om zijn hoofddochter aan een bijzoon te koppelen. De uitverkorene was Thoetmoses III, de zoon die hij van Isis had. Thoetmoses III en Hatsjepsoet waren halfbroer en halfzuster; ze hadden dus dezelfde vader. Huwelijken tussen broers en zusters waren in het oude Egypte geen ongewoon beeld. Ook Toetanchamon was met zijn halfzuster getrouwd.

Volgens de erfopvolging was koningin Ahmes regentes. Toen zij stierf, was dat ook het eind van het troonrecht van Thoetmoses I. De zelfbewuste Hatsjepsoet stootte daarop haar vader van de troon en nam met haar veel jongere halfbroertje Thoetmoses III het regentschap op zich. De jonge Thoetmoses was echter velen een doorn in het oog. Dat het eigenlijk Hatsjepsoet was die aan de touwtjes trok werd over het hoofd gezien. In ieder geval moest Thoetmoses III onder druk van de oppositie waarvan de architect Senmoet de leider was, de faraotitel teruggeven. Hatsjepsoet die zich tot die tijd 'godsvrouwe en grote koninklijke gemalin' had genoemd, nam nu zelf de macht in handen en noemde zichzelf 'koning van Boven- en Beneden-Egypte' en 'vrouwelijke Horus'. De vrouwelijke farao nam de gebruikelijke koningsnaam aan, noemde zich Kematre, droeg mannenkleren en als teken van de macht van de farao's een valse baard.

Dit unieke schouwspel op de Egyptische faraotroon duurde slechts enkele jaren. Want de jonge schuchtere Thoetmoses III was ondertussen een man geworden en het lukte hem inderdaad om zijn echtgenote van haar hoge voetstuk te stoten en haar tot koningsgemalin te 'degraderen'. In zijn woede ging hij zelfs zover haar koningsnaam van alle wandschilderingen te verwijderen en zijn eigen ervoor in de plaats te zetten.

Gedurende deze episode was de vader van Hatsjepsoet Thoetmoses I nog steeds in leven. Nog steeds was de weliswaar legitieme, maar vernederende acte van machtberoving niet vergeten. Ten slotte gelukte het een groep de faraotroon te heroveren voor de zoon van Moetnofret, Thoetmoses II. Ook deze farao zette de beeldenstorm tegen de hardvochtige Hatsjepsoet voort. In tegenstelling tot Thoetmoses III veranderde hij de gehate naam echter in die van zijn vader Thoetmoses I. Helaas kon de oude Thoetmoses zich maar kort over dit eerherstel verheugen want hij stierf kort daarop. Thoetmoses II volgde zijn vader op dertigjarige leeftijd in de dood. Het is onbekend of hij vermoord werd of een natuurlijke dood stierf. Nu was Thoetmoses III weer farao.

Zoals blijkt uit de onderzoeken van Adolf Erman en Hermann Ranke[146] was polygamie in het oude Egypte gebruikelijk hoewel het geen regel was. We weten dat Emeni, de grote van de tien van Boven-Egypte, met een vrouw getrouwd was die Nebet heette en met een ander die de naam Henoet droeg. Bij Nebet had Emeni twee zonen en vijf dochters, bij Henoet een zoon en drie dochters. De beide echtgenotes stonden niet als rivalen tegenover elkaar, integendeel, uit hoogachting voor de ander noemde Nebet een van haar dochters Henoet. Henoet revancheerde zich door alle drie haar dochters Nebet te noemen.

Echtgenote op twaalfjarige leeftijd

Een Egyptenaar kon zonder moeilijkheden meer vrouwen hebben want er bestonden geen huwelijkswetten. Er werd een huwelijkscontract afgesloten. De mannen waren meestal vijftien jaar oud, de vrouwen twaalf of dertien. Het contract hield 'een jaar eten' in, een proefjaar, en na afloop kon het huwelijk zonder problemen weer ontbonden worden. Bijvrouwen of concubinen in een harem hadden evenmin als hun kinderen enig recht op de man. Ze moesten alleen maar mooi zijn en goed kunnen zingen en dansen.

Er waren ook farao's die verschillende wettelijke echtgenotes hadden. Nafteramernemoet, de eerste vrouw van Ramses II was bijvoorbeeld niet de moeder van de troonopvolger Metenptah. Dat was de tweede – gelijktijdige – vrouw Ese-nofre. De beiden echtgenotes kregen uiteindelijk nog gezelschap van een derde, de dochter van een Hethietenkoning, die Ramses II om politieke redenen tot vrouw nam toen hij met haar vader vrede sloot. Dergelijke politieke huwelijken waren normaal. Op die manier trouwde de gouwvorst Neheri met de dochter van de gouwvorst van de 16e gouw en zijn zoon Chnemhotep deed iets dergelijks toen hij Cheti, de erfdochter van de 17e gouw tot vrouw nam. Op die manier was de gouw in een periode van twee generaties drie maal zo groot geworden. Van Chnemhotep weten we zeker dat hij niet uit liefde trouwde, want zijn gehele hart behoorde de schone 'bewaarster van alle kostbaarheden' Zata.

Het zuiver houden van het bloed speelde bij de oude Egyptenaren een grote rol. Daarom kwamen er ook zoveel broeder-zuster huwelijken voor – vooral bij de goddelijke farao's. Zelfs de goden maakten hierop geen uitzondering: Osiris was met zijn zuster Isis getrouwd. Seth met zijn zuster Nephtys. De broeder-zuster huwelijken waren zo 'gewoon' dat uiteindelijk het woord 'zuster' dezelfde betekenis had als het woord 'geliefde' – hetgeen wel enigszins tot ingewikkelde familierelaties bijdraagt.

De vergoddelijkte farao's onderscheidden zich juridisch niet van het gewone volk. Afgezien van hun religieuze voorrechten mocht de gewone man hetzelfde doen als de farao. Dat gold bijvoorbeeld voor het huwelijk.

In het oude Egypte was telkens één vrouw de rechtmatige echtgenote, de 'meesteres van het huis'. Als een farao bijvrouwen had, een harem, dan mochten zijn burgers dat ook – voor zover ze zich dat konden veroorloven.

De maatschappelijke positie van de vrouw was bij de oude Egyptenaren beslist niet zo ondergeschikt als bij vele andere cultuurvolkeren. Reeds op de oudste afbeeldingen zien we dat man en vrouw even groot zijn terwijl de kinderen en de dienaren duidelijk kleiner zijn getekend.

Er is uit latere tijd een papyrus behouden gebleven die in Leiden wordt bewaard en die geeft ons een duidelijk inzicht in het huwelijksleven van de Egyptenaren. Het is een brief van een legeraanvoerder uit Memphis wiens vrouw tijdens zijn afwezigheid stierf. De man die na de dood van zijn vrouw zwaar ziek werd geloofde dat de Ka, de beschermgeest van zijn vrouw, hem die ziekte gestuurd had. Daarom gaf hij een andere dode de volgende brief mee in het graf:

Wat heb je me voor verschrikkelijks aangedaan door me in een dergelijke ellendige toestand te drijven. Wat heb ik je aangedaan dat je me in het nauw drijft, zonder dat ik je iets heb gedaan? Wat heb ik als jouw echtgenoot, en zelfs nu nog, gedaan dat ik moet verbergen? Ik zal met jou door de woorden van mijn mond een proces voeren voor de negen goden uit het westen. Dan zal er tussen jou en mij beslist worden. Wat heb ik je gedaan?

Je bent mijn vrouw geworden toen ik jong was. Vervolgens had ik allerlei functies toen ik bij je was. Ik heb je niet verlaten en je verder ook geen verdriet aangedaan. Maar jij, je laat me niet gelukkig zijn. Ik zal je ter verantwoording roepen, want onrecht en recht moeten gescheiden gehouden worden.

Weet je nog dat ik officieren voor het leger van onze farao en de wagengevechten opleidde, dat ik ze liet komen en voor jou liet buigen. Ze brachten toen geschenken en legden die aan je voeten. Niets heb ik voor je verborgen zolang je leefde. Niet één enkele maal heb ik een ander huis overspelig betreden. Ik liet geen andere man bezwaren tegen mij maken over alles dat ik met je deed. Toen ik geplaatst werd waar ik me nu bevind, werd het onmogelijk voor me om, zoals vroeger, naar huis te komen en dan stuurde ik je mijn brood en mijn kleren en ze zijn je gebracht.

Je hebt geen idee hoe goed ik voor je geweest ben. Ik heb er altijd naar gevraagd hoe het met je ging. Bij je ziekte liet ik een dokter komen, die medicijnen maakte en alles deed wat jij van hem verlangde. Toen ik met de farao naar het zuiden reisde was ik in gedachten bij je. Ik maakte die acht maanden door zonder normaal te eten en te drinken.

Toen ik naar Memphis terugkwam, verontschuldigde ik me bij de farao en ging naar jou en ik beweende je met mijn mensen bij het horen van je dood. Ik gaf kleren en linnen opdat je ingezwachteld kon worden. Ik liet veel kleren maken en spaarde kosten noch moeite voor je.

En nu ben ik reeds drie jaren alleen en ik ben geen ander huis binnengegaan. Dat hoort niet zo voor een man als ik. Maar jij kunt geen onderscheid maken tussen goed en kwaad. Doch er zal nog tussen jou en mij geoordeeld worden. En wat je zusters betreft – ik ben nog bij geen van hen geweest!

Als we de farao's van de 17e en 18e dynastie bekijken dan zien we dat in die tijd de huwelijks- en familierelaties zeer gecompliceerd waren. Dat begint met Sekenjen-Re die Ahotep tot vrouw had en wiens zoon Amosis, die de Hyksos uit Egypte jaagde, met zijn zuster Ahmes-Nefertete, trouwde. Hun dochter Ahmes trouwde met de zoon van Amosis, Thoetmoses, dus weer met haar broer.

Do dochters van Echnaton

Echnaton had drie dochters. Meritaton, de oudste werd door Echnaton nog tijdens zijn leven met Sakare in de echt verbonden. Sakare regeerde korte tijd samen met Echnaton, maar hij stierf nog voor zijn schoonvader. De tweede dochter van Echnaton, Maketaton, stierf ook jong; Anches-en-Paton bleef toen over, de jongste. Zij werd aan Toetanchaton uitgehuwelijkt om op die manier de erfopvolgingsaanspraken te bekrachtigen. Het gebeurde nogal overhaast. Anches-en-Paton die in het achtste jaar van haar vaders regeringsperiode geboren werd, was bij haar huwelijksvoltrekking pas negen jaar. Een leeftijd die men zelfs in het oude Egypte rijkelijk jong vond om in het huwelijk te treden. De kinderlijke faraovrouw moest haar bijzonder vroege huwelijk ook duur betalen. Ze kreeg twee miskramen. De zo dringend gewenste stamhouder bleef uit.

De grijze Eminentie aan het hof van Echnaton in Tel-el-Amarna was de almachtige opperpriester en kamerheer Eje. Zijn vrouw Teje was de baker van Echnatons vrouw Nefertete geweest. Eje hield alle teugels in handen en het was in zijn eigen belang dat er geen sterke man Echnaton op de faraotroon zou opvolgen. De jeugdige Toetanchaton was daarom volkomen naar de smaak van Eje.

De belangrijkste daad van Toetanchaton is de breuk met de door zijn schoonvader ingevoerde monotheïstische zonnereligie. Het gevolg van deze beslissing was dat de nieuw ontstane residentie in Tel-el-Amarna ten gunste van de oude residentiestad Thebe op de achtergrond moest blijven. Als zichtbaar blijk van de verering van de stadgod van Thebe, Amon, veranderde de farao zijn naam van Toetanchaton in Toetanchamon. En zijn jonge vrouw noemde zich niet meer Anches-en-Paton. Ze noemde zich nu Anches-en-Amon.

Een gedenksteen uit Karnak die nu in het Nationale Museum in Caïro wordt bewaard verwijst naar deze restitutie. Op de steen staat:

Ik vond de tempels tot puin vervallen, hun heilige plaatsen ingestort, en hun hoven door onkruid overwoekerd. Ik gaf de heiligdommen hun oude plaats terug, ik herbouwde en sierde de tempels weer en schonk ze vele kostbaarheden. Ik heb godenbeelden uit goud en barnsteen gegoten en ze versierd met lazuursteen en vele andere kostbare stenen.

Een hersenbloeding als gevolg van een hoofdverwonding maakte, zoals de laatste onderzoeken uitwezen, een voortijdig einde aan Toetanchamons leven. De pas vijftien jaar oude Anches-en-Amon werd weduwe, een troonopvolger was er niet. De beste mogelijkheden dus voor de oude Eje om de macht aan zich te trekken.

Eje legde het geraffineerd aan. De vijftienjarige Anches-en-Amon was een stuk speelgoed in zijn handen. Als koningin van Egypte wist Anches-en-Amon echter heel goed waar het nu op aan kwam: binnen zeventig dagen – dat was de tijd die tussen de dood en de begrafenis van de farao lag – moest ze een echtgenoot gevonden hebben die de plaats van Toetanchamon kon innemen. De mummificering duurde zeventig dagen en de opvolger moest bij de begrafenis aan het lijk de ceremonie van de mondopening voltrekken. Maar wie zou Toetanchamons opvolger worden?

Er wordt een farao gezocht

Anches-en-Amon vond geen man van even hoge geboorte in Egypte. In haar nood wendde ze zich tot de koning van de Hethieten, Suppiluliuma. Anches-en-Amon schreef de volgende brief:

> Mijn gemaal is dood en ik heb geen zoon. Er wordt gezegd dat u vele volwassen zoons heeft. Stuur me een van uw zonen en ik zal hem tot echtgenoot nemen. Want ik wil geen van mijn onderdanen huwen.

Precies zeventig dagen had de vijftienjarige koningin de tijd. De bode had veertien dagen nodig om van Egypte naar de Hethieten te reizen die in Klein-Azië woonden. Dat betekende: ze kon pas over een maand antwoord verwachten. En als de Hethietenkoning vragen zou gaan stellen, dan gingen er daarmee alleen al zestig dagen verloren. Vooropgesteld dat Suppiluliuma nog dezelfde dag zou antwoorden.

De Hethietenkoning wist niet goed wat hij met de Egyptische boodschap aan moest. Was het misschien een list? Zou een van zijn zonen als gijzelaar gebruikt worden? Suppiluliuma twijfelde, schreef een antwoord en stuurde zijn kanselier Hattusilius ermee naar Egypte.

Vertwijfeld luisterde Anches-en-Amon naar het antwoord dat de bode haar voorlas: 'Hoe wilt u mij bewijzen dat u geen prinsen heeft? U wilt me misschien alleen maar misleiden. U wilt misschien helemaal geen zoon van mij om te kunnen regeren.' De koningin kon de bode van het Hethietenrijk van de waarheid van haar bewering overtuigen. En met de moed der wanhoop om binnen zeventig dagen nog een man te krijgen, schreef ze deze laatste smekende brief:

Waarom zou ik U bedriegen? Ik heb geen zoon en mijn gemaal is dood. Denkt u dat ik, als ik een zoon had, op een dergelijke voor mij vernederende manier aan u zou schrijven? Ik heb deze brief aan geen heerser van een ander land geschreven, alleen aan u. Geef me een van uw zonen en hij zal koning van Egypte worden.

Toen Suppiluliuma deze brief kreeg was hij ervan overtuigd dat de jonge Egyptische koningin de waarheid sprak en hij stuurde zijn zoon Zannanza naar Thebe. Maar de weg was lang en er waren in Egypte twee mannen die zelf hoopten eens op de faraotroon te komen. De ene was Eje. Voor hem stond het praktisch vast dat die Hethietenprins niet meer binnen de zeventig dagen in Thebe zou komen. De andere was de jonge veldheer Horemheb. Hij wist van de plannen van Anches-en-Amon en stuurde de Hethietenprins een escorte tegemoet. Zannanza werd vermoord. Zijn vader zag hierin een bevestiging van zijn oorspronkelijke verdenking: de brieven van de Egyptische koningin waren dus toch een valstrik geweest. Voor Suppiluliuma waren de Egyptenaren van nu af aan doodsvijanden.

Eje had de afloop van de nu volgende gebeurtenissen keurig gepland. Aan de vooravond van de plechtige begrafenis van Toetanchamon verklaarde hij zichzelf tot troonopvolger en voltrok de volgende dag de ceremonie van de mondopening zodat de Ba, de ziel, het lichaam kon verlaten. Hiermee was Eje de nieuwe farao.

Eje en Anches-en-Amon zaten samen op de Egyptische koningstroon. Hun regentschap verliep zonder noemenswaardige bijzonderheden – ze zijn in elk geval niet overgeleverd. De oude Eje stierf na vier regeringsjaren, het noodlot van de jonge Anches-en-Amon verdwijnt in het duister van de historie. Het is best mogelijk dat ze door de door machtswellust bezeten Horemheb vermoord werd en dat hij daarna zijn daad verdoezelde.

Horemheb vond dat na de dood van Eje zijn tijd was aangebroken. Hij had de gunst van de priesters van Amon voor zich gewonnen. Tijdens een groot offerfeest werd Horemheb tot nieuwe farao gekroond. Om de schijn te wekken dat hij de traditie van de 18e dynastie wilde voortzetten trouwde hij met Moetnedjemet, de zuster van Nefertete. Dit huwelijk was ook werkelijk het enige wat ten tijde van Horemheb nog aan de 18e dynastie herinnerde.

De wraakzuchtige dictator ging als een beeldenstormer tekeer tegen alle monumenten en afbeeldingen van zijn voorgangers. Waar de naam Toetanchamon opdook daar verordende Horemheb dat hij eruit gebeiteld of gekrast moest worden. Beelden werden onthoofd. Alle nog aanwezige relikwieën uit het Aton-tijdperk werden vernietigd. Horemheb die nu niet meer wilde weten dat hij eens ten tijde van Echnaton, Pa-aton-em-Heb geheten had, zette met de steenblokken van de tempelgebouwen van Tel-el-Amarna de fundamenten neer voor drie reusachtige piramiden die hij voor de tempel van Amon in Thebe liet bouwen. Horemheb deed alles om zijn beeld in de geschiedenis te laten voortleven en dat van zijn voorgangers te doen verdwijnen. Ook de graven waren niet veilig voor hem: de meeste graven van de hovelingen van Toetanchamon en Eje werden vernietigd, iedere herinnering aan de hofhouding van deze farao's moest verdwijnen.

Een van de beste kenners van deze tijd, de Franse Egyptologe Christiane Desroches-Noblecourt schrijft in haar biografie van Toetanchamon:

Alles wat Horemheb doet schijnt systematisch op elkaar afgestemd te zijn: om de grondleggers van de tegenreformatie voor zich te winnen, ging deze 'deugdelijke' vernieuwer met een fanatisme te werk dat vele misdadigers kenmerkt. Maar bij al deze onberispelijke logica beging de koning één fout: hij deed weliswaar alles om Toetanchamon 'die meer van Thebe hield dan de God van de stad zelf' uit de geschiedenis te schrappen, maar onverstandig genoeg liet hij zijn graf niet plunderen.[68]

Deze vraag heeft inderdaad vele Egyptologen meer dan eens bezig gehouden. Er is eigenlijk geen reden waarom Horemheb alles wat aan koning Toet herinnert met de grond gelijkmaakt, maar zijn graf ongemoeid laat. Dat is nog des te vreemder omdat in die tijd iedereen wist met welke schatten de zo jong gestorven farao begraven was. En Horemheb had nooit een gelegenheid in zijn leven voorbij laten gaan om de rijkdom van zijn schatkamers aan te vullen. Horemheb had de priesters aan zijn kant, zij konden de rigoureuze farao nauwelijks iets verbieden. Nee, er is voor deze terughoudendheid van Horemheb maar één verklaring: het graf was vóór het afgesloten werd, door de priesters met magische krachten beveiligd: krachten die niet meer ongedaan gemaakt konden worden. Anders was zelfs een farao door de vloek getroffen.

De duistere macht van de priesters

De functie en de waarde van de priesters in het oude Egypte zijn door geheimen omsluierd. De priesters vormden een intellectuele kaste. Zij bezaten de wetenschap die de massa van het volk ontbrak. En wetenschap betekende macht. Ook vijfduizend jaar geleden al.

In tegenstelling tot andere functies was het priesterschap niet erfelijk. Het moest verdiend worden, men moest zich onderscheiden. En er waren ook nog rangen in het priesterschap. In het Nieuwe Rijk waren er vijf rangen. De lange weg van Web, de laagste priesterrang, tot opperpriester tekent de levensloop van de priester Beknechon, die we uit de tijd van 1200 v.Chr. kennen. Beknechon werd van zijn vijfde tot zijn zestiende opgeleid als cavalerist voor het leger van de farao. Hij viel tijdens die periode op door een boven het gemiddelde liggende intelligentie en toen hij zeventien was, werd Beknechon in de tempel van Amon te Thebe als voorleespriester opgenomen. Hij werd Web, na vier jaar klom hij tot de volgende rang in de Amon-priesterhiërarchie op, hij werd godsvader. Twaalf jaar moest hij in deze functie dienen. Op drieëndertigjarige leeftijd had hij de derde priesterrang bereikt. Het duurde vijftien jaar tot hij tweede priester was. Deze functie oefende hij twaalf jaar uit. Met zijn zestigste benoemde Ramses II hem tot opperpriester van Amon – Beknechon werd zevenentachtig jaar oud.

Een man als Beknechon was voor de priesters, hoffunctionarissen en geleerden een autoriteit. Voor het volk was hij een magiër, een tovenaar, die alles kon en alles wist. Het was niet alleen zijn leeftijd en ontwikkeling die een opperpriester zo hoog boven het gewone volk verhief, het waren voor alles zijn mogelijkheden. Als opperpriester was Beknechon leider van een soort universiteit. Want aan de tempel van Amon was een kunstacademie, een conservatorium en een technische hogeschool verbonden. Het gebied van de tempel was groter en rijker dan het paleis van de farao. En ook al bezat de farao dan alle zichtbare macht, de priesters hielden toch de teugels in handen.

De arts, de priester, de magiër – dat waren vaak één en dezelfde persoon. Pentoe, de lijfarts van Echnaton, was niet alleen de intiemste vertrouweling van de farao, hij was ook de eerste dienaar van Aton in de tempel. Deze magiërs waren machtige mannen. Ze werden door de farao's ontzien omdat ze wetenschappelijke kennis bezaten die verder niemand beheerste. Het was een kaste van samenzweerders die aan niemand hun kennis mededeelde. Hun occulte, natuurwetenschappelijke en medische kennis schreven ze op papyrusrollen en raadpleegden die indien het nodig was.

Zulke geheime geschriften zijn reeds uit de 5e dynastie (2480-2350 v.Chr.) bekend. Toen de vizier Wesch-Ptah voor de voeten van zijn farao Nefer-ir-ka-re dood neerviel, waarschijnlijk omdat hij een beroerte had gekregen, liet de koning voorleespriesters en opperartsen komen, plus een cassette waarin zich de papyrusrol met allerlei diagnosen van ziektes en geheime recepten bevond. In het Ebers-papyrus, een soort magisch-medisch leerboek, duikt regelmatig de formule 'het geheim van de arts' op. En vooral dan wanneer bij bepaalde handelingen de medische wetenschap en de mystiek in elkaar overgaan.

Als een farao met de prestaties van zijn priesters en magiërs tevreden was, kwam dat de gehele kaste ten goede. Ramses III (11971165 v.Chr.) schonk de priesters van zijn tempel na een glorierijke veldslag 86.486 slaven en 32 ton goud. De priesters van Amon bezaten in de 11e eeuw v.Chr. 2400 velden, 83 schepen, 46 scheepswerven en 420.000 stuks vee.

De slaven waren met huid en haar aan de priesters overgeleverd. Want als priester waren ze – in tegenstelling tot de gewone burger – ieder moment gerechtigd om een doodsvonnis over een slaaf te vellen. En het was vrijwel een doodvonnis als bijvoorbeeld één van de artsen zin had om een operatie op een slaaf uit te proberen. Het beklagenswaardige slachtoffer werd voor dit doeleinde op de operatietafel vastgebonden. De chirurgische ingrepen waarin geoefend werd, varieerden van kiezen plomberen tot herenoperaties. De ervaringen die de artsen en magiërs tijdens een dergelijke vivisectie opdeden, werden in geheime boeken opgeschreven.

Het was moeilijk voor de Oudegyptische priesters om de vele goden in de tot koninkrijken verenigde gouwen en de tot één rijk verenigde koninkrijken over één kam te scheren. Het was geen wonder dat de magie zich in een groeiende belangstelling kon verheugen. Iedere plaats of landstreek had zijn eigen plaatselijke goden. Op elke politieke aaneensluiting volgde een theologische. Het was aan waakzame priesters voorbehouden om goden te laten sterven of in andere te laten opgaan. Op die manier werden Re en Aton één god, net als Sjoe en Onoeris, Ptah en Sokaris. Osiris sloot zich ten slotte ook nog bij de twee laatst genoemden aan, zodat men van een driegodheid sprak. Het ging erom twijfelaars de mond te snoeren en de wil en almachtigheid van de goden te bekrachtigen.

Medicijnen en magie

De priesters bedienden zich daarbij van allerlei natuurwetenschappelijke kennis waarvan het grootste deel van hun tijdgenoten het bestaan niet eens vermoedde en die ook ons soms nog verbaasd doet staan. Over de stand van zaken wat betreft medicijnen en magie in het oude Egypte lichten papyri ons in. Ze verschillen duidelijk in omvang, inhoud en tijd van ontstaan.

De grootste en beroemdste is de Ebers-papyrus. Die werd tijdens het begin van het Nieuwe Rijk opgesteld. Deze vormt met zijn honderd en acht bladzijden en zijn grote keuze in onderwerpen bijna een medisch standaardwerk. De Berlijn-papyrus met vierentwintig bladzijden, het op één na grootste, werd aan het eind van het Nieuwe Rijk geschreven. Rond het jaar 1550 v.Chr. werden de Edwin Smith-papyrus (tweeëntwintig bladzijden) en de Hearst-papyrus (zeventien bladzijden) gemaakt. De oudste zijn de Kahoen-papyri A en B, die tijdens het Middenrijk omstreeks 1900 v.Chr. moeten zijn ontstaan. Ze zijn beide onvolledig; Kahoen A gaat over vrouwenziektes, Kahoen B is een fragment van een omvangrijk werk over diergeneeskunde. En ten slotte is er nog de achttien bladzijden tellende Londen-papyrus uit de tijd van Toetanchamon. Dat beschrijft farmaceutische recepten en toverspreuken voor moeder en kind. Weer een bewijs hoe nauw medicijnen en magie in het oude Egypte met elkaar verbonden waren.

In de medische papyri werden ook serieuze apothekersrecepten opgenomen die – zoals een blik in de Ebers-papyrus en de Smith-papyrus tonen – wel nuttig geweest kunnen zijn. In een boek over maagklachten vinden we de volgende diagnose en therapie:

Onderzoekaanwijzingen voor iemand die maagklachten heeft. Wanneer je een man met een maagzweer onderzoekt, een man die moeilijkheden heeft met eten omdat zijn buik te nauw en zijn hart (ziek) is, en als het hem gaat als iemand die ontstekingen aan de anus heeft, dan moet je hem eerst uitgestrekt op zijn rug onderzoeken. Is zijn buik warm vanwege de maagzweer, dan moet je de zieke zeggen dat het stagnaties van de lever zijn. Je moet hem een middel uit het geheime kruidenboek geven op een manier zoals een arts dat pleegt te doen. Hiervoor worden het geneesmiddel Pachsett en dadelkernen verpulverd en met water vermengd. De man moet het vier dagen achter elkaar drinken, tot je zijn buik leeg hebt gemaakt.

Wanneer bij een patiënt de buik echter rechts warm is en links koud, dan moet je de patiënt zeggen: het is een ziekte die zich uitbreidt en verder vreet. Naderhand moet je hem nog eens onderzoeken; als zijn buik erg koel is, dan moet je zeggen:

Zijn lever is gespleten, zijn buik heeft het middel tot zich genomen.

Een directe chirurgie voor ongevallen staat in de Edwin Smith-papyrus:

Onderzoekaanwijzingen voor een wond aan zijn gemabeenderen*. Als je een man onderzoekt met een wond aan zijn gemabot die niet openligt, maar wel tot op het bot gaat, dan moet je zijn wond goed onderzoeken. Vind je zijn gemabot nog heel, zonder dat er een spleet, gat of breuk in is, dan moet je tegen hem zeggen: je bent er één met een wond aan het gemabot, een ziekte die ik zal behandelen. Je moet hem de eerste dag verbinden met vers vlees. Daarna mag je hem iedere dag met zalf en honing behandelen, tot het hem beter gaat. Een wond die niet open ligt, maar wel tot op het bot gaat, dat is een kleine wond. Die echter tot op het bot gaat zonder dat het open is en zonder dat er lippen aan de wond zijn, zoiets noemt men gering.

'Je moet' – deze zinswending geeft precies de taal weer die de Egyptenaren bij hun wetenschappelijke onderricht gebruikten. Ook wiskundeboeken zijn in deze trant geschreven. Het 'Je' voor de arts staat tegenover het 'hij' voor de patiënten. Over de persoon van de arts wordt nauwelijks gesproken. Hoogstens over het 'mes van de arts', over het 'geheime middel van de arts', over het 'grote geheime boek van de arts bij de kennis van het hart'.

De dokter die in de religieuze cultus ook het offervlees moet keuren, heeft in het oude Egypte een bijzonder veelzijdig beroep. Hij is tovenaar en apotheker, voorleespriester en geneeskundige. In ieder geval is hij machtig, veel machtiger dan de doktoren in het oude Rome. Dat blijkt al wanneer de schutspatronen met elkaar worden vergeleken. Aesculaap, de Romeinse god van de geneeskunde is een goddelijk wezen van de tweede categorie. Volkomen anders dan in Egypte waar Thot zijn beschermende hand boven de artsen houdt. Thot is echter niet de enige artsengod. Ook Amon, Min, Chons, en Horus worden zulke eigenschappen toegeschreven. Over Amon wordt gezegd dat hij zonder medicijnen het oog beter maakt. Min maakt zieken gezond en houdt de levenden in leven. Chons is de grote god die de demonen verdrijft. De woorden van Horus doen de koorts zakken en laten de zieken beter worden.

* Volgens de Smith-papyrus het 'bot tussen de hoek van het oog, oorlel en onderkaak'.

De Ebers-papyrus heeft voor de verschillende oogziekten die zowel in het oude als in het tegenwoordige Egypte alom heersen, vreemde therapieën. Tegen trichias bijvoorbeeld moeten de oogharen uitgetrokken worden en men moet zich met het bloed van een hagedis inwrijven. De nachristelijke Griekse arts Dioscorides schrijft dat de Egyptenaren hiervoor ook wel kameleonbloed aanbevalen. Hij zelf raadt bij verbrandingen aan om verbrande schoenzolen op de pijnlijke plaats te leggen, een medische raad die in ongeveer dezelfde vorm (verbrande huiden) ook in de Ebers-papyrus wordt gegeven.

Bloeddoorlopen ogen moeten met de melk van zwangere vrouwen worden behandeld. In de medische Londen-papyrus wordt vermindering van het gezichtsvermogen aan de inwerking van geesten en demonen toegeschreven. Daarom richt de therapie zich ook niet in de eerste plaats op het lijden maar tegen de demonen die dan met toverformules worden verdreven.

Puur medische theorieën tegen afnemend gezichtsvermogen worden elders vermeld. De Londen-papyrus beveelt aan een 'runderlever op een vuur van spelt- en gerstehalmen te doen en het sap daarvan op de ogen uit te druppelen'. De Ebers-papyrus zegt 'gebraden en uitgeperste ossenlever op de ogen leggen'.

In de 'toverspreuken voor moeder en kind' wordt als middel tegen het kwijlen van kinderen als ze tandjes krijgen het volgende aangeraden: een gehakte muis op te eten of een levende muis in de mond te nemen.

In verschillende Egyptische teksten is er sprake van geheime krachten. Interessante aanwijzingen in die richting bevinden zich in de Setne-novelle: wanneer Thot van Re een door Ne-nefer-ke-Ptah gestolen toverboek terugeist, voldoet deze daaraan door 'een godenkracht van de hemel' naar beneden te sturen die ervoor zorgt dat de rover niet ongedeerd naar Memphis terugkeert.

De magische papyrus XI 14-15 vertelt over 'grote goddelijke krachten die in Boebastis rusten'. Er is blijkbaar van dezelfde krachten sprake in het demotisch dodenboek van Pamont als de 'goddelijke krachten van de stad Boebastis die tevoorschijn komen uit haar crypten' worden aangesproken. En de vertaling van de naam van de dodenrechter luidt: 'De Boebastische die uit de crypten tevoorschijn komt.'

Al deze krachten worden nooit – en dat is opvallend – ter bescherming van de levenden opgeëist. Waarom vragen alleen doden en goden erom? De eenvoudigste verklaring is dat het om dodelijke krachten gaat. En als we er dan verder ook van uitgaan dat de farao's hun graven met dergelijke krachten beschermden, dan zijn we de vloek van de farao's op het spoor.

Het is vreemd: er is geen getuigenis uit de Oudegyptische tijd die nog vertelt wie de artsen in hun kunst inwijdde en waar dat gebeurde – beslist een bewijs dat het daarbij zeer geheimzinnig toeging. Slechts uit de latere Egyptische tijd zijn artsenscholen bekend. Tijdens de periode van Darius I (omstreeks 500 v.Chr.) werd in Sais zo'n school opgericht. Deze artsenscholen hadden niets meer met de opleiding uit de Oudegyptische tijd te maken: dat blijkt wel uit het feit dat Darius I zijn eigen opperarts Oedsja-Harresnet voor de oprichting van deze school naar de Nijldelta stuurde.

Van het Oude tot het Nieuwe Rijk waren ziekenhuizen in Egypte onbekend. Een dergelijk instituut zou te 'realistisch' geweest zijn, zonder enige mystieke achtergrond. Nee, de arts en magiër werd gevraagd naar het huis van de patiënt te komen. En als hij kwam, trad hij met het nodige ceremonieel op. Want hij was in de ogen van het volk vóór alles een genezings*kunstenaar* die alles en iedereen beter kon maken, zelfs gebroken harten.

De theorie van de Oudegyptische artsen kende drie behandelingsmethoden: de chirurgische, de medicinale en de magische. De chirurgische behandeling hield ook operaties in. 'Om het bloed rustig te maken' werden de messen van te voren verwarmd. 'De arts moest zich in acht nemen' voor het schrammen van aderen. Beenderen en gewrichten werden gezet, wonden van verbanden voorzien waarbij basisbegrippen van steriliteit reeds bekend waren. Breuken werden gespalkt en voor kunstmatige voeding werden canules gebruikt. Als canules gebruikten de Egyptenaren met linnen omwikkelde holle rietstengels. Zelfs de brug bij de tandbehandeling bestond al: oude tanden werden met een gouden draad in de holte tussen twee gezonde tanden vastgemaakt.

Bij de medicinale behandeling werden drankjes, zalven, poeders en zelfs zetpillen voorgeschreven. Aangestoken wierookpoeder werd geinhaleerd. Voor pillen en tabletten die door Egyptische artsen gemaakt werden, bestonden bepaalde regels voor het innemen die zich nauwelijks van de moderne farmacie onderscheiden: 'Innemen voor het slapen', 'twee maal daags' zo staat het er steeds weer.

En ten slotte wordt ook de magische behandelingsmethode toegepast die met de beide eerstgenoemde therapieën meestal hand in hand gaat. Er zijn trucjes bekend die het geloof aan wonderen bij de Egyptenaren misschien versterkt hebben, maar die medisch eenvoudig te verklaren zijn. Tegen pijn en gif bijvoorbeeld werd er op de handpalm van de patiënt een figuur van een god getekend, en de zieke moest die tekening aflikken. Er is geen twijfel aan dat deze godenfiguren niet met verf maar met vloeibare medicijn getekend waren. Maar als de tovenarij hielp, dan was het een goddelijk wonder.

De geheime boeken

Het verschil in beschaving in het oude Egypte was buitengewoon groot. Dat wil zeggen, een kleine geestelijke en sociale bovenlaag stond tegenover de massa van de analfabeten en minder bemiddelden die de geestelijke en natuurwetenschappelijke kennis niet anders dan magisch konden zien. Dat zulke ideeën ten slotte ingang vonden en volgelingen kregen is een feit dat de loop van de geschiedenis enigszins beïnvloed heeft. Er waren toverboeken en systematisch aangelegde werken die in de bibliotheken van de farao's werden bewaard. Ze stonden daar, bewerkt door geleerden naast medische vakliteratuur en zogenaamde wijsheidsboeken. Zoals Adolf Erman[63] vertelt waren zelfs voor hun ontwikkelde tijdgenoten de schrijvers van deze boeken de 'God van de aarde' of 'de God van de wijsheid'. Een dergelijk geheim boek zou door een priester uit de Saïsische tijd (7e eeuw v.Chr.) in een graf van Mnevisstieren gevonden zijn. Andere werden in urnen ontdekt die aan mummies waren meegegeven. Door de Egyptenaren werd alleen hij als 'opper Cherheb' (priester) erkend die deze oude boeken uit zijn hoofd kende.

Zonder twijfel is er een vloeiende overgang tussen bijgeloof, tovenarij en wetenschappelijke kennis. We zijn in het bezit van een maandkalender uit het Middenrijk die voor de mens achttien dagen als goed, negen als slecht en drie als halfgoed aanduidt. Deze methode werd als 'dagkeuze' betiteld. Dit was gebaseerd op het feit dat bepaalde dagen gelukkig en andere ongelukkig zijn: op deze theorie is de bioritmiek immers ook gebaseerd.

Deze wetenschap werd vroeger net zomin als nu volledig erkend. Dat het onderricht werd, weten we uit een papyrus van het Nieuwe Rijk – uit het schrift van een student. Volgens dat schrift was een dag gelukkig respectievelijk ongelukkig, gebaseerd op gebeurtenissen die zich die dag in de geschiedenis van de goden had afgespeeld.

Het is moeilijk een grens te trekken: niet alles wat op het bovenzinnelijke wijst is met grove tovenarij gelijk te stellen. Het had niets met magie te maken dat de oude Egyptenaren hun doden spijzen meegaven in het graf en gebruiksvoorwerpen op de muren van de grafkamers schilderden of bezwerende spreuken opschreven of uitspraken. Dat komt eenvoudig uit hun religie of traditie voort. Maar tovenaars en charlatans maakten van dit volksgeloof vaak gebruik om met behulp van wetenschappelijke methoden er winstgevende zaakjes uit te slaan.

De magiërs waren bij alle toestanden in het leven nodig. Ze moesten stormen en onweer bannen, de man in de woestijn tegen de leeuwen en in de Nijl tegen de krokodillen beschermen. Iedere morgen werd er over de farao een spreuk uitgesproken die hem de hele dag tegen alle vijanden zou beschermen. Een vondst van een scherf in Thebe toont ons hoe ver deze bezweringen en toverformules aan het begin van het Middenrijk (2.000 v.Chr) nog gingen. De genoemde vondst verwijst naar het reeds in de piramidenteksten aangehaalde 'fijnstampen van potten'. Een farao uit de 11e dynastie liet alle namen van mensen met wie hij ruzie had op verschillende potten en nappen krassen: Bakoeia, de heerser van Oebates benevens al zijn familie, alle bewoners van Kos, van Meger en Sjaat, verder 'hun sterken, hun lopers, hun verbondenen, hun kameraden, die vijanden zullen worden, die samen zullen zweren, die zullen vechten en zij die zeggen dat ze zullen vechten en zij die zeggen dat ze dit hele land vijandig zullen zijn'. Daaronder vielen de vorsten van Palestina en Lybië. En ten slotte de hoge raden in het eigen land. Ze worden bij de naam genoemd en met de dood bedacht. Blijkbaar geloofden de tovenaars toen nog dat deze mensen onmiddellijk zouden sterven als zij de kruiken met de erin gekraste namen stuk sloegen.

Het volk van Egypte bemerkte echter weldra dat de dure toverspreuken en bezweringsformules nutteloos waren zolang er van de andere kant niet zeer wezenlijk nadruk op werd gelegd. Met het voortschrijden van de ontwikkeling van het volk worden de bezweringsformules daarom steeds indringender, eisender, zelfs dreigender.

In de piramidenteksten vinden we de volgende spreuken:

O, Gij goden van de horizon. Zo waar Gij wilt dat Aton leeft, dat Gij u met olie zalft, dat Gij kleren aantrekt, dat Gij uw spijzen ontvangt, zo neem zijn hand en plaats hem in het spijzenveld.

Uit zo'n zin spreekt nauwelijks nog geloof, overtuiging of zelfbewustzijn. Hij is eerder als hulpkreet van een radeloze magiër te verklaren. Zijn wanhoop is in de volgende spreuk nog duidelijker.

Wanneer u echter het veer niet naar hem brengt, dan zal hij (de dode) de lokken uit uw hoofd rukken als de knoppen aan de oever van het meer.

Wie verbaast zich er over wanneer een priester die zo door de goden teleurgesteld wordt ter redding van zijn eigen geloofwaardigheid hulp zoekt bij de natuurwetenschappen? Het is zeer begrijpelijk dat priesters en artsen zich op die manier steeds verder in het rijk van de magie verstrikten.

Na beoordeling van alle ter beschikking staande bronnen kunnen we stellen dat natuurwetenschappelijke hulpmiddelen ter 'ondersteuning' van de Egyptische religie gebruikt werden. En dat betekent dat ook achter de vloek van de farao's een natuurwetenschappelijk geheim steekt.

7

Op weg naar onsterfelijkheid

Op 19 januari 1967 stierf in Los Angeles de Amerikaanse professor in de fysica dr. James Bedford aan kanker. Dr. Bedford was drieënzeventig jaar en beter op zijn dood voorbereid dan menig ander.

Direct na de intreding van de klinische dood begon een team van drie artsen en scheikundigen met de verwerkelijking van een tot in alle details uitgewerkt plan: tijdens een operatie die acht uur duurde, onttrokken de artsen alle vloeistof aan het lichaam van de dode professor en vervingen het bloed door een chemische oplossing. Terwijl het lichaam van de drieënzeventigjarige reeds in diepvriestoestand gebracht was, masseerde een arts intensief het hart van de overledene om de hersencellen zo lang mogelijk in leven te houden. Direct nadat al het bloed was weggepompt, werd het geprepareerde lichaam tot op min 196 graden Celsius afgekoeld en in een roestvrijstalen sarcofaag naar Phoenix, Arizona, gebracht, waar hij sinds die tijd in een zogenaamd cryotorium wordt bewaard in een diepvries-lijkenhal, loodrecht staand, in een raatachtig vak, bij ongeveer 200 graden onder nul.

Prof. dr. James Bedford was de eerste diepvriesmens die voor een prijs van tachtigduizend gulden het vooruitzicht op onsterfelijkheid heeft gekocht. Is de professor uit Californië een fantast?

Reeds in 1964 publiceerde de natuurkundige Robert Ettinger zijn opzienbarende boek *Die Aussicht auf Unsterblichkeit*.[65] Zijn theorie om een mens die aan een nu ongeneeslijke ziekte overleden is, in te vriezen en hem weer in de warmte of het leven terug te halen zodra zijn ziekte geneesbaar is, stootte bij de medici op radeloosheid en scepsis. Er bestaat geen vergelijkingsmateriaal.

Het schijnt vast te staan dat een organisme thans slechts weer tot het leven teruggehaald kan worden als de bevriezing bij een temperatuurdaling van minstens 100 graden per minuut plaatsvindt. De verwarming moet op dezelfde snelle manier gebeuren. De reden daarvan: door de koude- respectievelijk warmteschok wordt kristalvorming vermeden die de vitale moleculen vernietigt, en de uiterst belangrijke eiwitten en nucleïnezure-moleculen verstijven zo vlug dat de waterdeeltjes van het weefsel en de cellen niet kristalliseren maar een glasachtige massa worden.

Diepvriesmensen, de hedendaagse mummies

Met planten en menselijke zaadcellen is een 'tweede leven' reeds gelukt, maar geen mens is tot nu toe uit de kou weer in het leven teruggehaald. Het is ook nog niet met zekerheid bewezen of dat ooit mogelijk zal zijn. Desondanks bestaan er in de Verenigde Staten al verscheidene cryonische instellingen (ΚΡΥΟΣ, Grieks=koud), die in Phoenix, op Long Island en in het San- Fernando-dal in Californië cryotoria bezitten, waarin diepvriesmensen tegen een jaarlijkse huur van duizend euro bewaard worden.

Het is drieduizend jaar geleden sinds de mensen zich zoveel moeite voor hun doden getroostten. Wat heeft de oude Egyptenaren ertoe bewogen hun doden zo te prepareren dat hun stoffelijk omhulsel tot in onze tijd zo goed als onveranderd behouden bleef? Wat heeft deze mensen ertoe gebracht hun farao's met rijkdommen te begraven zoals in de geschiedenis van het mensdom, noch voor die tijd noch er na, te doen gebruikelijk en mogelijk was? Was het een onomstotelijk geloof in onsterfelijkheid of was het, zoals heden, het absolute vertrouwen in de prestaties van de wetenschap eenmaal het eeuwige leven te ontdekken?

De Egyptenaren van het Oude Rijk – daarover bestaat geen twijfel – waren naïever wat hun geloof betreft dan de Egyptenaren van het Middenrijk of het Nieuwe Rijk. Op die manier is het ook te begrijpen dat hun hulpeloze geloof aan wonderen in de loop der eeuwen veranderde in een wetenschappelijk bewustzijn. Ook al veranderde het uiterlijk ritueel van hun manier van begraven in deze tijd nauwelijks, toch moeten er dingen gebeurd zijn, die meer inhielden dan slechts symbolische handelingen. Ter verduidelijking dit voorbeeld.

De acupunctuur, een medicijnkunst uit het Verre Oosten, werd door de medici van het avondland eeuwenlang als charlatanerie en curiosum afgedaan. Tegenwoordig viert de acupunctuur in Europa en Amerika hoogtij. Waarom? Sjamanen en Chinezen beweren nog steeds dat de prik van een naald op een bepaalde plaats in het lichaam de demonen en boze geesten verdrijft die de pijn veroorzaakten. Hieruit heeft zich de theorie ontwikkeld dat met steken van een naald waar naderhand 360 verschillende behandelingsplaatsen voor werden vastgesteld, het teveel of te weinig aan yin of yang af- respectievelijk toegevoerd zou kunnen worden.[52]

Volgens de Chinezen zijn yin en yang twee tegenover elkaar staande en elkaar aanvullende natuurlijke basiskrachten. Dus manlijk-vrouwelijk, licht-donker, scheppend-ontvangend, vreugdevol-pijnlijk. Deze afwisselende basiskrachten, aldus de oude Chinezen, zijn de oorzaak van alles wat er in de waarneembare wereld gebeurt en we kunnen ze met behulp van de naalden als antenne of bliksemafleider in een natuurlijke balans houden.

Wetenschappelijk gezien is er nog steeds geen volkomen duidelijkheid over de acupunctuur. Maar artsen en geleerden begonnen de Chinese naaldenkunst wat ernstiger op te nemen toen de Engelse neuroloog Henry Head in 1893 bewees dat organen op plaatsen in het lichaam pijn kunnen veroorzaken, die absoluut niet in de buurt van dit orgaan liggen. Niet lang daarna werd het omgekeerde vastgesteld: dat de behandeling van bepaalde huid- en lichaamspartijen invloed heeft op de fysiologie van organen die op een totaal andere plaats liggen.

Tegenwoordig zijn we al zo ver aan de eens belachelijk gemaakte acupunctuur uitwerkingen toe te schrijven, die hele takken van onze medische kennis – met name de anesthesie – revolutionair zouden kunnen wijzigen.

Bij het tweede internationale congres over toxicomanie in 1973 in Parijs gehouden, stelde de Amerikaanse prof. Man uit Michigan voor het eerst een wetenschappelijke hypothese op over de verdovende werking van acupunctuur.

Volgens prof. Man bestonden er dikke, door een mergschede omgeven A-zenuwdraden en dunne C-zenuwdraden die in het ruggenmerg via talrijke verbindingen met elkaar in contact staan. De A-draden zorgen ervoor dat uiterlijke prikkels zoals warmte, kou en tastzin heel snel bij het centrale zenuwstelsel terechtkomen. C-draden leiden de vage pijnprikkels verder, maar ze doen dit veel langzamer. We trekken bijvoorbeeld de vinger heel snel van een warme kookplaat af zonder pijn te bespeuren. De pijn komt pas later.

Als de zenuwen op hol slaan

Prof. Man beweert dat de A-draden het ruggenmerg beïnvloeden zodat het voor de pijnboodschappen van de C-draden minder gevoelig wordt. Het zijn dus de A-draden die bliksemsnel melden: 'alles in orde'. Als deze impulsen er niet zijn – bij een geamputeerd been bijvoorbeeld – dan heeft de patiënt last van de zogenaamde fantoompijn. Met behulp van acupunctuurnaalden worden de pijnverminderende impulsen van de A-draden vermeerderd hetgeen tot een volledige blokkering van de C-draden leidt.

We zien dus dat hetgeen eeuwen en eeuwen goedgelovig als naald-aanvallen tegen boze geesten werd beschouwd eigenlijk een belangrijke wetenschappelijke ontdekking was zonder dat de mens zich hiervan bewust was. Het is daarom ook zeer waarschijnlijk dat de oude Egyptenaren met hun op een zeer hoog peil staande wetenschappen, over afweermethoden tegen grafrovers beschikten, waarvan de uitwerking hun wel bekend was, maar niet de medische of fysische oorzaak.

Dit geldt beslist alleen voor de praalgraven van de farao's, want de gewone man werd net zo armoedig begraven als hij geleefd had en zo was het ook met zijn grafgiften. Ondanks de enorme oppervlakte van Egypte was het land toch bezig in zijn doden te verstikken, want de lijken werden alleen op de smalle strook bouwland ten westen van de Nijl en in de Nijldelta begraven. De doden werden altijd in het westen ter ruste gelegd, omdat daar de zon iedere avond achter de kalksteen-plateaus of in het woestijnzand wegzonk en men vermoedde dat daar de ingang van de dodenwereld lag.

De oorspronkelijke manier van begraven had weinig gemeen met de gebruikelijke riten van het balsemen. Deze pronkerige conservering voor de eeuwigheid kregen slechts vooraanstaande mensen en farao's. De eenvoudige Egyptenaar werd aan het eind van het Nieuwe Rijk nog bijna op dezelfde manier begraven als zijn voorvaderen drieduizend jaar geleden. Ook tegenwoordig worden er nog graven in het hete woestijnzand gevonden waarin doden met opgetrokken knieën op de linkerzijde liggen en toegedekt zijn met een raffiamat en die alleen door de eeuwen heen zonder mummificering behouden zijn gebleven dankzij het lage vochtigheidsgehalte. De dodencultus was echter hetzelfde: ook de armste boer kreeg aarden kruiken met voedsel en drank mee, eenvoudige wapens en toiletbenodigdheden, zoals bijvoorbeeld de in Egypte zeer hoog aangeslagen oogmake-up.

Als we de ontwikkeling van de vroeg-Egyptische graven verder nagaan, dan wordt duidelijk dat de graven mettertijd steeds dieper worden om te voorkomen dat de 's nachts rondzwervende jakhalzen kans hebben een lijk buit te maken. De primitief uitgeholde graven worden later rechthoekige schachten, met kamers en nevenkamers om de grafgiften te bewaren. En uiteindelijk moest het graf ook vanbuiten te zien zijn: het wordt omgeven met een muur en opgevuld met bouwmateriaal zodat er een grafmonument van rechthoekige vorm ontstaat. Deze lage rechthoekige graven zijn – al naargelang van de rijkdom en de belangrijkheid van de gestorvene – van verschillende grootte. Ze worden 'mastaba' genoemd, dat is Arabisch en betekent 'bank'. Zulke mastaba's werden reeds door de farao's van de 1e en 2e dynastie (2.850-2.650 v.Chr) in Abydos opgericht. Pas in de 2e dynastie vinden we in de grafbouw van koning Zoser (±2650 v.Chr.) de typische mastaba. Dit bouwwerk werd ten slotte door het op elkaar stapelen van meer mastaba's de trappiramide die de arts en architect Imhotep voor zijn farao maakte.

Het graf was echter niet alleen een bewaarplaats voor het dode lichaam, maar ook een verblijfplaats voor de Ka, de beschermgeest van de dode. Ten eerste werd er een schijndeur gemaakt waar de naam van de dode op stond, de dodengebeden en bezweringsformules. Naderhand werden achter deze deur ook de nodige ruimtes ingebouwd. Terwijl men de schijndeuren altijd aan de oostkant maakte, dus naar het westen gericht, vormden de daarop aansluitende ruimtes en gangen een ingewikkeld labyrint.

Een graf uit de 1e dynastie (ongeveer 3200-2800 v.Chr). De grafgiften van deze 'arrangementen' waren zo bescheiden dat beveiligingen tegen grafrovers overbodig waren. De doden werden zonder sarcofaag begraven.

Pas tijdens de 5e dynastie (±2400 v.Chr.) komt de begrafenisvorm naar voren, die het meest voldoet aan het geloof en de gevoelens van de oude Egyptenaren: de mummificering. Er wordt geprobeerd het dode lichaam in zijn natuurlijke staat te bewaren.

De techniek van het mummificeren heeft behalve kunsthistorici en archeologen ook natuurkundigen en scheikundigen beziggehouden. Ondanks de inzet van alle tot nu toe bekende onderzoekmethoden zijn ook thans nog steeds niet alle details van deze weergaloze balsemtechniek in de geschiedenis van de mensheid bekend, hoewel avonturiers en onderzoekers er veel over gerapporteerd hebben.

De eerste en ook de bekendste die zich in het mysterie van de mummificering heeft verdiept, is de Griekse geschiedschrijver Herodotas, die in de 5e eeuw v.Chr. door Egypte reisde. Zijn verslagen zijn vaak gedetailleerd en daarom voor historici bijzonder interessant, ook al zijn ze niet altijd juist. Dat geldt ook voor de mededelingen van Herodotus over de mummificering:

Er zijn daar mensen die de kunst van het mummificeren als hun beroep uitoefenen. Wanneer deze mensen een lijk krijgen, laten ze de nabestaanden mummiemodellen zien, die zeer natuurgetrouw beschilderd zijn. Ze beweren dat het de meest perfecte manier van mummificeren is, afgezien van de manier van de goden. Ik vind het echter niet juist om de naam van de godheid in dit verband te noemen. Vervolgens tonen de mummificeerders de nabestaanden een tweede minder mooie en goedkopere manier en ten slotte een derde methode, die het minst kost. De mummificeerders leggen alles uit en vragen dan op welke manier de gestorvene moet worden behandeld. De mensen, die het lijk hebben gebracht, noemen de prijs die ze willen betalen en vertrekken. De mummificeerders blijven in de lijkenhal achter.

De duurste en beste manier van balsemen geschiedt op de volgende manier. Eerst worden de hersenen met een stevige haak door de neusgaten eruit getrokken, gedeeltelijk echter worden er ook bepaalde oplossingen in de hersenen gegoten. Vervolgens

wordt met een scherp mes van Ethiopisch steen de buikholte geopend, de ingewanden en inwendige organen worden eruit genomen en het lichaam wordt met palmwijn gespoeld en met gemalen
welriekende stoffen ingewreven. Daarna wordt het lichaam ge-
conserveerd. Het wordt zeventig dagen in trona gelegd. Dat mag
niet langer dan zeventig dagen duren. Na afloop van die periode
wordt de dode gewassen en in linnen windsels gezwachteld. Daar
wordt een soort gummi-oplossing overheen gesmeerd, die men in
Egypte in plaats van lijm gebruikt. Daarna halen de nabestaanden
de mummie op. Zij hebben intussen een mummiekist laten maken.
Hier wordt de mummie in gelegd en loodrecht staand in de lijken-
kamer bewaard. Dat is de duurste manier. Wie bang is voor hoge
kosten, kiest de middelste manier. Dat gaat als volgt. Het lijk
wordt niet opengesneden om de ingewanden te verwijderen. De
buikholte van de dode wordt daarvoor in de plaats met een lave-
ment van cederolie opgevuld. De olie wordt door de anus naar
binnen gespoten, zo, dat die er niet meer uit kan lopen. Dan moet
ook het op deze wijze geprepareerde lijk de voorgeschreven tijd in
trona liggen. Daarna moet de cederolie uit het lichaam verwijderd
worden. De olie heeft een dergelijk sterke werking dat het vlees en
de ingewanden er ook uit gespoeld worden, zodat er van het lijk
alleen nog maar de huid en de beenderen overblijven. Als deze
procedure afgelopen is, wordt het lijk zonder verdere ingrepen aan
de familie teruggeven.

De derde methode – die door de minder bemiddelde wordt gebruikt – is als volgt: de buikholte wordt met een laxeermiddel ge-
reinigd en gezouten. De mummificeerders leggen het lijk vervolgens zeventig dagen in trona en laten het dan afhalen.

De Siciliaanse geschiedschrijver Diodorus die vierhonderd jaar na
Herodotus over hetzelfde onderwerp vertelt, verstrekt de aanvullende inlichtingen:

Wanneer in Egypte iemand sterft, strooien alle familieleden en
vrienden aarde op hun hoofd. Tijdens de begrafenisceremonie
lopen ze weeklagend door de stad. Gedurende deze tijd wassen ze

zich niet, ze drinken geen wijn en onthouden zich alle genoegens. Ook dragen ze in deze periode geen mooie kleren.

Er bestaan drie manieren van begraven: een heel dure, een normale en een bescheiden. Voor de eerste moet een talent zilver betaald worden, de tweede was minder duur, de derde is echter erg goedkoop.

De mummificeerders hebben de kunst van hun voorvaderen geleerd. Ze komen met afbeeldingen van verschillende mummies naar het huis, waar over een dode gerouwd wordt en vragen op welke manier de dode moet worden behandeld. Als men het daarover eens is, dan brengt de familie de dode naar hem, die voor het toepassen van de behandeling is uitgezocht.

Nadat het lijk is neergelegd, maakt hij die de aanwijzer wordt genoemd een teken op de linkerkant van het lichaam waar de snee gemaakt moet worden. Vervolgens neemt hij, die ze de ontleder noemen, een mes van Ethiopisch steen en snijdt volgens voorschrift de buikwand open. Daarna loopt hij weg en de aanwezigen volgen hem en gooien stenen naar hem en vervloeken hem vanwege deze handeling. Want wie in Egypte iemand verwondt, hem wonden of andere beschadigingen toebrengt, die wordt gehaat. Aan de andere kant genieten de inbalsemers hoog aanzien. Ze staan gelijk met priesters en worden als heilige mannen in de tempel toegelaten zonder dat iemand ze daarbij in de weg staat. Wanneer de mummificeerders zich verzameld hebben om het opengesneden lichaam te prepareren, grijpt een van hen met zijn hand door de wond in de borstkas en haalt het hart en de nieren eruit. De volgende maakt de organen schoon en zorgt ervoor dat ze naar palmwijn en wierook gaan ruiken. Als de dode gewassen is, wordt hij meer dan dertig dagen met cederolie behandeld, naderhand met mirre en kaneel. Dat beschermt het lijk voor langere tijd en verspreidt bovendien een prettige lucht.

Aldus geprepareerd wordt de dode aan de familie teruggegeven. Het lijk is zo goed opgemaakt dat zelfs de oogwimpers en wenkbrauwen nog intact zijn. Het uiterlijk van het lichaam verandert niet meer en ook de gelaatstrekken blijven herkenbaar. Daarom bewaren veel Egyptenaren de lijken van hun voorouders in speciale kamers zodat ook diegenen die pas na hun dood ter wereld kwamen eens naar hen kunnen kijken. Doordat de oude Egyptenaren het uiterlijk en de gelaatstrekken van hun doden bestuderen, voelen ze zich een met de doden waar ze naar kijken en met de tijd waarin die leefden.

Nieuwe onderzoekresultaten

De directeur van het Antiquiteitenbeheer te Caïro, dr. Zeki Iskander, heeft zich ook met de details van de conserveringstechniek beziggehouden. Iskander schrijft dat tijdens de 18e dynastie (vanaf 1570 v.Chr.) eerst de hersens van de dode uit de schedel verwijderd werden. Hiertoe werd een beitel gebruikt, die met een hamerslag de neuswand doorkliefde. Dan werd met een haak de inhoud van het hoofd door de neus weggehaald. Het gebeurde zelden dat hiervoor de zijkant van het hoofd opengebeiteld werd. Het hart, voor de Egyptenaren de plaats van de geest en het gemoed, werd anders behandeld dan de rest van de organen. Als het niet in het lichaam bleef, dan werd het – zoals reeds eerder vermeld is – vervangen door een heilige scarabee. Het hart speelde immers bij de dodenceremonie een belangrijke rol: het werd voor het dodengericht gewogen.

De daaropvolgende mummificering komt in feite met het relaas van Herodotus overeen. Er is alleen nog aan toe te voegen dat de ontlede lijken tijdens het droogproces opgestopt werden om te voorkomen dat ze zouden vervormen. Hiervoor gebruikte men kruiden en stro, heel vaak echter woestijnzand. Het prepareren van de gedehydreerde lijken vond plaats met alle in die tijd bekende cosmetische middelen. Melk, wijn, mastix en cederolie moesten de huid weer een normale kleur en aanblik geven. De wangen werden met linnen balletjes opgestopt, evenals de de oogholtes, de neus werd met harsklompjes opgevuld.

De gecompliceerde mummificeringstechniek beperkte zich echter niet alleen tot menselijke lijken. De waarde die de oude Egyptenaren aan de mummificering van hun dieren toekenden, is overgeleverd in de demotisch Wenen-papyrus nr. 27. Deze tekst met zijn mengsel van fragmenten in het demotisch en hiëratisch geeft nauwkeurig het ritueel om de begrafenis van de apisstier weer.

Het papier dat aan de voorkant en achterkant met verschillende handschriften beschreven is, stamt waarschijnlijk uit het Serapeum van Memphis. Het is uit de tijd van Ptolemaeus, dus tussen 250 en 150 v.Chr. en het beschrijft precies hoe de priesters en dodendienaren de apisstier moeten balsemen en mummificeren.

Zij moeten een mat van Boven-Egyptische papyrus voor hem uitrollen en daaroverheen een deken leggen. Daarna moeten zij zich achter de ritueelleider en de voorleespriester opstellen. Ze moeten geschoren zijn en ze moeten kleren en sandalen krijgen. Ze moeten gewassen worden. Zij moeten naar de kapel gaan en een luid geweeklaag aanheffen. Dan moeten zij een touw om de hals leggen en over de god van het Grote Huis treuren. Er moet een papyrusmat voor de voorleespriester uitgerold worden en de ritueelleider moet verklaren, welke voorwerpen hij in de kapel wil hebben.[85]

Tot deze voorwerpen hoort een plank, waarop men in latere tijden ook de menselijke mummies legde, een vierkante steen en linnengoed. Het eigenlijke mummificeren wordt als volgt beschreven:

Vervolgens moeten de ritueelleiders en de voorleespriesters de stoffen overtrekken en windsels aanbrengen die ze voor het hoofd en de extremiteiten nodig hebben. De beide wikkels moeten zes vingers breed zijn en een dikte hebben van anderhalve vinger. De deklaag van het hoofd moet uit nieuwe windsels bestaan, vier windsels boven en vier onder. De lengte is zes godsellen, de breedte tweederde... Daarna gaan de ritueelleider en de voorleespriesters die bij hem zijn naar de plaats waar de god (apisstier) is. Ze moeten het weefsel tussen de voorpoten van de god aanbrengen, binnen de rechterschouder, zodat het er bij de linkerschouder weer uitkomt. Het windsel wordt dan in stukken gesneden en binnen de linkerschouder losgelaten zodat het rechts weer tevoorschijn komt.[85]

Vreemd genoeg wordt het dode lichaam pas na de inzwachteling van het bovenbeen gezalfd. De zalf moet – daar wordt de nadruk op gelegd – in het lichaam trekken.

Daarna moet er een man voor de ritueelleider gaan zitten. Hij moet de binnenkant van de schedel van de god openen en met zijn hand naar binnen gaan tot hij niet verder kan. Alles wat hij in het hoofd vindt, moet hij eruit nemen en de ontstane holte opvullen. Intussen moet hij goed letten op hetgeen de priester eruit genomen heeft.

Ten slotte moet hij de beide hoektanden van de onderkaak verwijderen en ook twee andere tanden. In de kop van de god moet was, mirre en wierook worden gestopt, zodat de bek niet meer dicht kan. Onder de tong legt men een grote zak met mirre, de tong zelf wordt met een in zalf gedrenkte stof overtrokken. Van voren worden er drie windsels omheen gewikkeld. Een gaat naar boven, de andere loopt over het gezicht. Drie windsels moeten over de luchtpijp en de slokdarm worden gelegd, twee andere tegen het gehemelte en nog twee andere tegen de kaken. De kop moet vanbinnen goed met stof opgestopt worden. Nu moet de man met de ogen beginnen. Hij moet het binnenste van de ogen met byssysstof opvullen en het met zalf zalven en de windsels boven op de ogen leggen – twee windsels op ieder oog. Uiteindelijk neemt hij de wikkels die zich in de neus bevinden eruit en stopt het binnenste van de neus met linnen op.[85]

Na het hoofd beschrijft de papyrus het inwikkelen van de hoorns van de stier. Vervolgens treedt een voorleespriester voor de buik van het dier, spreidt een grote doek over het dode dier uit en verdwijnt zelf onder deze doek. De verdere aanwijzingen voor het mummificeren luiden:

De voorleespriester moet alles wegnemen wat zich in de buikholte bevindt. Hij moet met zijn hand zover mogelijk reiken. Dan maakt hij de buikholte schoon met water en stopt deze op.[85]

De opgestopte stier wordt ten slotte overeind gezet. Hiervoor schuift men een plank tussen de poten. Hoofd en hals worden omhoog gebonden zodat het dier een natuurlijke houding aanneemt. In deze houding wordt de apisstier in een kast getild die als doodskist dient. Dan pas kunnen de eigenlijke bijzettingsplechtigheden beginnen waarvoor alle priesters en dodendienaren in het rood moeten zijn gekleed.

Verdovende middelen uit Poent

We weten tegenwoordig wel veel over de botanisch-farmaceutische samenstelling van de voor het mummificeren gebruikte ingrediënten, maar we weten niet alles. De beide meest genoemde middelen voor het mummificeren zijn hars en trona dat we allebei van de piramidenteksten, het dodenboek en de gevonden papyri vrij nauwkeurig kennen. Hars werd niet alleen zo gebruikt als het gevonden werd, maar ook in andere vormen.

> In uw verheven voorhof in Memphis zijn wierook en mirrebomen geplant – die door mijn handen uit Poent gehaald zijn om uw goddelijk aangezicht morgen gunstig te stemmen.

Zo heet het in de Harris-papyrus (49,6). Deze gebedsformule vindt een parallel in dezelfde papyrus (7,7). Daar wordt mirre uit Poent genoemd, niet als boom, maar als eindproduct hars. Hier wordt alleen over geïmporteerde wierookbomen gesproken.

Poent – we zullen dit land nog vaak tegen komen – het geheimzinnigste land uit de gehele oudheid. Voor de Egyptenaren en Feniciers was het het aantrekkelijkste expeditie- en handelsdoel. Hier bevonden zich de meest begerenswaardige en kostbaarste grondstoffen: terpentijn, allerlei soorten parfum, ebbenhout, goud en geheime vergiften en delfstoffen die men de Poent-bewoners, een dwergachtig ras, echter met geweld moest ontrukken. Het merkwaardige land Poent waarvan eigenlijk niemand precies wist waar het ligt, dit land met zijn pygmeeën is geen mythe, maar bestond, zoals we tegenwoordig weten, werkelijk: het strekte zich uit van Ethiopië tot Zuid-west-Arabië.

Op afbeeldingen in de graven van Thebe kan men zien dat in Poent uitgegraven wierook- en mirrebomen in enorme aarden kruiken werden geplaatst en telkens door zes dragers die houten balken door de oren van de kruiken staken, over honderden kilometers door de woestijn naar de wachtende schepen werden versleept. Deze transporten die vooral tijdens de 18e dynastie onder koningin Hatsjepsoet van grote omvang waren, werden telkens in de korte periode van groeirust ondernomen.

Tijdens de periode van Ramses III in de 20e dynastie, waarover de Harris-papyrus rapporteert, groeiden er in Thebe al mirrebomen. Maar het klimaat was niet ideaal voor de geïmporteerde planten en ze gedijden er niet goed. Dit brengt Plinius er naderhand toe te stellen dat wierookbomen in Egypte degenereren. Plinius die bij de uitbarsting van de Vesuvius in 79 n.Chr. om het leven kwam, gebruikte het woord 'degenereren' in zijn oorspronkelijke betekenis van 'verbuigen' dat voor bedreven natuurgeleerden toch tegelijkertijd een kwaliteitsvermindering betekende: de wierookboom had zich in deze tijd namelijk reeds tot een laudanumstruik ontwikkeld.

Reukmiddelen werden bij het mummificeren als vaste hars – voor het prepareren – en als rook – bij de mummificeringsceremonieën gebruikt. Wierook en mirre in de mond van de dode moesten deze reinigen, de welriekende hars moest hem eeuwig spijzen en het voortleven na de dood mogelijk maken. Wierook en mirre bezaten zo'n grote macht dat ze zelfs de Ka van de goden konden overwinnen.

De geur van hars zorgt dat de dode de zwaartekracht overwint, het maakt hem los van de aardse wereld. In een papyrus staat:

Zij trekken hem naar de hemel.
Naar de hemel op de rookzuil van het geurig waas der goden.

Het zijn Noet en Tefhoet die de doden op deze geurige wolken naar boven trekken uit de wereld van het materiële in die van het immateriële.

Slaven moesten vreemde planten en bomen uit gebieden duizenden kilometers van Egypte gelegen, verslepen. Hier: wierookbomen uit het wonderland Poent waar zwarte dwergen woonden.

Alfred Lucas heeft zich met de typering van wierook beziggehouden. Volgens hem kan het behalve om de tegenwoordig nog steeds zo geheten *Boswellia carteri* gaan, maar ook om de *Commiphora pedinculata*, om de *Balsamodendron africanum, Gardenia thunbergia, Cista ladamiferus, Styrax officinalis,* of om de *Ferula galbaniflua.* Ook Herodotus heeft het al over wierook, mirre, styrax, laudanum en galbanum. En Theophrastus geeft ons een aanwijzing in zijn natuurwetenschappelijke geschiedenis van de gewassen:

> Sommigen zeggen dat wierook in Arabië mooier groeit maar beter op de hoger gelegen eilanden die tot dat land behoren; want daar vormt men de bomen zoals men wil. Dit is misschien niet onwaarschijnlijk, want de vorm richt zich naar de insnijding die men wil maken.

Ter verklaring van de tekst van Theophrastus: met de eilanden in de buurt zijn waarschijnlijk de Bahreineilanden bedoeld.

Wierookhars als grondstof heeft de wetenschap voor vele raadsels gesteld. Heel lang heeft men niet geweten welke piramide – en obeliskvormige voorwerpen vooral – de priesters in handen hielden op de afbeeldingen. Ten slotte is het raadsel opgelost: de spitse kegels waren in piramidevorm geperste wierookhars.

De verschillende welriekende soorten hars dienden meer voor de geestelijk ideële en autosuggestieve kant van de begrafeniscultus. Trona was zonder meer voor het dehydreren van het lichaam en dus voor conserveren. Trona werd op natuurlijke wijze uit de zee gewonnen. Het bestaat uit natriumbicarbonaat en natriumchloride. Het is een grondstof voor verschillende zuren en logen zoals etsnatron en zoutzuren.

In Egypte wordt trona op drie plaatsen gevonden. Zeventig kilometer ten westen van Caïro in de Lybische woestijn ligt Wadi-el-Natrun. In deze Wadi vormden zich soms ten tijde van de Nijloverstromingen kleine meertjes, die wegsiepelden als de Nijl zich terugtrok. Er bleef een witte korst op het zand achter die door de Wadibewoners in het oude Rijk reeds als het conserveermiddel trona herkend werd. Volgens Alfred Lucas werd er behalve in Wadi ook in Harrara in de Beneden-Egyptische provincie Behara en in het Boven-Egpytische Edfoe trona gevonden.

Deze vindplaatsen dragen echter in de Oudegyptische teksten andere namen. In een papyrus wordt over 'zuidelijk trona' gesproken, daarmee is duidelijk het trona uit Edfoe bedoeld.

Zoals Herodotus vertelt – en dat blijkt ook uit andere teksten – werden de doden in het oude Egypte zeventig dagen lang in trona gelegd zodat alle vocht aan het lichaam onttrokken werd. Latere geschiedschrijvers zeggen ook wel veertig dagen. Deze bewering zou volgens de laatste onderzoeken wel eens dichter bij de waarheid kunnen liggen. We weten echter ook dat de preparatie van lijken soms nog veel langer duurde: tussen de dood en de begrafenis van koningin Meres-ankh zouden 272 dagen gelegen hebben.

Bij het begin van het Oude Rijk was het nog niet de gewoonte om de inwendige organen en ingewanden uit het lichaam te verwijderen. Deze techniek wordt pas in de 3e dynastie meer en meer toegepast. Tijdens het Middenrijk wordt het weer 'ouderwets': er wordt een terpentijnoplossing door de anus gespoten en die mag er pas na een paar dagen weer uit, waarmee dan ook de opgeloste ingewanden naar buiten komen.

In het Nieuwe Rijk worden beide methoden toegepast, de chirurgische geniet echter de voorkeur omdat die hygiënischer is. Ten tijde van de 18e dynastie staat de Egyptische mummieficering op zijn hoogtepunt.

De dodenoptocht op de Nijl

Als de mummificering klaar was, werd de mummie in een doodskist gelegd. In het Oude Rijk was dat een onversierde houten of stenen sarcofaag: later werd hij met hiëroglyfen en afbeeldingen versierd. Het hoofdeinde van de mummiekist was getooid met twee ogen, kijkgaten voor de Ka. Voor hetzelfde doel waren de schijndeuren aan beide zijden. Naderhand werden de kisten overdekt met dodenformules, zogenaamde verheerlijkingsspreuken. Aangezien de doden zoveel mogelijk mee moesten krijgen en er op de kist niet genoeg plaats was, moesten ze op papyri geschreven worden die in de kist werden gelegd: dat is het zogenaamde dodenboek.

De inscripties smeken om bijstand van de goden. Anubis Osiris, Noet en Isis, maar boven alles de vier kinderen van Horus moeten de gestorvenen beschermen. Zij waren het die Osiris de mond geopend hadden, zodat hij weer kon eten en spreken. En de zonen van Horus moesten de doden ook bewaren voor honger en dorst.

Wanneer de mummie eenmaal in de doodskist opgesloten zat en het aarde- of rotsgraf klaar was, dan werd er een spookachtig ritueel gehouden. Als men het zich kon veroorloven, dan had men tijdens zijn leven al vastgelegd dat zijn mummie in de heilige stad van Osiris, in Abydos, begraven werd. Het was ook mogelijk om in Abydos een schijngraf of een eenvoudige grafsteen op te laten richten. Het was eveneens de gewoonte om de mummies over de Nijl naar Abydos te brengen, daar met hen aan een Osiris-offer deel te nemen en ze dan in vertrouwde omgeving te begraven.

De dodenoptocht begon altijd aan de oostoever van de Nijl waar de mummiekist op een plat schip geladen werd, dat in het midden een baldakijn had en overvloedig met bloemen versierd was. Aan beide kanten van de kist zaten schreiend en weeklagend, met ontblote boezem, de echtgenote en de dochters van de dode, terwijl de dodenpriester met een luipaardvel over de schouders een wierooknevel boven de mummie optrok.

Een klein bootje met een manlijk familielid van de gestorvene voer voor de boot met de mummie uit. Deze riep luid over het witglinsterende water naar de stuurman:

Wend de steven naar het westen, naar het land der rechtvaardigen. De vrouwen op het schip wenen zeer. In vrede naar het westen. Gij geprezene, kom in vrede. Als de dageraad van de eeuwigheid aangebroken is, dan zien we je weer. Kijk, je gaat naar een land waar de mensen vermengd worden.

Het aantal schepen dat aan de overvaart deelnam hing af van de betekenis en het aantal familieleden van de gestorvene. De platte boot met de mummiekist werd op de andere oever door vier runderen uit het water getrokken en tot aan de begraafplaats gesleept, 'opdat hij zich bij zijn vader en zijn moeder kan voegen en de heren van het dodenrijk 'welkom' tegen hem kunnen zeggen'.*

De hoofdpersoon van het begrafenisritueel was een priester, Sem genaamd. Als een mummie in windsels gezwachteld, lag de Sem in het graf als de dodenprocessie aankwam. De Sem moest door drie mannen gewekt worden om zich met omstandige ceremonie te verheffen. Hij verrichtte dan de zo belangrijke mond- en oogopening. Hiervoor gebruikte de Sem zijn pink. Nu was het voor de gestorvene weer mogelijk om te eten en te zien. Dat waren de belangrijkste voorwaarden voor onsterfelijkheid.

Het dodenritueel had één afgrijselijk gebruik. Terwijl de treurende verwanten afscheid van de mummie namen, werd van een levend kalf een voorpoot tot aan de wortel afgehakt. Dit gebruik waarvan de betekenis onbekend is, wordt ook op vele wandschilderingen overgeleverd. We zien vaak een kalf met drie poten in een runderkudde afgebeeld.

De gedachte dat de dode onderweg naar de onderwereld honger zou kunnen lijden, was voor de Egyptenaren bijzonder afschrikwekkend. Slechts op die manier zijn de soms wat vreemd aandoende grafgiften van hout en albast te verklaren die bewerkt zijn in de vorm van stierenpoten, gebraden gans of brood.

* Berlijn-papyrus 12412 (19e dynastie, 1345-1200 v.Chr.).

Net zo onverdraaglijk was voor de Egyptenaar het idee dat hij zou kunnen sterven zonder dat zijn graf voorbereid was, of dat hij ergens in den vreemde zou komen te overlijden. Hij, die tijdens een veldtocht of op een ontdekkingsreis in Nubië of aan de Rode Zee om het leven kwam, kon er vast op rekenen dat zijn vrienden en familie hem weer naar het vaderland terug zouden brengen.

IJdel tot in het graf

De voorname Egyptenaren begonnen reeds in hun jeugd met de aanleg van hun graf. Als het architectonische gedeelte van deze dodentempel klaar was, moest de toekomstige grafbezitter direct beginnen met de afbeelding van hemzelf en zijn familie op de wanden van de grafkamers. Dat gaf vaak aanleiding tot moeilijkheden, omdat zowel de familieverhoudingen als de rangen en prestaties in de loop van een leven veranderden. Daarom moesten vele grafbouwers voor de eigen naam een stukje open laten in afwachting van een eventuele toekomstige titel – soms bleef dat dan vrij.

Op die manier vertellen lege plekken op grafinscripties soms meer dan woorden. Chaemhêt, de voorraadbeheerder van Amenhotep III, die in het westen van Thebe een graf liet bouwen, wist weliswaar precies alles over de grootte en de uitrusting van zijn graf, maar hij had nog steeds geen goede vrouw gevonden. Maar als waardig man hechtte hij er waarde aan reeds tijdens zijn leven een goed uitgerust rotsgraf te bezitten. Aan de andere kant had hij wel een harem, maar hij had nog steeds geen keus gemaakt welke dame hij nu als echtgenote zou nemen, dus liet hij telkens na het inschrift 'mijn lieve echtgenote...' of 'de meesteres van het huis...' een stukje open. Het open stukje bleef. Chaemhêt stierf voor hij een keus gemaakt had.

De dood was kostbaar in Egypte. Velen, ook hogere hofbeambten, zagen zich gedwongen oudere graven van uitgestorven families over te nemen. Grafinscripties werden overgeschilderd, reliëfs met leem egaal gemaakt en gewit. Minder bemiddelde beambten werden door de farao's vaak met graven beloond. Zo weten we dat Mycerinos (±2500 v.Chr.) voor wie de kleinste van de drie piramides van Gizeh werd gebouwd, de paleisbeambte Debhen vijftig arbeiders ter beschikking stelde zodat hij zelf een graf kon maken. Farao Sahoe-re (±2480 v.Chr.) bedacht zijn lijfarts Ne'anch-Sachmet met een prachtige schijndeur voor zijn Ka. Het pronkstuk liet echter het graf van Ne'anch-Sachmet veel armzaliger uitkomen.

Een volk dat veel waarde hechtte aan een waardige begrafenis van zijn doden was natuurlijk ook op de instandhouding van de graven en hun kostbare inhoud voorbereid. Een taak die in handen lag van de organisatoren van de begrafenisceremonies, de priesters. En de priesters gingen letterlijk over lijken als het erom ging hun macht en hun geloofwaardigheid te demonstreren.

8

Goden en geheimen

Onder de microscoop van de Duitse bioloog Erwin Santo bewoog zich iets dat sommige geleerden onbelangrijk vonden, andere beschouwden het als een wonder. Erwin Santo zag onder zijn microscoop hoe cellen op tot nu toe onbekende wijze tot stand kwamen, hoe nieuw leven ontstond.

De bioloog had op een voedselbodem waar een geringe hoeveelheid lithium – een soort metaal – in zat, een bacteriesoort uitgezet. Organismen dus die nog geen cellen zijn aangezien ze de celkern missen. De bacteriën werden zeventien uur lang bij verhoogde kamertemperatuur op de voedselbodem gelaten. Daarna hadden ze zich duidelijk tot cellen met een kern en protoplasma ontwikkeld, ongeveer als witte bloedlichaampjes. En deze cellen leefden.

De biologen nemen reeds sinds ongeveer vijftig jaar waar dat na het afsterven van cellen – dit staat voor de mens gelijk aan de dood – bij dieren en planten heel kleine celelementen behouden blijven. Dit werd zelfs onder absoluut kiemvrije omstandigheden vastgesteld. De gelijkenis tussen deze celelementen en bacteriën is verbluffend: het gaat echter niet om volledig uitgegroeide bacteriën maar om niet geïdentificeerde levensdragers.

Dat betekent: de dood van de cellen is bij de mens wel het eind van zijn leven, maar niet zonder meer het eind van al het in hem aanwezige leven. De waardevolste stoffen, de op bacteriën lijkende levensdragers, kunnen na de dood van een mens tot de wederopbouw van een nieuw leven bijdragen. Het zijn bouwstenen die alle organismen – bacteriën, planten, dieren en mensen – voor de vorming van een nieuw leven ter beschikking staan. Is het voortleven na de dood, is wedergeboorte in andere wezens, zoals de oude religies leren, meer dan een geloof, is het wetenschappelijk bewijsbaar?

Eén ding staat vast: deze levensdragers hebben een weerstand als geen ander organisme. Ze kunnen uit gekookt, bevroren en chemisch verdelgd weefsel gewonnen worden, ja, zelfs uit vijfduizend jaar oude mummies.

De vrouwelijke Russische onderzoeker Lepeschinskaja had zich in 1951 met dergelijke experimenten beziggehouden. Ze had zich de vijandschap van talrijke biologen op de hals gehaald, omdat ze geloofde het bewijs gevonden te hebben dat lichaamscellen zich opnieuw konden opbouwen. Ze ontdekte dat de levensdragende cellen uit uiteengevallen bloedlichaampjes ontstonden.

Toegegeven – deze natuurkundige ontdekking geeft op ontelbare vragen nog geen antwoord: nemen we niet dagelijks met het voedsel zulke cellen op? Wat gebeurt daarmee in de stofwisseling van het lichaam? Hebben we ze misschien nodig voor regeneratieprocessen? Waarom worden we ouder als het lichaam regelmatig nieuwe levensstoffen toegevoerd krijgt?

Prof. Elof Carlsson van de universiteit van Californië opent in dit verband een verbazingwekkend vooruitzicht.[41] Carlsson gelooft dat het mogelijk is een mummie wetenschappelijk te reconstrueren, dat wil zeggen een mens ter wereld te laten komen die er niet alleen uitziet als een nazaat van een Oudegyptische mummie maar ook zo denkt en voelt. Volgens de Amerikaanse geleerde is het dan nodig om aan het gemummificeerde weefsel genen te ontnemen en weer nucleïnezure kristallen op te wekken, die nodig zijn voor de opbouw van de genetische code. Dan moet de kern van een vruchtbare cel verwijderd worden en tegen de uit het mummieweefsel afkomstige kern geruild worden.

Het klinkt bijzonder eenvoudig, maar het stelt in werkelijkheid de tegenwoordige biochemie nog voor onoplosbare problemen. Het sluit de mogelijkheid niet uit dat er eens een mens geboren kan worden met de erfelijke aanleg van een farao – drie- of vierduizend jaar na de dood van zijn voorvaderen. Maar of ons dat dichter bij een oplossing van de Oudegyptische mysteries zal brengen, is de vraag. Zal een dergelijk mens een wezen zijn van bovenmatige intelligentie, een soort supermens of een geestelijk wrak dat de cultuursprong niet heeft kunnen overwinnen? Of zou dan blijken dat onze intelligentie minder geworden is?

Het is aan geen twijfel onderhevig dat de oude Egyptenaren het intelligentste volk in de wereldgeschiedenis waren. Dat is in de loop van de geschiedenis zowel door vriend als vijand erkend. Zelfs de geschiedenis van de apostelen haalt bewonderend aan dat Mozes 'in alle wijsheid door de Egyptenaren onderwezen' werd. En ook al keuren de oude godsdiensten het veelgodendom van de Egyptenaren af, hun natuurwetenschappelijke kennis die in die tijd nog hand in hand met de theologie ging, kunnen ze niet ontkennen.

Maar met deze hypothese komen we geen stap dichter bij de oplossing van de vraag naar de oorsprong van het leven. Als we onder dit aspect de Oudegyptische religie bekijken, dan lijkt ze minder mystiek, eerder realistisch – zoals het een natuurwetenschappelijk hoogstaand volk betaamt.

Herboren als lotusbloem

De eerste Egyptenaren geloofden dat de mens na de dood voortleefde. De dood was in geen geval het eind van de mens. Maar over het *hoe* van het voortleven liepen de meningen uiteen. Voor de een ging het leven in de grafkamer door, voor de ander in vogels in de bomen, in kevers in het zand of in lotusbloemen aan de oever van de Nijl. En weer anderen zochten hun doden bij de sterren aan de hemel of in de onderwereld waar de zonnegod 's nachts doorheen reist.

Een bijzonderheid in de Oudegyptische religie is de drievoudige verdeling van de mens na zijn dood. Ten eerste is er het lichaam, dan de ziel, de Ba, en ten slotte de Ka. Dat is een soort beschermgeest die de mens geluk, gezondheid, vreugde en levensduur schenkt. Goden, farao's en gewone mensen, ieder had zijn eigen Ka. Op talloze wandschilderingen en reliëfs duiken dubbele figuren op, de een vlak achter de ander, in dezelfde houding en met hetzelfde uiterlijk. De tweede figuur is telkens de Ka. De Ka van de farao's had vaak bijzondere attributen en een eigen naam. Thoetmoses III spreekt over zijn Ka als de 'zegenrijke stier die in Thebe schittert'.

Het was niet de ziel van de mens, maar de Ka die voor het leven na de dood verantwoordelijk was. Vooral voor de Ka werd het lichaam gebalsemd, zodat het elk moment weer in gebruik genomen kon worden. Voor de Ka werden er in de graven van de farao's levensgrote, natuurgetrouwe beelden van de overledene opgesteld, zodat hij steeds aan de karakteren lichamelijke eigenschappen van de gestorvene herinnerd werd. Voor de Ka werden er spijzen en dranken bij de dode neergezet.

De Ba is iets goddelijks, dat tijdens het leven al in de mens opgesloten is en pas bij de dood uit het menselijk lichaam bevrijd wordt. De Berlijn-papyrus nr. 3024 bevat het gesprek van een man met zijn Ba. De Egyptoloog W. Barta heeft deze tekst en het Ba-probleem ontsluierd; hij zegt:

De gestalte, die de Ba bij zijn bevrijding aanneemt, onafhankelijk van zijn uit het hiëroglyfenschrift afgeleide verschijning als vogel, moet precies op de gestorvene lijken en zijn individuele verschijningsvorm aannemen. Hij moet echter niet alleen zijn uiterlijk evenbeeld zijn, maar hij moet ook het wezen van zijn bezitter vertolken en over diens kennis en ervaring beschikken, hij moet alles kennen wat de overledene kende. Gezien zijn goddelijke oorsprong heeft de Ba ook nog magische kracht die hem in staat stelt iedere gestalte aan te nemen die hij wil. Hij staat daarom op één lijn met de toverkracht en kan door geen enkele betovering afgeweerd worden; het lijk daarentegen wordt verheerlijkte of schaduw genoemd. En daarin wordt het verschil tussen het lichaam en de Ba uitgedrukt; want alleen het lijk heeft na de dood verheerlijking nodig, dat wil zeggen voordracht van verheerlijkingsspreuken, voordat hij de voor het leven in het hiernamaals benodigde toestand bereikt heeft. De Ba blijft als geïncarneerde levenskracht door de dood van de mens onberoerd: voor zijn verdere existentie heeft hij wel de ceremonie van offerritueel nodig, maar niet de magie van de verheerlijking. En ook al staat er in verschillende teksten van het Nieuwe Rijk dat de Ba verheerlijkt mag worden, dan zal niet zozeer de verheerlijking van de Ba bedoeld zijn, maar eerder zijn vereniging met zijn verheerlijkte, het lijk dus...

De Ba belichaamt alle kracht en mogelijkheden tot voortleven. Hij maakt zich bij de dood van het lichaam los en treedt daaruit als handelende 'persoonlijkheid' naar voren. Dit staat in alle teksten die over een levende, dat wil zeggen een voortlevende Ba spreken, respectievelijk de gestorvene verzekeren dat hij zich in een levende Ba zal veranderen. De uitdrukking 'levende verheerlijkte' moeten we daarom opvatten als een, van een levende Ba voorzien, verheerlijkt lijk, want alleen het lijk kan verheerlijkt worden. De krachten die de Ba in staat stellen steeds opnieuw voort te leven, zijn te danken aan zijn onverstoorbare voortplantingsvermogen dat hij evenals de gestorvene in zijn afgelopen leven, in onverminderde mate in het hiernamaals moet bezitten.

Alle Egyptenaren, vooral de kinderen van de dode, waren verplicht om voor de overledene te zorgen, zowel in materieel als in ideëel opzicht, met vloek- en dodenformules die grafschenners en demonen op een afstand hielden, en voedsel aanvoerden. Ook aan transportmogelijkheden werd gedacht. Niet iedereen kreeg zo'n prachtige vergulde wagen als Toetanchamon, maar ieder graf moest wel een schip bevatten, ook al was het nog zo klein en bestond het maar uit aardewerk. Het was voor de Ka bestemd die daarmee over het water kon varen dat de hemelse velden rondom de gelukzaligen omsloot.

Waar en hoe deze velden te vinden waren, is niet zo gemakkelijk te zeggen. In tegenstelling tot vele latere godsdiensten is het Egyptische geloof vredig en beschouwend zoals het volk in het begin van de geschiedenis. De zon, de maan en de sterren, dat waren de eerste objecten die op hun fantasie werkten. Later kwamen daar vreemd gevormde stenen, grote bomen, gevaarlijke slangen en krokodillen bij waaraan een goddelijke macht toegeschreven werd.

Egypte was een heel groot land. En voor een volk uit het stenen en ijzeren tijdperk moest het nog veel groter lijken dan we ons nu kunnen voorstellen. Zo kon het ook gebeuren dat één volk verschillende namen voor dezelfde god had: in Boven-Egypte heette de beschermgod Seth – in Beneden-Egypte Horus.

Het Horusrijk van Heliopolis, waarin de vereniging van de beide landen onder de leiding van Beneden-Egypte gezien moet worden, was voor de geschiedenis van het land aan de Nijl van grote betekenis. De gedetailleerde gegevens in de Harris-papyrus over het bezit

Het oude Egypte van de farao's: alle historische plaatsen liggen vlak aan de Nijl of slechts een paar kilometer van deze levensader verwijderd.

van de tempel van Heliopolis leveren ons interessante vergelijkingen met overeenkomstige gegevens van de tempel in Memphis. Volgens de papyrus had Heliopolis onder Ramses III honderdzes maal zoveel grond, viereneenhalf maal zoveel vee en vier maal zoveel inwoners als Memphis. Van economische betekenis waren ook de honderdendrie, tot het bezit behorende dorpen (Thebe: vijfenzestig) en de Nijlmeter op het eiland Roda in het tegenwoordige Caïro: op het peil daarvan oriënteerden zich de belastinggaarders.

Ook de Oudegyptische kalender is op Heliopolis afgestemd: deze is waarschijnlijk in het jaar 4240 v.Chr. ontstaan.

Zoals Kurt Sethe in zijn werk *Urgeschichte und älteste Religion der Agypter*[157] zegt, werd in Heliopolis de zon als oudste en hoogste goddelijk wezen vereerd.

De eerste en oudste godheid van kosmische oorsprong is de personificatie van het licht – Re, dit betekent 'zon'. Re is ontstaan uit de geslachtelijke vereniging van hemel en aarde. Geb en Noet, vader aarde en moeder hemel moeten iedere nacht opnieuw Re verwekken zodat hij iedere morgen weer tussen de dijen van Noet herboren kan worden. Deze versie ontspringt aan de oude leer.

In Heliopolis werd echter verkondigd dat de zon vader noch moeder had. Ze steeg op uit een heuvel en bracht licht, leven en beweging op de wereld. De Heliopolistische zonnegod Re is identiek aan de plaatselijke god Aton (dat is 'het Heelal', 'het Alles'). Daarom heet de zon hier ook wel Re-Aton.

Aton wordt als een Egyptische koning met het levens- en heilssymbool in de handen voorgesteld: deze Re-Aton begon zijn scheppend werk met onaneren: hij 'verwekte' de luchtgod Sjoe en de vochtigheidsgodin Tefnoe die beiden door ophoesten ter wereld kwamen. Deze twee verwekten volgens de Heliopolistische gedachtegang op geslachtelijke wijze Geb en Noet, aarde en hemel.

Re, de zonnegod, behield zijn plaats als verwekker en opperregent, de gehele Egyptische geschiedenis door. Even wordt hij in Memphis door Ptah verdrongen. Sinds de 4e dynastie dragen de koningen van Egypte de bijnaam 'zoon van Re'. Vanaf Cheops werden de voor de troonopvolging bestemd leden van het koningshuis naar de zonnegod genoemd: Djedef-Re, Cha'f-Re (Chefren), Meukew-Re (Mycerinos).

Het Oude Rijk van Memphis dat in de 21e eeuw v.Chr. ten onder ging, werd vervangen door Thebe. De koningen van Thebe breidden hun macht uit tot Abydos, Sint en ten slotte over geheel Egypte. Omstreeks 2050 v.Chr. vestigden zij het Middenrijk. De god die de Midden-Egyptenaren aan deze triomf hielp, was de valkengod Montoe, een oorlogsgod. Bij het begin van het Nieuwe Rijk verkreeg in Thebe een andere, tot die tijd onbekende god hoog aanzien: Amon, de 'verborgene', de god van het onzichtbare hemelwaas, een van de acht oergoden van Hermopolis. Hij ontving op de oerheuvel van de schepping, in Karnak, een tempel en een orakel waarvan de architectonische afmetingen ons thans nog verbaasd doen staan.

Amon mocht als Amon-Re verder leven, in tegenstelling tot de andere oergoden die, na de schepping van de aarde als vertegenwoordigers van de overwonnen oerchaos, goden van het verleden en in de onderwereld levende wezens waren geworden.

Het was moeilijk voor de oude Egyptenaren, een van de meest realistische volken ter wereld, om zich hun goden voor te stellen. Eerst keken ze naar de slangen en de leeuwen in de woestijn, naar de jakhalzen die 's nachts om de graven zwierven en naar de zachtmoedig grazende koeien. Maar het was moeilijk om die dieren menselijke eigenschappen toe te schrijven als goedheid of toorn, liefde of haat, beschermen of bestraffen. En zo kregen menselijke lichamen dierenkoppen. Nu kon een valk met zijn arm toeslaan of beschermen, zelfs een krokodil was tot menselijke handelingen in staat.

Het is niets bijzonders dat een volk als de oude Egyptenaren in de goddelijke natuur van dieren geloofde – deze dierenverering vinden we bij bijna alle cultuurvolkeren terug – alleen: andere volken legden deze cultuurvorm met de voortschrijdende geestelijke ontwikkeling af. De Egyptenaren niet.

De zwervende Griekse filosoof Lucianus vertelt verbazingwekkende dingen over de Egyptische verering der diergoden:

De Egyptische tempels waren groot en mooi, uit kostbare stenen opgebouwd en versierd met goud en beschilderingen. Maar als men naar de naam van de god vroeg aan wie deze tempel gewijd was, dan hoorde men dat deze god een aap, een ibis, een bok of een kat was.

En de Griekse geograaf Strabo vertelt uit de Fajoem:

Bij de stad Krokodilopolis leeft in een meer een krokodil, die tegenover de priesters tam is. Hij heet Soechos en wordt met brood, vlees en wijn gevoerd. Dit alles wordt door vreemden meegenomen die komen om de krokodil te zien. Mijn gastheer, een zeer respectabel man die ons daar de heilige dingen liet zien, ging met ons naar het meer. Hij had een overgebleven stukje taart meegenomen, gebraden vlees en een flesje honingmede. We vonden het dier aan de oever liggen. Er gingen priesters heen. Een paar openden zijn kaken en één stopte de taart erin, vervolgens het vlees en hij goot de mede er achteraan. Hierna sprong de krokodil in het meer en zwom naar de andere oever. Ondertussen kwam er een andere vreemdeling die dezelfde gave bij zich had. De priesters namen die in ontvangst, liepen om het meer en gaven de krokodil toen ze hem gevonden hadden het meegebrachte op dezelfde manier als de vorige keer.

Beide beschrijvingen stammen – dat mag niet vergeten worden van reizigers die deze cultuur niet begrepen. Het is praktisch zeker dat het voederen van de goddelijke dieren op een meer eerbiedwaardige manier plaatsvond.

Vroegere verklaringen van de Egyptische dierencultuur houden in dat men oorspronkelijke sagen later als historische overlevering opnam. Als men in de volksmond de maangod met een ibis vergeleek en de godin Bastet met een kat, dan werd de vergelijking uiteindelijk een identificatie. Hiertegenover staat dat er vrij veel dierlijke goden zijn die helemaal geen voorbeeld in de natuur hebben. In de Egyptische religie komt men talrijke gestalten tegen die in geen enkele andere cultuur op aarde te ontdekken zijn: Amon wordt met een ram 'gecombineerd', Sebak met de krokodil, Thot met de ibis, Bastet met de kat. Deze gestalten zijn dubbelnaturen aan wie ook de verschillende eigenschappen van beide naturen worden toegeschreven.

De heilige dieren

De eerste Egyptenaren vereerden oorspronkelijk bijna alle hun bekende dieren. Daartoe behoorden katten en leeuwen, honden en jakhalzen, apen en olifanten, nijlpaarden en krokodillen, geiten en runderen, kikvorsen en schildpadden, uilen en reigers, slangen en vissen,
kevers en vliegen.

Er bestond echter een fijne nuance in de verering van de verschillende dieren: sommige waren heilig, andere waren goden. Enkele
werden gekoesterd, verzorgd en ontzien, andere werden aanbeden. Er
was telkens maar *één* apisstier die als godheid werd vereerd, maar *één*
goddelijke kat in Boebastis, maar *één* Amonram in Karnak, maar *één*
Soechos-krokodil in Krokodilopolis. Maar alle soortgenoten profi-
teerden van deze verering omdat ze vriendelijk werden behandeld.
Een van de dieren van elke soort moest nu eenmaal de hoogste zijn.
Bovendien belichaamde dit god-dier de godheden van de verschillende gouwen: Apis is het herwonnen leven van Ptah, de ram van Thebe
de herboren Amon, de krokodil is de belichaming van de god Sebak.

Wie een goddelijk dier doodde – uit noodweer of per ongeluk – die
beging een misdaad die met de dood bestraft werd. Als een van deze
heilige dieren helaas geslacht moest worden, dan bracht men hem van
te voren vele offers. Het moest genadig gestemd worden omdat ook
het dier na zijn dood weer herboren werd en via zijn soortgenoten
onheil over de mensheid kon brengen.

In de vereerde dieren zag men ook – herboren – gestorven familie.
Op die manier is ook de sodomie te begrijpen die in Egypte herhaal-
delijk met de goddelijke dieren bedreven werd. Herodotus vertelt bijvoorbeeld over een vrouw die het voor ieders ogen met een ram hield.
Ook de apisstieren kregen van tijd tot tijd een vrouw voorgezet.

Zoals de professor van de universiteit te Bonn, dr. Alfred Wiedemann in zijn werk *Der Tierkult der alten Ägypter*[173] vaststelt, werden
in privéhuizen slangen en kleine viervoeters als huisgoden gehouden.
Ze leefden in kapelvormige kooien en kregen geschenken en offers.
Er werden zelfs processies gehouden, waarbij een dier als de apisstier
door hymnen zingende jongelingen begeleid, het middelpunt van de
verering van een gelovige menigte vormde.

Alfred Wiedemann schrijft:

Kostbare begrafenissen trokken voorbij om het gestorvene heilige dier naar zijn laatste rustplaats te brengen. Indien het dier bijzonder hoog in aanzien stond, dan vormde zijn graf een heel bouwwerk. Zo verhieven zich ±1500 v.Chr. in de buurt van de gravenstad Sakkara op verhoogde terrassen kleine kapellen... Het dier zelf dat de verering gold, rustte omgeven door zijn grafgiften onder de kapel in een rotsgraf.

Meestal echter begroef men de godendieren in grote bouwwerken. Elk kreeg daarin dan in een afzonderlijke cel zijn dodenkamer en woonkamer voor zijn onsterfelijke ziel evenals op de begraafplaats van de apisstier in het Serapeum in Memphis. In de buurt was een gemeenschappelijke kapel voor alle bewoners van het graf. De macht van de hier rustende wezens werd heel hoog aangeslagen. Vooraanstaande persoonlijkheden – zoals een koninklijke prins, een zoon van Ramses II – lieten zich in hun midden hun laatste rustplaats voorbereiden om een deel van hun goddelijke bescherming te krijgen.

Maar men gaf de voorkeur aan minder kunstzinnige en minder dure omvangrijke massagraven in plaats van die nieuwe bouwwerken. Hiervoor gebruikte men graag natuurlijke grotten in bergen of oude graven, waarvan de menselijke eigenaar door grafschenners van zijn gaven was beroofd en waarvan het lijk eveneens vernietigd was. In deze grotten stapelde men de dierenlijken bij honderden, bij duizenden op. Vaak kreeg op die manier een grot, afhankelijk van het geloof van de gouw waar de grot zich bevond, maar één bepaalde diersoort zoals de ibisgroeve bij Sakkara, de reusachtige grot voor krokodillen bij Monfaloet, en een apengroeve bij Thebe. Elders werden alle dode heilige dieren uit de omgeving maar ook van heinde en verre bijeengebracht en zonder onderscheid door elkaar in dezelfde groeve of op dezelfde begraafplaats bijgezet.

De vergoddelijking van de dieren bij de oude Egyptenaren stamt uit een tijd, waarin de mens nog hulpeloos tegenover zijn omgeving stond. Het was de tijd waarin de mensen uit het stenen tijdperk nog hoopten een dier, dat ze wilden vangen, te kunnen betoveren door het op een rotswand te tekenen. Het was de tijd waarin het dier met zijn onberekenbaarheid en zijn onbegrijpelijke daden de mens als een duivel voorkwam.

De goden specialiseren zich

Toen de talrijke gouwen tot twee rijken waren samengesmolten, waren er goden in overvloed. Natuurlijk kon geen der goden eenvoudig afgeschaft worden. Men behielp zich door elke god een eigen terrein te geven. De een moest voor de kinderen zorgen, de ander voor de doden. De een was voor de akkerbouw verantwoordelijk, de ander voor de oorlog. En dat had weer tot gevolg dat de priesters van de verschillende goden alleen door de dagelijkse omgang met het volk inlichtingen kregen, die hun kennis in de loop van de tijd steeds groter maakte. En toen de farao zich later van de kennis van zijn priesters bediende, toen in zijn paleis alle draden van historische gebeurtenissen en geestelijke arbeid samenkwamen – was het dan een wonder dat het volk hem als een god vereerde, de alwetende, de alles kunnende, de alles kennende?

De oudste geloofscultus ontstond in Beneden-Egypte, waar Memphis, Sakkara en Heliopolis religieuze centra waren. In Memphis was het de kale scepterzwaaiende god Ptah die in hoog aanzien stond. Hij gold als oergod, als scheppende god zoals Hephaistos bij de Grieken. Deze Ptah versmolt later met de valkenkoppige dodengod Sokaris, en werd als Osiris verantwoordelijk voor de onderwereld. Zo ontstond er dus een driegoddelijkheid Ptah – Sokaris – Osiris. Bij Ptah hoorde Apis, de heilige stier.

Een stier werd ook in de zonnetempel van Heliopolis, de stad die in het Egyptisch 'On' heette, vereerd. Zijn naam was Mnevis. Hoofdgod in Heliopolis was natuurlijk Re, de zonnegod, die als Re-Harachte met valkenkop en zonneschijf werd voorgesteld. Deze Harachte is niemand anders dan Horus, de beschermgod van de Nijldelta en Beneden-Egypte.

Horus werd het allereerst vereerd in Damanhar, het oude Behedet.

Na de samensmelting van het Boven- en Beneden-Egyptische rijk kreeg hij echter nog een dependance toegewezen in de Beneden-Egyptische stad Edfoe.

Volgens de Griekse geschiedenisschrijver Doidorus moet Horus als zoon van zijn geneeskundige moeder Isis ook als arts en magiër hebben gewerkt. Hij wordt ook wel 'Opperarts in het huis van Re' genoemd.

Een groot ostrakon, dat in Straatsburg wordt bewaard, draagt het volgende opschrift:

De woorden van Horus weren de dood af, terwijl ze diegene in leven houden die naar adem snakt.
De woorden van Horus werken opnieuw bezielend, terwijl ze de jaren duurzaam maken voor degene die hem aanroept.
De woorden van Horus blussen het vuur. Zijn spreuken maken koortslijders weer gezond.
De woorden van Horus redden de man die door het noodlot achterhaald wordt.
De toverkracht van Horus weert bogen af, doordat de pijlen omgekeerd worden.
De toverkracht van Horus weert woede af, doordat ze de zinnen kalmeert.
De toverkracht van Horus maakt de zieken weer gezond.

De daaropvolgende vier zinnen zijn slechts onvolledig behouden gebleven. Maar ook deze acht regels tonen duidelijk aan welke macht Horus met zijn woorden en toverspreuken uitoefende.

Hathor stamt uit Atfih in Boven-Egypte. Ze is de machtigste van alle godinnen en werd daar 'eerste der koeien' genoemd. De bevallige vrouwengestalte heeft de oren van een koe en koehoorns waartussen soms de ondergaande zon is voorgesteld. Hathor was de godin van het westen waar de zon boven de bergketen staat, voor ze er tussen verdwijnt om de doden in de onderwereld toe te laten.

Hathor had als vrouw in Moet, de moederlijke, een rivale.

Moet werd vooral in Thebe vereerd waar zij, de leeuwekoppige, tot oorlogsgodin en echtgenote van de rijksgod Amon bevorderd werd.

De machtige Sachmet van Memphis had eveneens een leeuwenkop. Ook Sachmet is een godin van de strijd, die indien nodig vuur onder de vijanden spuwt. Op geschilderde afbeeldingen is Sachmet gemakkelijk te verwisselen met de kattenkoppige Bastet – die in karakter en betekenis evenwel het volmaakte tegenbeeld van Sachmet is: in Bastet ('de uit de stad Bast stammende') straalt ons de vrolijkheid toe, de levensvreugde. Het is duidelijk dat de vrouw in het oude Egypte een niet te onderschatten betekenis had, die zich ook in het aantal en taken van de godinnen manifesteert.

Seth en Horus, de beschermgoden van Boven- en Beneden-Egypte spelen een heel merkwaardige rol in de geloofsgeschiedenis. Spreuk 222 van de piramideteksten die ook woorden voor de troonsbestijging in Heliopolis bevat, legt de nadruk op de verdeling: het noordelijke rijk voor Horus, het zuidelijk voor Seth. Op het standbeeld van Sesostris I in Lisjt zegt het gepersonificeerde Boven-Egypte tegen de koning: 'Seth heeft je zijn plaats gegeven.' En Beneden-Egypte spreekt: 'Horus heeft je zijn troon gegeven.' De waterval bij Elephantine geldt als 'wateruitstorting van Seth', de Nijlmonding in de Middellandse Zee als 'wateruitstorting van Horus'.

Eerst waren ze vijanden, later – na de vereniging van het rijk – werden ze broeders. Weliswaar behield Horus steeds de opperheerschappij. Als hij geen godheid was geweest, dan was Seth een tragisch figuur te noemen. Uiterlijk alleen al.

Seth heeft een dierengedaante die zijn weerga in de natuur niet vindt. Praktisch iedere archeoloog hield Seth voor een ander dier: Wiedemann zag hem voor een okapi aan, Schweinfurth voor een soort varken *(orykteropus),* Newberry voor een wrattenzwijn, Von Bissing voor een giraffe en Maspero voor een springende muis. In werkelijkheid had dit fabelachtige wezen waarschijnlijk iets van alle genoemde dieren.

Nog steeds is het niet duidelijk hoe Seth aan zijn ezelskop kwam. Vermoedelijk is het een gekarikaturiseerde tekening van aanhangers van Horus. Een tekening die populair werd en Seth bleef dat beeld behouden, ook na de samensmelting van de rijken. De farao werd later steeds met Horus geïdentificeerd, bijna nooit met Seth. En als de farao's hun triomfen in het hiëroglyfenschrift lieten optekenen, dan was dit altijd met een valk op een gouden achtergrond. De valk, dat is Horus, goud symboliseert de god uit Ombos: Seth.

Seth had rode ogen. En rood was de kleur van het slechte. In tegenstelling tot groen dat een zegenrijke kleur was.

Zo weinig men op Seth gesteld was, zoveel te meer op Thot. Thot met zijn ibiskop en uit de Nijldelta stammend, was eigenlijk de maangod. Maar omdat de maan met zijn regelmatige ritme van wassen en afnemen gewoonweg als de orde in deze wereld beschouwd werd, zagen de Egyptenaren een rekenaar en schrijver van de goden in hem. Het is niet duidelijk waarom hij nu en dan ook als baviaan wordt afgebeeld.

Thot had als maangod echter wel concurrentie. In Thebe werd zijn taak door de god Chons waargenomen.

De meeste Egyptische godheden hadden zulke concurrenten. Zelfs de almachtige dodengod Osiris en zijn vrouw Isis moesten eerst andere goden uit hun functie ontheffen om alleenheersers over de onderwereld te worden. Osiris komt uit Dedu (Grieks: Boesiris), waar men hem het eerst vereerde – vermoedelijk een koning uit het grijze verleden om wiens dood een hele mythe geweven werd. Aan het begin van het jaar drieduizend v.Chr. versterkte Osiris zijn macht in Egypte. Eerst in Memphis waar de tot die tijd vereerde Sokaris in hem opgaat, later in Abydos waar hij zich, in de plaats van de tot die tijd als 'eerste der westelijken', vereerde dodengod, als heerser van de onderwereld aandient.

Osiris wordt in zijn geboortestad Dedu als een waaiervormige zuil voorgesteld, een symbool dat in het hiëroglyfenschrift ongeveer 'voortduren' betekent. De dood 'duurt voort'. Als Osiris werd afgebeeld, was het als mummie met een groen gezicht. Omdat hij leeft en groei veroorzaakt. Op zijn hoofd draagt hij een faraokroon, in zijn handen een herdersstaf en gesel als teken van macht.

Osiris lag onder de aarde met de gehele wereld op zich. Als hij zich bewoog, bewoog de gehele aarde. Uit zijn lichaam groeiden planten. Dit maakte hem 'Nieuw koren'. 'Nieuwe regen' werd hij, omdat er water uit zijn voeten stroomde. Het zweet van zijn handen vormde de Nijl.

Osiris werd op die manier een god van de natuurkrachten. Een god die na de overstroming van de Nijl als vruchtbare aarde uit het zich terugtrekkende water achterblijft. De god van de groene velden. De god van het afsterven in de herfst, met echter de zekerheid dat in het volgende jaar de natuur tot nieuw leven gewekt zal worden.

Als god van de doden heeft Osiris drie begeleiders met hondenkoppen; Anubis, de beschermer van de doden, en het paar Oep-Nat, zijn meestal samen optredende strijdgenoten.

Osiris had een slecht noodlot achter zich. Volgens de sage werd hij door Seth vermoord. Maar Horus, de zoon van Osiris, wreekt zijn vader. En daarop wordt Osiris uit de doden opgewekt. Deze gebeurtenis werd een voorbeeld voor de dodenzorg van ieder mens. De zoon was verplicht het graf van zijn vader te verzorgen, zijn aandenken te behoeden en een waardig opvolger van zijn vader te worden. Dat ging soms zo ver dat deftige doden na hun overlijden als Osiris aangeduid werden en door hun moeder Noet en hun echtgenote Isis betreurd werden.

Osiris draagt als teken van zijn koninklijke waardigheid twee veren – de machtssymbolen van de plaatselijke god van de 9e Beneden-Egyptische gouw waarmee hij al gauw een eenheid vormde. Dat was de oorzaak dat de hoofdstad van de 9e gouw later de naam 'huis van Osiris' droeg. De Grieken noemden de stad Boesiris, tegenwoordig is het Aboesir.

Het dodengericht

De mens die het aardse leven achter zich heeft, moet voor het dodengericht van Osiris treden. Osiris zit in de zaal van de beide rechtsgodinnen, aan zijn zijde 42 met messen zwaaiende demonen met verschrikkelijke namen. Ze heten Vlammend oog, Schaduwvreter of Bloedvreter. Elk vertegenwoordigt een van de 42 zonden die mogelijk zijn. Het is de taak van de dode te bewijzen dat hij geen van die zonden begaan heeft. Dan wordt hij ook door geen van de 42 demonen aangevallen.

Nadat de onschuld bewezen is, neemt Horus de nieuweling aan de hand mee en stelt hem aan zijn vader Osiris als nieuw lid van de onderwereld voor. Er zijn voorzichtige schattingen hoeveel leden de onderwereld van het oude Egypte zou hebben gehad: vanaf het Oude Rijk tot het Nieuwe Rijk werden 150 tot 200 miljoen doden aangenomen.

De religie van de Egyptenaren kwam slechts een enkele maal in gevaar. Dat was in de 13e eeuw, toen Amenhotep IV twintig jaar lang het veelgodendom afschafte, zichzelf voortaan Echnaton noemde en nog maar één god aan de macht liet: Aton. Hoe kwam het tot een zo grote breuk in de Egyptische geloofsgeschiedenis?

We zijn het begrip 'Aton' al in het Middenrijk tegengekomen als benaming voor 'dagster'. Op de koningstandbeelden in de tempel van Amenhotep III in Thebe staat: 'Uw schittering verbleekt de hemel daarboven, uw stralen treffen de gezichten als Aton wanneer hij 's morgens schittert.' Aton, de dagster, was niets anders dan de planeet zon. Dit is dus in geen geval een uitvinding van de ketterkoning Echnaton.

Walther Wolf die zich in de voorgeschiedenis van de reformatie van Echnaton heeft verdiept, neemt vooral de zonneliederen onder de loep. Volgens hem komt het daarbij minder op woorden en zinswendingen aan dan wel op de geest die uit deze liederen spreekt.

Dus moeten we – als we reeds onder Amenhotep II tekenen van de reformatie willen vaststellen – minstens weerklank vinden in het zonnelied van Amarna als duidelijkste expressie van de nieuwe religie. Wolf stootte bij zijn onderzoeken echter steeds weer op de oude voorstellingen die de Egyptenaren sinds de oertijden van de zonnegod hadden. In deze oude hymnen werden Aton, Harachte en Chepre nog naast elkaar genoemd en bovendien duikt telkens weer het beeld van de zonneaap op.

Volkomen anders is het zonnelied dat de tweelingbroeders Horus en Seth op een stèle hebben achtergelaten. Beiden werkten als architect onder Amenhotep III. De betekenis lijkt veel op die van de Atonhymne. In het begin is er een zinsnede, waar de oude inzichten nog sterk in leven. Dan wordt het beginnende leven bij zonsopgang afgeschilderd.

Zin vijf tot zeven van de Amon-hymne luiden:

Wanneer jij je 's morgens vertoont, dan groeit de dag nog.
Wanneer jij daar majestueus heen gaat, dan is de dag al klein. Je snelt over een weg van miljoenen en honderdduizenden mijlen. De tijd is elke dag onder je. Je verheft je om 's morgens op te gaan. Je stralen openen de ogen.

Ter vergelijking zin vier tot vijf van de Aton-hymne:

De aarde wordt licht, wanneer jij in de lichtberg opgaat. Als jij als Aton overdag schittert, dan verdrijf je de duisternis. Zend je je stralen naar beneden, dan zijn beide landen vol vreugde. Ze worden wakker en staan op. Jij hebt ze doen opstaan. Ze reinigen hun ledematen en kleden zich aan. Hun armen zijn in aanbidding omdat je straalt. Het gehele land doet zijn werk.

Geen nieuws voor Aton

Georg Möller, de Berlijnse Egyptoloog die zo vroeg om het leven kwam, heeft in een van zijn laatste werken over de datering van verschillende letterkundige handschriften uit de eerste helft van het Nieuwe Rijk de volgende veronderstelling geuit. De Amon-hymne is waarschijnlijk ten tijde van Amenhotep II of Thoetmoses IV, maar zeker vóór Amenhotep IV geschreven.

En Aton-onderzoeker Walther Wolf zegt: 'Het gaat om een verzameling hymnen die nu eens de Amon-Re van Karnak, dan weer de Min-Amon en de Aton-Chepre van Heliopolis of de Harachte als onderwerp hebben. En wel zo dat men de god als godenkoning vereert, terwijl men zijn kroon en scepter of zijn mythologische daden bezingt, of dat men de god in zijn schepping vereert. We treffen natuurwaarnemingen van bijzondere eenvoud en echtheid aan die een dicht bij de natuur staan aantonen, die een kenner van Egyptische grafschilderingen weliswaar niet zal verbazen maar die voor ons op deze plek toch heel nieuw en ongewoon is.[176]

We zullen de volgende verzen eens vergelijken:

Je bent de enige die het zijn schiep, de enige die alleen bestond toen hij alle wezens deed ontstaan.

Zo staat het in de Amon-hymne. De Aton-hymne prijst de schepper:

De enige die zijn weerga niet vindt. Je hebt de aarde volgens je hart geschapen. Jij en jij alleen.

En terwijl in Amon hij geprezen wordt 'die de kruiden voor de kudden maakt' en 'die het kuiken in het ei lucht schenkt' verheugt zich bij Aton 'al het vee over zijn voer' en het is Aton 'die het kuiken lucht schenkt' als 'het kuiken in het ei spreekt'.

We zien dus dat de Aton-religie geen door één man plotseling uitgevonden hervorming was.

De letterkundige getuigenissen uit de tijd van Amenhotep III deden de Egyptologen twijfelen of niet deze farao misschien al de geloofsverandering voltrokken had. Deze theorie werd versterkt door een reliëfblok dat nu in Berlijn staat en dat korte tijd voor onrust onder de Egyptische archeologen zorgde. Borchardt indentificeert de afbeelding op het Berlijnse reliëfblok als Amenhotep III die een offer aan Aton brengt. Was Echnaton toch niet de grote Egyptische geloofshervormer?

Aan de echtheid van de vondst behoefde niet getwijfeld te worden. Ook niet aan de interpretatie van de afbeelding. Ten slotte bracht de Egyptoloog Heinrich Schäfer licht in de duisternis van deze geheimen.[150] Schäfer kon bewijzen dat de steen een paar jaar nadat hij klaar was, opnieuw was bewerkt. En wel in een periode waarin Amenhotep niet meer leefde. In plaats van een willekeurige andere god werd nu, omdat de hervorming al voltrokken was, met grote ijver de god Aton op de afbeelding gezet.

Welke rol Teje, de moeder van Echnaton in de Oudegyptische hervorming gespeeld heeft, is een omstreden punt. Het is wel een feit dat Teje, als vrouw van Amenhotep III zo vaak op gedenktekens voorkomt als nog geen vrouw van een farao ooit voor haar: dat zou op een grote invloed duiden.

Dat haar religieuze opvatting Echnaton beïnvloed heeft, is aan te nemen hoewel niet te bewijzen. Want juist in de eerste jaren toen Echnaton zijn residentie naar Amarna verplaatste vanwege de Aton-cultus horen we niets over Teje. Pas in het achtste jaar van het regentschap van Echnaton duiken afbeeldingen van Teje in het graf van haar vroegere opperhofmeester op. De weduwe Teje woonde tot dan toe in Medinet Roerab en kwam toen pas naar Amarna om daar haar laatste dagen door te brengen.

Maar nadat er in Medinet Roerab een offerblokje gevonden was dat aan de vroegere dodengod Osiris opgedragen was, kon men vermoeden dat Teje een aanhangster van de oude religie gebleven was. Vooropgezet evenwel dat dit bewijsstuk authentiek is: het zou ook van een schrijver of een oude priester kunnen zijn, die de moed niet opgaf.

Want Osiris was in de tijd van Echnaton passé. Er was nog slechts één god, Aton, de zon. Het volk, duizenden jaren aan zijn eigen oude geloof gewend, liet zich de hervorming morrend aanleunen. Voor het volk waren deze culturele verworvenheden, die het priesterwezen van Heliopolis Amenhotep IV bijgebracht had, verdacht en te intellectueel.

Echnaton accepteerde de breuk met grote bevolkingslagen op de koop toe evenals de ontstemming bij het oude priesterwezen. Het volk werd niets gevraagd, het was dom en overgeleverd aan de geestelijk veel sterkere farao met zijn intellectuele en strategische macht. Het priesterwezen was te vervangen, evenals elk ander ambtenarenapparaat.

De ketter-farao verliet ook de stad van Amon. Thebe moest in de vergetelheid raken. De toekomst heette Amarna.

Deze geloofsontwikkeling is wel te verklaren. De Egyptenaren hadden de gehate Hyksos verdreven, ze hadden ze zelfs tot in Palestina achtervolgd. Aan het begin van de 14e eeuw v.Chr., met Thoetmoses III waren de veroveringen begonnen die de Egyptenaren tot aan de Eufraat en de Tigris voerden. Onderworpen volken moesten regelmatig schatting betalen. Slaven kwamen uit verre landen. De wereld was groter geworden en men meende ook wijzer.

Nieuwe inzichten kwamen uit de nieuw ontdekte landen. De Nijl, het goddelijke water en de almachtige levensader, was niet alleen in

Egypte te vinden. Ook 'aan de berglanden' zoals het in de Aton-hymne heet, 'was een Nijl aan de hemel gegeven die tot hun afdaalde en water op de bergen bracht om hun velden te besproeien'.

Ook andere volken hadden hun koningen, hun priesters. Alleen de zon, die was overal hetzelfde, de machtige, de alles besturende.

Amenhotep IV heerste niet geheel twintig jaar als Echnaton. Met zijn dood in 1358 v.Chr. was ook de Aton-religie tot uitsterven gedoemd. Toetanchamon liet de residentie van de farao's van Tel-el-Amarna weer terugbrengen naar Thebe waar de oude goden heersten.

9
De machtige vleugels van de dood

Op 3 november 1962 hield de medicus en bioloog dr. Ezzeddin Taha van de universiteit in Caïro een persconferentie, iets heel ongewoons voor een geleerde – ook in Egypte. Maar hetgeen de bioloog te vertellen had, was werkelijk sensationeel. Hij was – zo beweerde dr. Taha – de vloek van de farao's op het spoor. Op één spoor tenminste.

De geleerde had reeds lange tijd archeologen en museumemployés onderzocht en bij allen een virus ontdekt, dat vooral koortsverwekkende ontstekingen van de ademwegen oproept. Bepaalde merkwaardige ziekteverschijnselen waren onder de archeologen al enige tijd bekend als 'Koptische schurft', maar veel aandacht had men tot die tijd niet aan die infecties geschonken. Deze 'schurft' uit zich in ademhalingsmoeilijkheden en eczeemachtige huidirritaties aan de handen. En alleen mensen, die regelmatig Egyptische papyri aangeraakt hebben, hebben er last van.

Taha had in zijn instituut voor microbiologie in de universiteit van Caïro reeds een grote hoeveelheid gevaarlijke ziekteverwekkers ontdekt, onder andere de *Aspergillus niger*. Dit virus is volgens Taha in staat om in mummies en/of in afgesloten grafkamers en piramiden drie tot vierduizend jaar te blijven leven.

'Deze ontdekking,' verklaarde dr. Taha, 'heeft met één klap het bijgeloof vernietigd dat onderzoekers die in oude graven werkten door een soort vervloeking zouden komen te sterven. De geleerden werden het slachtoffer van ziekteverwekkers waarmee ze tijdens hun werk in contact kwamen. Weliswaar geloven ook tegenwoordig velen nog steeds dat de vloek van de farao's aan bovennatuurlijke krachten toe te schrijven is, maar dat is een fabeltje.'

Taha legde er de nadruk op dat de ontdekking, die hij onder zijn elektronenmicroscoop gedaan had, niet de absolute oplossing van het raadsel omtrent de vloek van de farao's was. Ten slotte moest hij toegeven dat niet *alleen* infecties oorzaak van de dood van verschillende geleerden hadden kunnen zijn. Zijn ontdekking was echter een eerste aanwijzing dat de oude Egyptenaren buitengewone natuurwetenschappelijke kennis bezaten en dat alle geheimzinnige praatjes over deze vloek onzin waren. Met antibiotica kon de vloek van de farao's geneutraliseerd worden.

De onderzoeken van dr. Ezzeddin Taha hadden beslist nog tot concreter resultaten geleid als de geleerde niet zelf kort na deze persconferentie het slachtoffer was geworden van de mystieke vloek die hij bezig was te ontsluieren.

Het gebeurde op de woestijnweg Caïro – Suez. De asfaltweg loopt recht door het troosteloze okerkleurige landschap. Op deze woestijnweg is weinig verkeer. Wanneer twee auto's elkaar tegenkomen, wuiven de inzittenden vriendelijk naar elkaar. Dr. Taha was met twee medewerkers onderweg naar Suez. Ongeveer zeventig kilometer ten noorden van Caïro gebeurde het. Taha's auto schoot plotseling op de kaarsrechte weg met een bocht naar links – precies tegen een tegemoetkomende auto op. Het werd een botsing: Taha en zijn medewerkers waren op slag dood, de inzittenden van het andere voertuig werden zwaar gewond. Het obductieverslag van Taha's lijk rapporteerde: bloedsomloopstoornissen. Was dr. Taha die bij zijn onderzoeken steeds doses antibiotica nam toch op een verkeerd spoor geweest?

Een infectie lijkt – volgens de natuurwetenschappelijke onderzoeken naar de vloek van de farao's – een voor de hand liggende verklaring te zijn. In ieder geval hebben tot nu toe vele geleerden deze theorie nader onderzocht.

Gevaarlijke vleermuizen

In oktober 1956 daalde de Zuid-Afrikaanse geoloog dr. John Wiles af in een van de onderaardse grotten van het Rhodesische bergmassief. John Wiles had er geen idee van dat hij zich in levensgevaar begaf. Wiles moest in de grotten van Caribi de ontginning en toepassingsmogelijkheden van vleermuisuitwerpselen onderzoeken. Deze excrementen worden guano genoemd; ze zijn daar met duizenden tonnen tegelijk te vinden en kunnen als mest gebruikt worden.

In een van de ongeveer honderdvijftig meter diepe grotten was dr. Wiles getuige van een vreemd schouwspel. Als op bevel loste het zwarte plafond van de grot zich op in een zwerm van tienduizenden vleermuizen die daar dicht op en naast elkaar hadden gehangen. Wiles moest de grot verlaten en kon zich pas de volgende dag weer ondergronds wagen.

Een paar dagen later kreeg de geoloog uit Kaapstad hoge koorts, een brandend gevoel in de maag en pijn in de spieren. De eerste diagnose van een dokter was een long- en borstvliesontsteking. Maar de daarvoor in aanmerking komende behandeling had geen resultaat en Wiles moest naar het ziekenhuis in Port Elizabeth.

Dr. Dean, de directeur van het ziekenhuis, herinnerde zich bij het onderzoeken van zijn patiënt een ziekte, die kort geleden door Amerikaanse artsen was vastgesteld. Die ziekte kwam vooral voor bij onderzoekers die in de grotten van de Inca's werkten. Dean stuurde een bloedmonster van de inmiddels zwaar zieke geoloog naar Amerika. Het antwoord viel uit zoals verwacht was: John Wiles had histoplasmosis, een soort grottenziekte: de verwekkers ervan vinden een voedingsbodem in de uitscheidingsproducten van vleermuizen en andere rottende stoffen.

John Wiles is gered met antibiotica. Dr. Dean vroeg zich echter af: 'Zou de grottenziekte niet ook de oorzaak kunnen zijn van de vreemde sterfgevallen in verband met de Egyptische faraograven?'

Bij de analyse van deze ziekteverschijnselen herinnerden de medici van Europa zich ook de raadselachtige ziekte uit de jaren zeventig van de vorige eeuw. Bij de de bouw van de St. Gotthard-tunnel werden talrijke arbeiders hierdoor overvallen. Ook in België en Frankrijk waren deze ziekteverschijnselen waargenomen. Daar werd de ziekte 'Anémie des mineurs' genoemd, 'mijnwerkersanemie'. De symptomen waren dezelfde als de bij de St. Gotthard-tunnel optredende ziekte: aanvallen van zwakte en bloedarmoede. De bouw van de tunnel door de St. Gotthard liep tijdelijk gevaar omdat zo vele arbeiders door deze 'tunnelziekte' overvallen werden. De ziekenhuizen in Zwitserland waren zo overvol dat sommige arbeiders zelfs naar het ziekenhuis in Freiburg (in Breisgau) gebracht moesten worden.

De worm met de giftige klieren

De eerste aanwijzingen over de oorzaak van de ziekte werden in het laboratorium van een Zwitserse arts ontdekt. In de uitwerpselen van een 'tunnelzieke' had hij de eieren van een haakworm ontdekt. Onderzoeken bij andere tunnelarbeiders, die door deze ziekte getroffen waren, toonden aan dat ook in hun uitwerpselen deze kleine haardunne haakworm leefde. Bij massale onderzoeken in het industriegebied van Rijnland-Westfalen en in het gebied rond Aken bleek dat ook in deze streken zeer veel bloedarmoede heerst.

Twee gifkliertjes op de kop van de haakworm produceren de ziekteverwekkende stof. Dit gif bereikt via de bloedvaten van de darmen de bloedsomloop en vernietigt daar de rode bloedlichaampjes. Het lost de hemoglobine, de kleurstof van de rode bloedlichaampjes, op.

Deze parasieten konden dus een heel natuurlijke verklaring voor de vloek van de farao's zijn. Maar dat zou niet de talrijke sterfgevallen onder de archeologen verklaren. Want het gif van de haakworm veroorzaakt weliswaar grote vermoeidheid, maar er is – voor zover bekend – nooit iemand aan overleden.

Het is evenwel mogelijk dat ook archeologen tijdens hun wekenlange verblijf onder grond door de parasieten zijn besmet. Wanneer we er echter van uitgaan dat de vloek van de farao's een in de oudheid genomen beschermende maatregel tegen de Egyptische grafschenners was, dan moeten we dergelijke toevalligheden buiten beschouwing laten. Een realistischer theorie is gif.

Gif is bijna zo oud als de geschiedenis der mensheid. De eerste Egyptische farao Menes liet reeds ongeveer 3000 v.Chr. gifplanten kweken en hun uitwerking opschrijven. Helaas zijn deze planten botanisch niet meer te identificeren. Uit latere tijd weten we echter dat men opium, dolle kervel, helm, bilzekruid en arsenicum gebruikte.

Zelfs blauwzuur was bekend: het werd uit de pitten van perziken gewonnen. Uit helm werd de aconitine vrijgemaakt waarvan vijf milligram dodelijk is. Evenals tegenwoordig nog in de Verenigde Staten
blauwzuur als gif bij terechtstellingen gebruikt wordt, deed men dat
al vijfentwintighonderd jaar geleden in Griekenland. Socrates moest
sterven doordat hij een beker met dolle kervel dronk – het gevlekte
kervel levert het giftige alkaloïde coniine op. De Griekse konings-
dochter Medea bracht haar rivale om het leven met het gif van de
Herfsttijloos, het dodelijke colchicine. En Mithridates, de heerser van
Klein-Azië dronk dagelijks een kleine dosis gif om zich daardoor
tegen alle vergiften immuun te maken – want hij leefde steeds met het
idee dat iemand hem wilde vergiftigen. Een bekend tegengif is naar
hem mithridatum genoemd.

De laat-Egyptische koningin Cleopatra was een in gifmengen zeer
bedreven vrouw. Bij haar gifrecepten, die ze zelf samenstelde, kon ze
zich op oude overleveringen baseren die inderdaad de ergste en sterk-
ste werkingen beschreven die men zich maar kan voorstellen. Ze probeerde haar giften regelmatig op haar slaven en het is bekend dat Antonius zeer bevreesd voor haar gifkunsten was: als hij bij Cleopatra at,
deed hij dat alleen als hij een voorproever had.

Dit vond de zelfbewuste Cleopatra echter een belediging. Zoals
Plinius in zijn *Historia* vertelt, genas Cleopatra Antonius met een
paardenmiddel van zijn wantrouwen. Ze nam een bloem uit haar
haarkrans en wierp die in de wijnbeker van Antonius. Vervolgens
eiste ze van hem dat hij de wijn als bewijs van zijn liefde voor haar
moest uitdrinken. Antonius zag hierin alleen een verleidelijke geste en
zette de beker, waaruit al door de voorproever gedronken was, aan
zijn lippen. Maar Cleopatra greep de Romein de beker voor de mond
weg. Toen wenkte ze naar een man die uit de gevangenis gehaald was
en daar klaarstond; ze liet hem de beker leeg drinken. De gevangene
dronk – en viel dood neer.

'Ik had die bloesem vergiftigd,' zei Cleopatra tegen Antonius, 'ik
wilde je alleen tonen dat ik je – als ik wil – te allen tijde, ondanks je
voorproever, zou kunnen doden.'

De Griekse arts en farmaceut Dioscurides die zich in de eerste
eeuw na Christus' geboorte met de Egyptische beschaving bezighield,

komt in zijn *Liber de venenis* tot de slotsom: 'Het voorkomen van vergiftigingen is moeilijk omdat zij die heimelijk giften gebruiken het zo doen dat ook de meest ervaren mensen op dit gebied misleid worden.'

Waarom we over de gifbereidingen van de oude Egyptenaren zo weinig weten – alhoewel ze er een kunst van maakten – is duidelijk: toxicologie was een geheime wetenschap van de priesters en magiërs en slechts uitverkorenen werden ingewijd. Buiten Egypte was de gifmengerij daarentegen ook veel onder het volk verbreid.

Gewassen uit de tovertuin

In het koninkrijk Colchis aan de zuidkust van de Zwarte Zee, het prachtige vaderland van Medea en het doel van de Argonauten, moeten koningen in mythische tijden een tovertuin aangelegd hebben, die door een muur van negen vadem hoogte omgeven was en met driedubbele bronzen poorten beveiligd werd. In deze door sagen omgeven tuin groeiden gif en tegengif vredig naast elkaar. Giften uit Colchis waren in de tijd van de Romeinen nog steeds beroemd. Horatius wendt zich in zijn *Epoden* tot de gifmengster Canidia met de woorden:

> Jij, een werkplaats van Colchische giften
> werkt altijd op mij in,
> tot ik, tot as verbrand
> een spel van brutale winden word.

Marcus Antonius die in 38 v.Chr. tegen het Iraanse ruitervolk der Parthen ten strijde trok en een zware nederlaag leed, moest toezien hoe zijn verslagen troepen op de terugtocht door het oosten door gif verder gedecimeerd werden. Zijn volledig gedemoraliseerde soldaten hadden namelijk een verdovend kruidenmiddel ontdekt, dat hun weliswaar hun ellende deed vergeten, maar vroeg of laat de dood ten gevolge had. Toxicologen vermoeden dat het hier om een soort nachtschade gaat, een soort datura of hyoscyamus.

Toen de Romeinen in de 2e eeuw v.Chr. Sardinië en Corsica ver-
overden, vonden ze op de eilanden een gif dat de Noord-Afrikaanse
Carthagers daar gebracht hadden. Dioscurides vertelt driehonderd
jaar na de verovering over het 'sardonische kruid', dat de zinnen ver-
wart en de lippen tot een lachkramp vervormt, het spreekwoordelijke
sardonisch lachen.

Omdat de Egyptenaren bekendstonden om hun grote prestaties op
het gebied van de toxicologie haalden de Romeinse keizers hun giften
praktisch zonder uitzondering uit het land van de Nijl. De Romeinse
keizers Caligula, Claudius Nero en Caracella moeten de grootste verzameling vergiften gehad hebben. Caracalla die voor meer dan 7,5
miljoen dinaren of 500.000 drachmen gif kocht, had zelfs een eigen
tovenaar en gifmenger in dienst: Sempronius Rufus.

Nog steeds zijn de Afrikaanse volken ware meesters in de gifmengerij, vooral in het gebied waar de oude Egyptenaren het prachtige
land Poent zochten. Een vooral in Oost-Afrika voorkomende plan-
tensoort is de *Acokanthera*. De *Acokanthera schimperi* bijvoorbeeld
bezit het amorfe glycoside quabain dat hartverlammend werkt. Dezelfde hartverlammende werking heeft de ook in Afrika voorkomende Javaanse gifboom *Antiaris toxicaria*. Uit de aangeboorde bast
vloeit een zeer giftig melkachtig sap dat kristalliseert: de toxicologen
noemen het antiarine. Onderzoeken hebben uitgewezen dat een kik-
vors al aan 0,000009 gram antiarine sterft.

De Engelse Afrika-onderzoeker David Livingstone (1813-1873)
ontdekte in 1859 boven de Victoriawatervallen van de Zambesi een
giftige klimplant, die een strophantinegif oplevert dat toen door de
inboorlingen 'kombé' werd genoemd en voor het doden van mensen
werd gebruikt.

Livingstone merkte bovendien op dat de inboorlingen met het
zaadextract van een liaangewas bijzonder voorzichtig omgingen. Hij
maakte zijn botanicus, John Kirk, erop attent en deze identificeerde
de plant als de strophanthusbloem. Met dit gif kon men zelfs een olifant binnen twaalf uur doden, noteert Livingstone.

Zoals Bernt Karger-Decker in zijn boek *Gifte, Hexensalben, Lie-
besfrinke*[98] beschrijft, bespeurden nog 1885 employés van de 'National African Company' aan de rivier de Katsina in Nigeria de ver-

schrikkelijke werking van het strophantinegif. Nadat er uit een factorij kruit was ontvreemd, beklaagden twee Engelse beambten zich bij het opperhoofd van de stam. Tijdens dit onderhoud werd eerst een van de beide Engelsen door een pijl geschampt. Onder een ware regen van pijlen vluchtten de mannen in hun boot en konden ontkomen. Maar de Engelsman die door de pijl geschampt was, stierf al in de boot. Zijn collega kwam een paar weken later ook onder kwellende pijnen om het leven, hoewel ook hij slechts een schampschot had gehad. Karger-Decker zegt hierover:

De strophantinevergiftiging begint met een neiging tot braken en misselijkheid. Vervolgens wordt het prikkelsysteem van het hart verstoord. Hierbij treden in lichte gevallen extra systolen op, doordat na iedere normale hartslag een extra samentrekking volgt die langer duurt. In ernstiger gevallen kan hierdoor een totaal hartblock ontstaan met vermindering van het aantal hartslagen tot ongeveer de helft. Deze verschijnselen nemen in het algemeen na vijf tot tien dagen weer af. Bij ernstige gevallen treedt de dood in door hartkamerfibrillatie. Vaak zijn er gelijktijdig ook evenwichtsstoornissen, zinsbegoochelingen en verwardheid.[98]

Het vierde boek van Mozes (5, 18) vertelt over een van de Egyptenaren overgenomen gifgebruik. Wanneer een vrouw van echtbreuk werd beschuldigd en haar misstap niet wilde erkennen, werd ze naar de tempel gebracht. Daar moest ze het giftige 'jaloeziewater' drinken: een procedure die sommigen overleefden, maar de meesten niet.[116] Een soort godsgericht: de gifbeker werd leugendetector – en meestal ook rechter en beul.

De Afrikaanse inboorlingen beschikken ook tegenwoordig nog over abnormaal sterke vergiften. Deze recepten zijn nog gedeeltelijk van de oude Egyptenaren afkomstig. De toxicoloog prof. dr. Louis Lewin vertelt in zijn boek *Die Gifte in der Weltgeschichte*[114] over een krampgif dat uit euphorbiasap, slangengif en de giftige ui *Haemantus toxicarius* bestaat. Het werkt eerst storend op het bewustzijn, vervolgens verlammend op het ruggenmerg, hersens en ademhalingscentrum.

Prof. Lewin schrijft:

Deze giften uit de 'bush' zijn bijzonder lang houdbaar. Ik heb gif-pijlen onderzocht die ongeveer negentig jaar geleden door Lichten-stein uit Zuid-Afrika waren meegebracht en die onder wisselende uiterlijke omstandigheden hier in Berlijn in musea gelegen hebben. Het erop gesmeerde gif werkte alsof het zojuist aangebracht was; het gelukte me zelfs een werking tot stand te brengen, die op een storing van psychische functies wijst. Mijn vernieuwde onderzoe-ken van de ui zelf voerden tot het winnen van een alkaloïd heman-tine dat de werking van de plant verklaart: trillende bewegingen, spierkrampen en zware ademhalingsstoornissen.

De oude Egyptenaren kenden talrijke giften, vooral de priesters en de artsen bedienden zich van hun'toverkracht'. Het gif dat door de in Noord-Afrika en in Voor-Indië levende dikstaartschorpioen gespoten wordt, kan een mens doden. Symptomen voor de werking van dit gif zijn spierkrampen en verlammingsverschijnselen, zwakke pols en moeilijke ademhaling. De medische Ebers-papyrus rapporteert over de gevaren van de schorpioenbeet en raadt nijlpaardenuitwerpselen en honing ter behandeling aan.

Evenals de schorpioenen beschikken verschillende soorten slangen en spinnen over een gifklierensysteem, waaruit met een beetje han-digheid het gevaarlijkste gift gewonnen kan worden om het later eens te gebruiken. Giften van de lathrodectes-spinnen verlammen het cen-trale zenuwstelsel en kunnen tot de vorming van bloedstolsels leiden.

Slangen- en insectengiften zijn nauw met plantaardige giften ver-want. Zoals de toxicoloog dr. M. Martiny uit Parijs vertelt, beïnvloedt het uitdrogen van een gifklier of van een gif de werking absoluut niet. Verschillende giften van insecten ondervinden veel last van tempera-tuurwisselingen. Hiertoe behoort echter niet het gif van de cobra waarvan de weerstand zo sterk is dat het na vijftien minuten tot een temperatuur van 100 graden verhit geweest te zijn nog steeds zijn volle werking behoudt. Slangengif op proteïnebasis heeft echter niet zoveel weerstand. Het verliest zijn dodelijke kracht al bij een verhit-ting tot 75 à 80 graden. En aangezien ultraviolette stralen de werking van insectengiften eveneens neutraliseren, bestonden in de afgesloten faraograven gunstige voorwaarden voor de werking van zulke giften.

De moderne farmacologie gebruikt veel slangen- en insectengiften bij de therapie. Dat betekent dat geringe doses tot een zekere immuniteit kunnen voeren. En zo kan het ook logisch zijn dat een archeoloog als Howard Carter, die bijna zijn halve leven in faraograven doorbracht, niet het slachtoffer werd van de vloek van de farao's. Zijn werk had hem immuun gemaakt. Howard Carter stierf op 3 mei 1939 op zeventigjarige leeftijd. Hij klaagde tijdens zijn jarenlange werk in het Dal der Koningen echter steeds weer over verlammende zwakteaanvallen, over bloedopvliegingen naar het hoofd, hoofdpijn en waanideeën – alle symptomen die de toxicologen dr. M. Martiny en prof. dr. Hans Rabe in hun werk *Schlangen- und Insektengifte*[123] als gevolg van dierlijke vergiftigingen beschrijven.

Padden vinden wij bijzonder lelijk en afstotend – bij de oude Egyptenaren golden ze echter voor heilige en vererenswaardige dieren. Dat kan misschien enigszins de verwondering wekken, gezien de verder zo uitgesproken esthetische gevoelens van de oude Egyptenaren. In het begin van de jaren vijftig deed de farmaceut prof. Kuno Meyer uit Bazel echter een ontdekking, die deze houding verklaart. Prof. Meyer kweekte padden en analyseerde het gif dat deze dieren in de bultvormige verhogingen bij hun oren produceren. Het resultaat was verbluffend: de klieren van de pad bevatten twaalf verschillende soorten gif, die wat hun chemische samenstelling betreft op het gif van de vingerhoedsplant lijken. Het verschil met het digitalis van de vingerhoedsplant bestond slechts in een klein onderscheid in de samenstelling. Het 'gif' werkt – zo stelde prof. Meyer vast – als een hartversterkend middel.

Liefdeskevers en bedwelmende cactussen

De beruchtheid van de 'Spaanse vlieg' als gifleverancier is duizenden jaren oud. Deze één tot anderhalve centimeter grote insecten die tot de familie der canthariden behoren, produceren het cantharidine, een soort gif dat reeds bij uitwendig gebruik gevaarlijk kan zijn. Gedroogde canthariden bevatten nog ongeveer vijftig procent van dit gif. De huid reageert op cantharidine met blaasvorming en het slijmvlies krijgt plaatselijk koortsachtige ontstekingen. Bij inwendig gebruik van het poeder krijgt het slachtoffer spierkrampen en bewustzijnsvernauwingen. Dat was ook de reden waarom het poeder van de Spaanse vlieg als aprodisiacum gebruikt werd. Onder de naam van 'pastilles à la Richelieu' of 'Pastilles galantes' moest het tot pillen samengeperste catharidine-poeder de liefdesgeneugten verhogen – maar slechts al te vaak verhoogde het alleen het sterftecijfer: want een overdosis van dit gif had regelmatig een verlamming in de bloedsomloop tot gevolg.

Sommige schimmelsoorten hebben dezelfde gevolgen als de 'Spaanse vlieg'; althans zo werd ons door indianenstammen overgeleverd. De naam van de kleine cactus zonder stekels, de peyote, betekent 'schenker van visioenen'. Deze visioencactus levert trimethoxyphenylaethylamine, beter bekend onder de naam mescaline.[86] De peyote gaf zelfs aan een natuurgeloof van de indianen de naam: de peyotecultus, waarbij de aanhangers ervan het peyote-maal gebruikten om in trance te raken en met de grote scheppende geest in communicatie te kunnen treden.

Vele natuurlijke giften zijn bijzonder gevaarlijk. Maar de mens van tegenwoordig is zo gehard door spectaculaire berichten over moderne farmacologische en toxicologische onderzoekingen dat hij ze maar al te gemakkelijk onderschat. In de zomer van 1972 doken er in Duitsland Afrikaanse halskettingen op, die van de felrode vruchten van de koraalstruik en de ovale paternostererwten gemaakt waren. De Beierse recherche in München sloeg alarm: 'Wie transpireert, kan sterven!'

De zwaar giftige paternostererwten bevatten abrine. Ook de vruchten van de koraalstruik bevatten een gif dat als het indiaanse pijlgif curare werkt en het gehele organisme verlamt. Het is al genoeg wanneer het lichaam transpireert en het zweet de gifstoffen van deze vruchtjes opneemt zodat ze via de acneporiën of kleine wondjes in het organisme terechtkomen. Transpirerende archeologen kunnen zich dus – zonder het zelf gemerkt te hebben – bij hun werk in de graven geïnfecteerd hebben.

Want het is niet aan te nemen dat ook maar één archeoloog aan de in de graven en piramiden gevonden voorwerpen en mummies zou hebben gelikt of geprobeerd zou hebben iets op te eten van wat zich daar bevond. En daarmee komt de vraag naar voren of giften ook via een andere weg dan via de mond in het organisme terecht kunnen komen.

Er bestaan inderdaad giften die al genoeg hebben aan een beroering om zo door de huid in het organisme door te dringen. Tot deze zware gifstoffen behoren: aconiet, arseen of conium die op voorwerpen of wanden gesmeerd worden en ook in gedroogde vorm hun werking niet verliezen. We moeten in de faraograven ook met neergeslagen gif- gassen en -dampen rekening houden. Deze techniek werd vooral in de middeleeuwen toegepast om ongeliefde tijdgenoten het zwijgen op te leggen. De eenvoudigste methode is om de pit van een waskaars in arseen te drenken. Bij het branden van zo'n kaars komen er dodelijke dampen vrij. Op deze manier moeten in het jaar 1534 Paus Clemens VII en in 1705 Leopold I van Oostenrijk een vroege dood gevonden hebben. Giftige dampen konden in de luchtdicht afgesloten faraogra- ven wel neerslaan maar niet vervluchtigen. Brandden er gifkaarsen in de graven toen de arbeiders de ingangen afsloten?

Zo mager als de plantengroei in het oude Egypte was, zo opmerke- lijk en vaak raadselachtig lijkt ons het gebruik en de symboliek van de gewassen die in de Egyptische grafschilderingen afgebeeld worden. Min en Amon werden meestal samen met een boompje afgebeeld, dat door verschillende onderzoekers als cipres wordt aangeduid – waar- schijnlijk klopt dit niet, want men moet bedenken dat er in heel Thebe geen cipres te vinden is.

Aanwijzingen welke plant heilig zou kunnen zijn in verband met Amon vinden we op afbeeldingen en teksten in Karnak, Medinet Haboe en Edfoe. Daar krijgt Amon van de farao een latuwdrank aan- geboden en latuw is volgens de botanici de enige gekweekte plant in het Nijldal die melk geeft. Deze latuw die ook tegenwoordig nog in Boven-Egypte te vinden is, heeft sla-achtige bladeren die echter niet om een centrale kern maar om een één tot anderhalve meter hoge stengel over elkaar heen groeien.

De latuwmelk die vooral uit de stronk wordt gewonnen, moet als vruchtbaarheidssymbool beschouwd worden. Op die manier is ook het nog steeds bestaande bijgeloof in Egypte te verklaren dat het eten van latuw een rijke kinderzegen zou brengen.

Oudegyptische antibiotica

Zowel Herodotus als de medische papyri vertellen van het gebruik van magische planten. Bij nauwkeurige botanische analyse bleken de planten zich als uien, knoflook en ramenas te ontpoppen. Nu kan men deze knolplanten veel toeschrijven maar een toxische werking hebben ze beslist niet. Werd die geneeskundige kracht er misschien bij gefantaseerd?

Nee. Er was een heel reële reden waarom de honderdduizenden arbeiders die bij de bouw van de grote piramiden van Gizeh betrokken waren vooral prei, ramenas en uien te eten kregen. Bij de inzet van zo'n enorme mensenmassa was niet de techniek het grootste probleem, maar de hygiëne. Een besmettelijke ziekte zou zich in zeer korte tijd verspreiden en zeer snel duizenden doden eisen. Bij de bouw van de piramide van Cheops alleen al zouden 185.000 mensen het leven verloren hebben.

Ter voorkoming van deze ziekten en besmettingen werd er antibiotica onder de arbeiders verdeeld: met name prei, uien en ramenas. Zoals Helmuth M. Böttcher in zijn boek *Wunderdrogen*[14] vertelt, isoleerden de beide onderzoekers G. Ivanovics en St. Horvath in 1947 uit radijszaad een in water oplosbare substantie, die hielp tegen grampositive en gramnegatieve microben: raphanine. Twee Zwitserse onderzoekers bewezen een jaar later de antibiotische werking van raphanine tegen streptococcen, staphylococcen, pneumococcen en colibacteriën. Dezelfde werking werd bij ramenassap, prei en uien waargenomen.

Het is juist dat de oude Egyptenaren 'bacteriën' – ook onder een andere naam – niet kenden. Maar over hun fysiologische werking wisten ze vrij veel. Ze noemden deze ziekteverwekkers 'wormen', wormen die zo klein waren dat ze niet te zien waren. Tegenwoordig weten we dat staphylococcen etterverwekkers zijn, die vooral infectiehaarden op de huid, in de nieren en in het beendermerg veroorzaken. Streptococcen zijn verantwoordelijk voor difterie, bloedvergiftiging en roodvonk. Deze ziekten werden in Egypte met overeenkomstige tegenmiddelen uit de apotheek van de natuur behandeld. We mogen rustig aannemen dat farmacologie en toxicologie reeds in het Oude Rijk hun eerste triomfen vierden, een ontwikkeling die Imhotep – die tijdens zijn leven al tot God van de geneeskunde werd benoemd – tijdens de regering van koning Zoser (2650 v.Chr.) belangrijk beïnvloed heeft.

Het was ook Imhotep, die na zijn opvoeding bij de Sumeriërs, de Egyptenaren met genezingsmethoden verraste die het volk als tovenarij bewonderde.

Apopi, de vrouw van Imhotep, leed aan de Egyptische graanziekte[14], een koortsachtig infectueus bindweefselcataract, het trachoom, dat daar vanwege het droge klimaat in Egypte ook tegenwoordig nog veel voorkomt en tot blindheid kan leiden. Het trachoom is een infectieziekte die door bacteriën verspreid wordt. Imhotep bestreed deze oogziekte op volgens onze maatstaven bijzonder onconventionele wijze.

Hij trok een mestkever de kop en de vleugels uit, drenkte hem in de olie en legde het in twee helften verdeelde dier op de ogen van zijn vrouw. Maar ook deze procedure kon de ziekte, die volgens Imhotep door 'kleine onzichtbare wormen' veroorzaakt was, niet genezen. Hij zocht koortsachtig naar nieuwe recepten en ten slotte mengde hij een pasta, die hij op een schminkpalet voor zijn vrouw uit groene leisteen maakte en over haar ogen smeerde. En ziet, het wonder geschiedde: de antibacterische zalf zorgde ervoor dat de door trachoom getroffen ogen gingen etteren en Apopi kon weer zien.

Imhotep bestrijdt bacteriën

Voor de mensen van de 3e dynastie was dat een wonder. Trachoomziekten waren tot die tijd altijd in blindheid geëindigd. Imhotep had het voor elkaar gekregen om dat te verhinderen. Dat was niet menselijk meer – hij moest een god zijn. In werkelijkheid wist Imhotep alleen maar iets wat geen mens voor hem ontdekt had, namelijk dat er kleine 'wormpjes' waren, zo klein dat ze niet te zien waren, bacteriën, die talloze ziekten konden veroorzaken. Imhotep was op deze manier een wetenschap op het spoor die eigenlijk pas vierduizend jaar later zou ontstaan: de bacteriologie. Miljoenen mensen verloren het leven door besmetting. Eerst moest nog de microscoop uitgevonden worden om virussen en bacteriën te herkennen om ze daadwerkelijk te kunnen bestrijden.

Door de Egyptenaren werd het 'gif der doden', het lijkengif, het meest gevreesd. De Oudegyptische artsen kenden, zoals blijkt uit sommige papyri, therapeutica 'om het gif der doden te verdrijven'. Deze bestonden uit een mengsel van olie, honing en de uitwerpselen van jonge meisjes, katten, ezels en varkens. Deze middelen zijn inderdaad niet zonder uitwerking, want zoals bekend is maakt ieder organisme tegengiften als afweer tegen geringere gifstoffen, die dagelijks door het lichaam worden opgenomen.

Maar het is wel de vraag of dit middel de 'zwakte van het hart' dat door het lijkengif veroorzaakt werd, kon bestrijden – ten slotte hebben de lijkengiften cadaverine en putrescine die vooral door eiwitverrotting ontstaan, een dodelijke werking.

Dat brengt ons op de vraag: blijft de werkzaamheid van giften eeuwen of duizenden jaren behouden of gaat die mettertijd verloren? Het is bekend dat normale gifstoffen onder invloed van licht, lucht en zon binnen een paar jaar aan kracht inboeten, zware giften daarentegen kunnen eeuwenlang behouden blijven – vooral als ze luchtdicht afgesloten bewaard worden.

De piramiden en rotsgraven van de farao's waren ideale voedselbodems voor bacteriën. De ontelbare soorten micro-organismen onderscheiden zich hoofdzakelijk van elkaar door hun verschillende manier van ademen. Er zijn aërobe-vormen die net als de mens zuurstof nodig hebben om in leven te blijven. Bovendien is er een groot aantal bacterie-overgangsvormen, zogenaamde facultatieve aëroben, die zich meer of minder zowel met als zonder zuurstof kunnen ontwikkelen.

De meesten bacteriën voeden zich met plantaardige en dierlijke stoffen. Dus vet, koolhydraten en eiwit. De verbrandingen die bij de meeste koningsmummies vastgesteld werden, zijn het resultaat van bacteriële ontwikkelingsprocessen. Het gebruik van vetten, oliën en hars, waarmee de mummies ingesmeerd en bewerkt waren, produceerde hitte die tot het zwart worden van de lijken voerde. De archeologen verdiepten zich jarenlang in de vraag waarom de Egyptische mummies zwart waren. De oplossing van dit raadsel is: bacteriën.

Bestrijding van grafschenners

Hoelang kunnen bacteriën leven? Kunnen bacteriën hun dodelijke werking duizenden jaren behouden? Is de vloek van de farao's een duizenden jaren oude biochemische besmetting van de koningsgraven?

Chemici en bacteriologen houden deze verklaring niet voor onmogelijk. Er bestaan rust- en duurvormen van bacteriën, die onder constante voorwaarden eeuwenlang in leven kunnen blijven. Andere bacteriën zijn juist gevaarlijk omdat ze pas na hun dood toxine afgeven die mensen met alle mogelijke ziekten – vooral hersenvliesontsteking – bedreigen. Maar ook levende bacteriën kunnen toxinen afscheiden die ziekten als difterie en tetanus veroorzaken.

Bij deze toxinen gaat het om middelen zoals ook door de moderne oorlogsindustrie onderzocht en geproduceerd wordt. In bomvrije kluizen van de ministeries van Oorlog in Oost en West liggen tegenwoordig formules en plannen voor chemisch-biologische wapens. Weliswaar hebben de meeste landen ter wereld in 1899 de Haagse Conventie en in 1925 het Protocol van Genève tegen het gebruik van chemisch-biologische wapens in oorlogstijd ondertekend, maar de werkelijkheid ziet er toch verontrustend anders uit.

Het leger van de Verenigde Staten heeft een 'Chemical Corps' dat een onderzoeks- en ontwikkelingsafdeling heeft. De Engelsen hebben in Porton Down een onderzoekingsinstituut voor chemische en bacteriologische oorlogvoering. Russen en Fransen werken aan chemisch-biologische strijdmiddelen, alleen als afschrikking, heet het. Na zevenduizend jaar menselijke beschaving en oorlogen denken heldere koppen na over een feit dat in de verwarring van de bewapeningstechniek volledig in de vergetelheid geraakt was. Het feit dat eeuwenlang meer mensen door besmettelijke ziekten het tijdelijke met het eeuwige hebben verwisseld dan door wapengeweld omkwamen.

Zenuwgassen, bloed- en wurggassen zijn zo goedkoop om te maken en qua opslagruimte even weinig veeleisend als de primitieve wapens uit het stenen tijdperk. Hun werking is echter vreselijker dan atoombommen. Met biochemische wapens is alles mogelijk: 'humane' oorlogvoering die alleen op de tijdelijke uitschakeling van een tegenstander uit is, maar ook de volledige vernietiging van de mensheid door verwoesting van erfelijke factoren. In het begin van de jaren zestig draaiden de Amerikanen in Nato-kringen een film, die een troep laat zien die onder chemische invloed staat: de soldaten gooien halverwege een manoeuvre hun wapens weg, gaan doodrustig liggen slapen of rennen doelloos door het landschap – een onschuldige manier van oorlog voeren, bijna een grapje. Maar tussen grap en dood staat bij deze strijdmiddelen vaak maar één atoom.

Een soort zenuwgas kenden de oude Egyptenaren ook al. Egypte was vroeger de korenschuur van de wereld. Het moederkoren, een een korenschimmel die al duizenden jaren door geheimen omgeven was, verspreidde epidemieën en ziekten als 'koudvuur': het begon met sterk jeuken van de vingers en tenen, ongevoeligheid van de lichaamsoppervlakte, krampen in verschillende spiergroepen, verlammingen en geestelijke onmacht.

Hoewel talloze epidemieën, die door het moederkoren veroorzaakt werden, duizenden het leven kostten – de laatste grote epidemie was in 1828/29 in Frankrijk en Holland en in 1855/56 in Duitsland – konden de geleerden pas in onze eeuw deze onheilstichter meester worden. In chemische analyses werd een aantal alkaloiden vrijgemaakt waaronder het ergotinine, het ergotamine en het ergometrine. Bovendien bevatte het moederkoren nog twee belangrijke stofgroepen, het moederkorenamine zoals het choline en het acetylcholine.

Choline en acetylcholine zijn belangrijke bouwstenen voor het functioneren van het commandosysteem in het lichaam. Een voorbeeld: een gedachte moet in een spierbeweging worden omgezet. De gedachte komt langs elektrische weg via de zenuwdraden tot het eind van een bepaalde zenuw. Op deze plaats zijn kleine beetjes acetylcholine opgeslagen. Dit acetylcholine vloeit na de overeenkomstige elektrische impuls naar de motorische einddeeltjes van bepaalde spiercellen en voert op die manier het commando uit.

Zodra het bevel van de hersenen in een beweging is omgezet, is het acetylcholine klaar. En omdat de zenuwen en spieren direct weer klaar moeten zijn voor nieuwe bevelen, moet het gebruikte acetylcholine snel weer afgevoerd worden. Dat gebeurt door een bijzonder enzym dat acetylcholine in choline en azijnzuur splitst en via de bloedsomloop laat resorberen.

Er is niet veel fantasie voor nodig om zich voor te stellen wat er gebeurt als dit commandosysteem door chemische invloeden verstoord is. Wanneer het acetylcholine niet geresorbeerd wordt, dan wordt een eenmaal opgedragen spierbeweging eindeloos herhaald: het gevolg is spierkramp. Bepaalde giften sluiten de 'motorische einddeeltjes' van de spier af en verhinderen op die manier het indringen van de acetylcholine. Het gevolg daarvan is absoluut geen reactie van bepaalde spieren, ook al spant de persoon in kwestie zich nog zo in; en ten slotte stopt ook het vegetatieve zenuwstelsel dat het hart en de longen verzorgt.

Het is mogelijk dat de graven van de farao's met dergelijke schimmels beveiligd werden. Tegen een grafrover was het zonder twijfel een enorme afweermethode wanneer hij wist dat zodra hij het graf betrad de dodelijke adem van een waakzame demon hem zou treffen. Wat stond er ook weer op het vloektabletje van Toetanchamon?

–'De dood zal hem die de rust van de farao verstoort met zijn machtige vleugelen vellen.'

Bewustzijnsvernauwing

Hoe sterk is de werking van een dergelijk toxine? Is het nodig dat het poeder of de vloeistof per lepel ingenomen wordt of kunnen deze giften ook ongemerkt in het organisme terechtkomen?

In 1953 gebeurde er in het onderzoeksinstituut voor chemische en bacteriologische oorlogvoering van het Engelse ministerie van Defensie in Porton Down een mysterieus ongeval dat verbluffende parallellen heeft met de ongevallen waarvan de Egyptologen het slachtoffer werden. De Engelse luitenant Wiliam Cockayne was in 1952 door de Air Force naar het onderzoeksinstituut gedelegeerd. Samen met een chemicus ging Cockayne op een avond naar het laboratorium om een elektrische warmtekast te controleren. In de kast stond een afgesloten kolffles met een vloeistof. De chemicus pakte hem eruit en zei: 'Dit is zenuwgas. Een heel klein beetje ervan is al genoeg om een mens binnen een paar seconden te doden.'

Cockayne wilde de fles grijpen om het gevaarlijke gif te bekijken. Hij kwam er niet meer toe. Hij viel bewusteloos neer en werd pas in het ziekenhuis weer wakker. Zijn bewustzijn was gestoord, zijn geheugen ging terug tot het tijdstip waarop hij de giffles had gezien.

Zestien jaar lang vocht William Cockayne om van de Engelse regering een schadevergoeding te krijgen. De eens zo levenslustige Cockayne leed plotseling onder periodiek optredende zware depressies. Hij deed drie maal een poging tot zelfmoord. De vrouwelijke psychiater dr. Claire Weeks gaf hem een bewijs dat hij vóór het ongeval in het laboratorium geen depressieve perioden had. Het kwam ten slotte tot een vergelijk met het ministerie van Defensie dat zich de uitspraak liet afdwingen dat Cockayne 'in lichte mate aan zenuwgas blootgesteld was'. Aangezien de giffles echter afgesloten was en voor het ongeval ook niet geopend werd, betekent dat, dat een lichte verontreiniging aan de buitenkant van de fles dit ongeval moet hebben veroorzaakt.

Zoals we weten, leden ook vele Egyptologen aan zware depressies. Howard Carter had ze regelmatig. Hij gaf zijn archeologische werkzaamheden meer dan eens op, maar altijd keerde hij weer terug naar zijn werk. Lord Westbury, de vader van Carters secretaris Richard Bethell, die zijn zoon op zijn ontdekkingsreizen vaak begeleidde, sprong op 21 februari 1930 in een depressieve bui uit het raam. Vijf jaar later beroofde zijn weduwe zich ook van het leven. Carters vriend, dr. Evelyn White die ook bij de ontruiming van het graf van Toetanchamon hielp, leed aan zulke hevige nerveuze depressies dat hij ondanks zijn zware ziekte geen arts bij zich liet komen. Hij zei tegen alle artsen: 'Maak je niet druk, ik weet wat er aan de hand is.' Begin 1959 pleegde de chef-inspecteur van het Antiquiteitenbeheer van Boven-Egypte, dr. Zakarija Ghoneim, na jarenlange depressies zelfmoord. Dit zijn maar een paar voorbeelden, er zijn er nog veel meer.

Giften met zo'n verwoestende werking als chloor, picrine of fosgeen werken – in hoge concentratie – zelfs bij enkel inademen al dodelijk. Hun immense houdbaarheid maakt deze toxine, wanneer die als strijdmiddel wordt gebruikt, ook in vredestijd tot een probleem, want corrosie en verrotting van de houder van het gif gaan over het algemeen sneller dan het afbreken van het gif zelf.

Tot de best geheimgehouden gifsoorten van de oude Egyptenaren behoorde het kwikzilver. Het is niet bekend of in het Oude Rijk al kwikzilver gebruikt werd. Schriftelijke getuigenissen wijzen echter op een toepassing in de 15e eeuw v.Chr. Het zwaar giftige 'vloeibare zilver' (Grieks: *hydrargyron)* komt druppelsgewijs in roodbruin tingesteente of kwikzilversulfide voor. Het is sinds eeuwen het lievelingselement van de alchemisten. Zijn unieke eigenschap om zelfs bij kou te verdampen, maakt het echter tot een gevaarlijk gif – kwikzilverdampen zijn vooral schadelijk voor het zenuwstelsel – evenals het feit dat het een reukloos gif is in tegenstelling tot het eveneens zwaar giftige arseen.

De dood van Chessman in gaskamer

Weliswaar niet volkomen reukloos, maar wel onzichtbaar zijn blauwzuurdampen. Op 2 mei 1960 's morgens om 10 uur stierf in de dodencel van het Californische tuchthuis St. Quentin de gevangene nr. 66.565, nadat zijn terechtstelling reeds acht keer afgekondigd en weer uitgesteld was. Het was Ceryl Chessman, die door rechter Charles W. Fricke op 25 juni 1948 wegens talrijke roofovervallen en geweldplegingen ter dood veroordeeld was. Toen hij twaalf jaar na het vonnis uiteindelijk toch nog terechtgesteld werd, liet hij zich gelaten op de zware, kantige houten stoel met staalstutten in de dodencel vastbinden. Het ovale instapluik werd afgesloten. Toen, door een duwtje op een hefboom van buitenaf, vielen uit de onder de dodenstoel aangebrachte doos verschillende kogels en deze vielen in een schaaltje met zwavelzuur. De kogels waren met cyaankali gevuld. In het zwavelzuur werd het in het cyaankali zittende blauwzuur losgekoppeld en tot verdampen gebracht. Chessman verloor na dertig seconden het bewustzijn en na drie minuten was hij dood.

Blauwzuur (chemisch: cyaanwaterstofzuur) is een kleurloze vloeistof waarvan het kookpunt bij 26 graden ligt. De oude Egyptenaren kenden dit dodelijke gif al. Ze isoleerden het uit de glycosidische verbindingen van perzikpitten. De blauwzuurdood wordt veroorzaakt door verstikking van binnenuit. Het geeft een beschadiging van de ademhalingsfermenten van het weefsel: dat wil zeggen dat de longen niet meer in staat zijn nieuwe zuurstof op te nemen. De dodelijke dosis ligt bij een volwassenen op slechts 60 milligram of 0.3 milligram per liter lucht.

Het is waarschijnlijk dat de Egyptenaren hun mummiewindsels, of in elk geval gedeeltes daarvan, in etherische olie vermengd met blauwzuur doopten. De verbrandingen die dit teweegbracht aan de lijken zijn tegenwoordig bij de meeste mummies wel vast te stellen en kunnen dus als een duidelijke aanwijzing beschouwd worden. Er is nog iets opvallends: alle faraograven werden luchtdicht afgesloten. En dat was in tegenspraak met de Egyptische theologie die architectonische openingen voor het in- en uitgaan van de Ka voorschreef. De slimme Egyptenaren vonden echter een uitweg doordat ze in de graflabyrinten schijndeuren maakten, geschilderd of in steen uitgebeiteld.

Waarom moesten de faraograven luchtdicht afgesloten worden? Misschien omdat de oude Egyptenaren wisten dat de in de bittere amandelolie (benzaldehydciaanhydrine) in een concentratie van twee tot vier procent aanwezige blauwzuur door zuurstoftoevoer vervloog?

En dan is er nog een derde aanwijzing voor deze mummiebescherming. Bijna alle faraograven – en ook het laatst ontdekte graf van Toetanchamon is geen uitzondering op deze regel – waren door grafschenners aangeboord. Deze openingen, zo dik als een arm, waren er beslist niet om schatten of iets dergelijks uit de graven te hengelen. Het is waarschijnlijker dat deze gaten door de grafschenners gemaakt werden, nadat deze tot de conclusie waren gekomen dat hun collega's in andere graven door gifgassen op een ellendige manier om het leven waren gekomen.

In het begin van de jaren vijftig is in de Verenigde Staten een zenuwgas ontwikkeld, waarvan de Amerikanen de formule in buitgemaakte akten over de gasoorlogsplannen van de Duitse weermacht hadden gevonden. In de loop van een jaar of tien waren er honderdduizend raketkoppen met dit strijdmiddel uitgerust. In 1969 werd het wereldgeweten wakker geschud: in een legerdepot in de West-Amerikaanse staat Utah waren enige granaatkoppen lek geworden. Binnen een paar minuten was een kudde van vijfduizend schapen, die aan de rand van het militaire gebied graasden, dood. Vierentwintig mensen kregen last van ademhalingsstoornissen en verlammingsverschijnselen.

Om dergelijke voorvallen te voorkomen, had men in de legerdepots van Anniston in Alabama en Richmond in Kentucky 12,540 raketkoppen in 418 betonblokken gegoten. De per stuk vijf ton wegende betonblokken moesten in de zee tot zinken gebracht worden. Na massale protesten van politici en geleerden tegen deze oplossing stond het Amerikaanse leger opnieuw voor een moeilijk probleem. Intussen hadden de chemici weliswaar een weg ter neutralisering van het zenuwgas uitgevonden, maar er bestond geen mogelijkheid de raketkoppen zonder gevaar uit de betonblokken te halen zodat – alle protesten ten spijt – alleen de mogelijkheid van in zee tot zinken brengen overbleef. Het eenmaal begonnen proces kon niet meer onderbroken worden.

Waar was Horemheb bang voor?

Het zal de soldatenfarao Horemheb niet veel anders gegaan zijn. Hij besteeg bij zijn eigen genade de faraotroon en vernietigde en verwoestte alles wat aan zijn voorganger Toetanchamon herinnerde – alleen zijn graf niet. Dit met goud volgepropte graf bleef onaangetast. Uit piëteit? Beslist niet. Als de onscrupuleuze Horemheb één woord niet kende, dan was het dit wel. Maar er was iets anders waarvoor Horemheb bang was. En dat was de geheimzinnige macht van de magiërs, die de graven van farao's voor de grafschenners moesten beschermen. Het is mogelijk dat ze voor deze taak giften of gifgas ontwikkelende bacteriënculturen gebruikten.

Dat betekent echter niet dat er in ieder geval gif achter de vloek van de farao's schuilt. In de loop van de eeuwen verkregen de Egyptische priesters zoveel kennis dat ze ook veranderingen in het beschermingssysteem van de faraograven hadden kunnen aanbrengen. Als 'slechts' gif of bacteriën de schatten van Toetanchamon tegen grafschenners beschermd hadden, dan had Horemheb rustig een paar honderd van zijn soldaten opgeofferd om het goud uit het rotsgraf te laten halen. Maar daar hij dit niet deed, moeten we aannemen dat er in ieder geval vanaf Toetanchamons tijd (13e eeuw v.Chr.) een veiligheidssysteem in gebruik was waardoor zowel mummies als ook grafgiften zo bedorven waren, dat reeds het bezit van een dergelijk object dodelijke gevolgen had.

10

De radioactieve doden

Op een merkwaardig graf op een kerkhof in Idaho-Falls (VS) staan de namen van drie mannen. Daarnaast staat een bord: 'Pas op – radioactief materiaal'.

'Radioactief materiaal': Dat zijn de lijken van de drie mannen die op 3 januari 1961 op gruwelijke wijze om het leven kwamen. Het was precies 21.01 uur. De proef-kernreactor SL 1 van het US legeronderzoekscentrum in Idaho-Falls werd 'direct kritisch'. Het geheel duurde slechts 120 duizendste seconde. Maar na het uitbreken van radioactieve stralen was de gehele omgeving besmet. Sirenes, zwaailichten, alarmfase 1: radioactief alarm.

Het duurde vijftig minuten voor de eerste groep verkenners in pakken, die bestand waren tegen radioactiviteit en gewapend met meetapparaten op het reactorcentrum afgingen. Intussen was de vrees zekerheid geworden: er ontbraken drie mannen. Employés van het Amerikaanse leger, de manschappen die de SL 1 controleerden. De eerste opmetingen van de hulptroepen lieten er geen twijfel over bestaan: als die drie zich nog in de reactorruimte bevonden, waren ze dood.

Het was 22.45 uur toen de mannen van de reddingsbrigade de reactorruimte in hun zilverwitte beschermende kleding betraden. Twee mannen lagen op de grond. De één was blijkbaar nog in leven. Toen hij voorzichtig uit de reactorruimte werd weggehaald, bewoog hij zich nog, maar onderweg naar de ambulance overleed hij.

De tweede gaf geen teken van leven meer toen men hem vond. De mannen in de beschermende kleding haalden hem pas twee dagen later naar buiten. Ze wisselden elkaar in zo kort mogelijke perioden af. De aan stralen blootgestelde en besmette dode was levensgevaarlijk radioactief materiaal geworden.

Het duurde een volle week voor de derde radioactieve dode uit de reactorruimte geborgen was. Want volgens een door geleerden en technici uitgedacht inzetplan was men tot de ontdekking gekomen dat het voor de mannen van de reddingsbrigade te riskant was om de radioactieve dode eruit te halen. Deze taak werd ten slotte door een uit de verte bestuurde kraanwagen overgenomen. Als door de hand van een geest bestuurd, kronkelde hij zich door de automatische voordeur van het reactorgebouw, rolde schokkerig de controlekamer in, pakte met zijn grote grijpvingers het lijk op en reed de ruimte weer uit zoals hij binnengekomen was.

De begrafenis van de drie militairen was even vreemd als hun dood. op het kerkhof stond een kraan en een betonmolen. De kisten, waar de radioactieve doden in lagen, waren met lood bekleed en van een bord voorzien: 'Pas op – hoog stralingspeil'. Na een korte toespraak van de priester tilde de kraan de drie reusachtige kisten na elkaar in het reeds gedolven graf. De betonmolen reed op het graf toe en goot het vloeibare beton in het graf.

Bij radioactieve ongevallen, zoals in Idaho-Falls, sterven per jaar ongeveer vijf mensen. Juiste aantallen zijn moeilijk te geven omdat dit soort ongevallen door de regeringsonderzoekscentra zoveel mogelijk geheim worden gehouden. Bovendien treedt de stralingsdood alleen in extreme gevallen direct in. Meestal is die het gevolg van een samen-loop van verschillende ziekten, die op beschadigingen van diverse or-ganen zijn terug te brengen.

De macht van uranium

De bekende atoomgeleerde prof. Luis Bulgarini verraste in 1949 alle archeologen uit de hele wereld met de constatering:

Volgens mij hebben de oude Egyptenaren de wetten van de atoom-splitsing reeds gekend. De wijze priesters kenden het uranium. Het is heel wel mogelijk dat ze dit gebruikten om hun heilige graven te beschermen.

Inderdaad: ook tegenwoordig wordt er in Midden-Egypte urani-umhoudend gesteente gevonden. Is de vloek van de farao's een levensgevaarlijke gordel van dodelijke stralen?

Bulgarini sluit deze mogelijkheid niet uit:

De bodem van de graven kan met uranium bedekt geweest zijn, of de graven kunnen van radioactief gesteente gebouwd zijn. Deze stralen zouden ook nu nog in staat zijn om mensen te doden of in ieder geval hun gezondheid te schaden.

Pas in 1896 ontdekte de Franse fysicus Henri Becquerel dat uranium-zouten stralen uitzenden, die veel op röntgenstralen lijken. Een jaar eerder had Wilhelm Conrad Röntgen deze 'nieuw soort stralen' ont-dekt die naderhand naar hem genoemd werden. Zowel Röntgen als Becquerel werden met de Nobelprijs onderscheiden. Zonder ze te kleineren rijst toch de vraag of zij niet 'slechts' herontdekkers waren. Herontdekkers van een systeem, waarvan de oude Egyptenaren zich reeds bedienden.

Röntgen noch Becquerel waren zich er in het begin van bewust welke betekenis en gevolgen hun ontdekking wel had. Als de vloek van de farao's inderdaad in radioactieve stralen te zoeken is, dan kan de Egyptenaren een grotere vakkennis toegekend worden dan de beide Nobelprijswinnaars. Terwijl de Egyptenaren dus misschien hun graven met uranium als dodelijke veiligheidsmaatregel uitrustten, hanteerden wij aan het begin van deze eeuw de stralende stoffen nog zonder enige zelfbescherming, alsof het alleen maar wonderbaarlijk speelgoed was.

In zijn boek *Das masslose Molekül*[4] vertelt Ernst Bäumler hoe Henri Becquerel met radium in zijn vestzakje naar een wetenschappelijke voordracht in Londen ging en daarbij zware verbrandingen opliep.

Nauwelijks was er ontdekt dat radioactieve stoffen in het donker oplichten of er bloeide in New Jersey een grote lichtgevende wijzer-bladindustrie op. Dag in dag uit waren vrouwen ermee bezig om radioactieve oplichtende verf met kleine penseeltjes op de wijzerbla-den aan te brengen. Om het penseeltje puntig te maken, namen de arbeidsters het puntje even in de mond – het duurde twee jaar voor de eersten aan koortsachtige ontstekingen overleden. Nu pas werden de fysici en artsen wakker.

Het gevaar werd door nieuwe werkmethoden verholpen, maar toch hadden er na ruim tien jaar tweeënveertig vrouwen op jeugdige leeftijd de dood gevonden, een dood die aan inwerking van radioactieve stralen wordt toegeschreven. De meest voorkomende doodsoorzaak was kanker.

We weten ook dat veel geleerden en onderzoekers stierven zonder dat de juiste doodsoorzaak was vast te stellen. Verschillende archeologen klaagden voor hun dood over abnormale vermoeidheid. Sommigen toonden na hun onderzoekswerk in Egypte duidelijke tekenen van hersenbeschadiging, anderen daarentegen liepen totaal geen schadelijke gevolgen op.

Hoe werkt radioactieve straling op het menselijk organisme? Hoelang kan radioactief materiaal eigenlijk de gevaarlijke dodelijke stralen uitzenden?

De Zwitserse atoomgeleerde prof. dr. Jacob Eugster van de universiteit te Bern heeft bewezen dat de radioactieve kernsplitsing beslist niet gelijkmatig gaat, maar door omstandigheden van buitenaf beïnvloed wordt. Zoals de geleerde in de *Physikalischen Blättern* schrijft heeft hij als bewijs van zijn waarneming een ongewoon experiment gedaan. Prof. Eugster deelde een radioactief preparaat in tweeën en plaatste het ene deel op de top van de Jungfrau, de andere helft liet hij in de Simplontunnel 'uiteenvallen'. Resultaat: het uranium dat door steenmassa's beschut in de Simplontunnel lag, splitste zich duidelijk langzamer dan dat op de Jungfrau. Met andere woorden: onder de grond blijft de werking langer intact.

In tegenstelling tot chemische giften kunnen radioactieve stralen niet geneutraliseerd worden. Ze zijn niet te veranderen en niet te verwijderen. Als het menselijk organisme ze eenmaal opgenomen heeft, dan blijven ze daar en cumuleren bij latere bestraling. Relatief kleine radioactieve hoeveelheden kunnen reeds zware lichamelijke beschadigingen teweegbrengen.

Kernenergie wordt in de vorm van chemische reacties opgebruikt. Dat roept een aantal afzonderlijke gebeurtenissen op. Binnen minder dan een onderdeel van een seconde kan de celopbouw van het lichaam vernietigd worden. Bij minder intensieve inwerkingen worden volkomen verschillende cellen volgens de wet van het toeval aangevallen. Dat betekent: de biologische gevolgen hangen af van de belangrijkheid van het getroffen celbestanddeel en dat weer van de importantie van die cel voor het totale organisme. De beschadiging van een cel die in dezelfde functie meer dan eens voorkomt, kan dus zonder meer terzijde worden geschoven, maar de vernietiging van een celbestanddeel dat maar één maal voorkomt in het lichaam, kan dus verregaande gevolgen hebben. Dat geldt vooral voor cellen die de stofwisseling reguleren en voor de dragers van specifieke erfelijke factoren.

De meest voorkomende schade die stralen in het menselijk lichaam aanrichten zijn leukemie (bloedkanker) en afwijkingen bij nog ongeboren kinderen. Leukemie kan door totale lichaamsbestraling veroorzaakt worden, maar ook door gedeeltelijke bestraling. Als de radioactieve elementen eenmaal in het organisme zijn binnengedrongen, dan wordt het rode beenmerg, het belangrijkste deel van de bloedmakende organen, jarenlang tot vernietiging toe bestraald, terwijl de witte bloedlichaampjes zich regelmatig vermeerderen. Leukemie is nog steeds ongeneeslijk, de dood door bestraling is dus slechts een kwestie van tijd.

Het is wetenschappelijk bewezen dat volwassenen minder risico lopen dan jonge mensen die nog in de groei zijn. Het grootste gevaar bestaat echter voor het ongeboren kind.

De onberekenbaarheid van radioactiviteit

De dood door bestraling is gruwelijk. Het gebeurt meestal langzaam en het is uiterlijk nauwelijks waarneembaar. Juist de laatste tijd zijn er veel van dit soort gevallen. We zullen er een paar van dichterbij bekijken om dan een vergelijking met de dood van de archeologen te kunnen maken.

Op 1 mei 1954 kwam de Japanse vissersboot 'De Gelukkige Draak' in de radioactieve asregen van een Amerikaanse proef met een waterstofbom terecht. De proef in de buurt van de Marshall-eilanden in de

Grote Oceaan had trieste gevolgen. Alle tweeëntwintig bemanningsleden van de vissersboot werden radioactief besmet. Eén van hen, de veertigjarige visser Kubojama, stierf een halfjaar na het ongeluk.

Zijn dood is volgens zijn arts dr. Ohaschi zonder meer terug te brengen op de radioactieve inwerking. De directe oorzaak, zo zei de arts, zijn bloedsomloopstoornissen tengevolge van een radioactieve leverbeschadiging. Kubojama's lever was totaal verschrompeld. Hij woog nog maar 820 gram in plaats van de normale 2200 gram. Volgens de arts was het gevolg van de verschrompeling geelzucht geweest die zowel het hart als de nieren had aangetast. Hij kreeg nierbloedingen en de alvleesklier werd eveneens aangetast.

Kubojama's vrouw Suzu vertelde dat de laatste woorden van haar man geweest waren: 'Ik ben zo moe. Ik heb zo'n pijn...'

Over abnormale vermoeidheid hadden ook de meeste Egyptologen kort voor hun dood geklaagd. En omdat de 'raadselachtige ziekte', die vaak als doodsoorzaak werd opgegeven geen uiterlijke kenmerken had, is de werking van stralen niet uit te sluiten. Ook het feit dat er zo'n verschillende uitwerking is, pleit voor radioactiviteit. Het is bekend dat zich bij vele geleerden reeds snel na het begin van hun werk in graven of aan mummies fysiologische veranderingen voordeden. Bij anderen duurde het maanden of jaren voor er van uitwerking sprake was. De een stierf snel en onverwacht, anderen hielden er hersenletsel van over. En ten slotte waren er mannen die veel met opgravingen te maken hadden gehad en op geen enkele manier door de vloek van de farao's getroffen werden.

Zulke verschillende reacties op bestraling zijn niet vreemd. Meer dan twintig jaar na de atoomaanval op Hiroshima en Nagasaki in augustus 1945 gaf het Japanse ministerie van Gezondheid een gedenkschrift uit dat onthult hoe verschillend de gevolgen van de bestraling op de bevolking waren. In 1964 stierven er nog gemiddeld zo'n tweehonderd mensen per jaar aan de gevolgen van de bom. Tot die tijd vertoonden ook ieder jaar honderdvijftig mensen nieuwe symptomen van beschadigingen door bestraling, mensen die direct na de explosie niets leken te hebben.

Het voorbeeld van de toentertijd twintigjarige busconductrice Kimiki Matsuda is interessant in dit verband. Na de catastrofe leek ze helemaal gezond, maar plotseling begon ze over vermoeidheid te klagen en zeven dagen later overleed ze opeens aan leukemie. Haar moeder en beide zusters waren zo zwaar door de stralen getroffen dat ze direct naar een ziekenhuis gebracht moesten worden en daar ook stierven. Haar vader stierf in 1963. Haar zes jaar oudere broer leeft nog steeds zonder ergens last van te hebben. De gehele familie Matsuda bevond zich op het moment van de catastrofe in hetzelfde huis.

Deze onzekerheid en onberekenbaarheid maakt de beschadigingen door stralen zo griezelig.

Natuurlijk is de vergelijking van beschadigingen door radioactiviteit bij een atoomexplosie met die van Egyptische graven en mummies overdreven. Maar het verduidelijkt de verschillende gevolgen die de stralen kunnen hebben; en dan moet er de nadruk op gelegd worden dat beschadigingen, die ontstaan door langdurige aanwezigheid op zwak radioactieve plaatsen, dezelfde uitwerking kunnen hebben als een veel sterkere, maar kortere inwerking van de stralen.

Behalve veranderingen in de genen kan een voortdurende radioactieve besmetting een hogere kans op tumoren veroorzaken. Dat staat in een verslag van de medische onderzoekraad in Engeland: 'Het schijnt dat elke hoeveelheid radium-strontium die door de botten geresorbeerd wordt een zekere waarschijnlijkheid van tumorenopbouw veroorzaakt, doordat ze misschien de tijd voor de bouw van een tumor verkort en het optreden van de tumor met die dosis verhoogt.'

Het genoemde strontium is een aardalkalimetaal met een atoomgewicht van 87,63. Door radioactieve neerslag komt het via de voeding, zoals vlees, melk en eieren, maar ook wel via directe weg in het menselijk organisme terecht. Men is vooral voor deze werking zo bevreesd, omdat juist deze voedingsmiddelen die met hun calciumgehalte het strontium eigenlijk moesten absorberen zelf dragers worden. Want in het menselijk organisme is door de natuur reeds gezorgd dat het calcium dat chemisch verwant is met strontium, normaal gesproken in de botten wordt opgeslagen en dat het opgenomen strontium wordt uitgescheiden. Als het evenwicht tussen calcium en strontium echter verstoord wordt ten voordele van het laatste, dan wordt dit radioactieve mineraal opgeslagen in de botten in plaats van

het calcium. Dat betekent: de opbouw van het bloed wordt ononder-
broken bestraald.

Hoelang is uranium actief?

Strontium heeft een halveringstijd van bijna 28 jaar. Dat betekent: na
28 jaar is pas de helft van zijn radioactieve energie op.

   Net als bij giften en bacteriën moeten we ons ook hier afvragen:
kan de radioactiviteit meer dan duizenden jaren blijven bestaan? En,
zo ja, kan ze dan nog steeds het menselijk organisme dusdanig schade toebrengen dat mensen daardoor om het leven komen?

   Om deze vraag te beantwoorden is het nodig om de halveringstijd
van verschillende elementen onder de loep te nemen. Onder halveringstijd verstaat men de snelheid van de atoomverandering, dat wil
zeggen de tijd waarin de helft van de atoomkern splitst. Deze halveringstijd is bij chloor 1 uur, van natrium 2,6 jaar, van tritium 12,8 jaar,
van radium 1580 jaar, van koolstof 5580 jaar. Het radioactieve element
ionium (atoomgewicht 230), een isotoop van het thorium heeft een
halveringstijd van 1.000.000 jaar.

   Het aardalkalimetaal berillium wordt een halveringstijd van 2,7
miljoen jaar toegeschreven en uranium 7.500.000.000 jaar.

   Verschillen in de radioactiviteit worden isotopen genoemd. We
noemen het verschijnsel dat de meeste elementen eigenlijk geen en-
kelvoudige stoffen zijn, maar mengsels van isotopen, isotopie. De isotopie van lood (atoomgewicht 207,7) behoort tot de meest interessante fenomenen. Lood ontstaat toevallig ook bij het uiteenvallen van
uranium – hoewel het ongeveer een miljoen jaar duurt. Het is opmerkelijk te overwegen dat deze radioactiviteit, die na zo'n onvoorstelbaar lange tijd pas uitgewerkt is, ook eenmaal moet zijn begonnen.
Volgens de kennis van de halveringstijd van de verschillende elementen en de vergelijking van hun radioactiviteit kan worden geconstateerd dat de oorsprong van alle radioactieve stoffen ongeveer op dezelfde tijd begonnen moet zijn. We kunnen door deze berekeningen
zelfs de tijd van het ontstaan van onze planeet vaststellen. Het resultaat verschilt echter bij de verschillende geleerden meer dan honderd

procent – de berekende ouderdom van onze moeder aarde wordt geschat op twee tot vier miljard jaar.

Volgens de regels van de atoomsplitsing maken duizend kilo uranium in tienduizend jaar een gram niet radioactief lood. Een nauwelijks zichtbaar resultaat is dus afhankelijk van geweldige energieomwentelingen met even geweldige uitwerkingen. Als er in Egyptische graven radioactief materiaal bewaard werd, dan is het dus niet direct nodig dat achter enorme steenmassa's of metaalophopingen te zoeken. Gezien de hoge stand van de Oudegyptische wetenschap bestaat heel wel de mogelijkheid dat de Egyptenaren het proces kenden dat in 1934 door het echtpaar Joliot-Curie (her)ontdekt werd: door bombardering van atoomkernen met elementaire deeltjes kan ook bij elementen die anders niet radioactief zijn, kunstmatig radioactiviteit opgeroepen worden.

De mummie aan boord van de 'Titanic'

Als we van deze hypothese uitgaan, dan zijn enkele van de talrijke amuletten, evenals symbolische en functieloze gaven aan de farao-mummies, dodelijke radioactieve centra. Ze hadden geen ander doel dan de dodenformules en vloekspreuken in vervulling te laten gaan, dingen die de goden niet konden doen.

Als we van deze hypothese uitgaan, dan zou die ook een verklaring voor de dood van de archeologen en onderzoekers kunnen zijn. Misschien zelfs ook voor de meest opzienbarende scheepsramp van deze eeuw.

Op 14 april 1912 zonk onderweg van Southampton naar New York het toentertijd grootste, mooiste en snelste schip ter wereld, de 'Titanic'. De 'Titanic' die voor onzinkbaar doorging, botste op een ijsberg.

Een tot vandaag nog steeds niet duidelijke, mysterieuze rol speelde de commandant van het schip, kapitein Smith, tijdens deze ramp. Smith was een onberispelijk zeeman met grote ervaring – anders had hij deze post ook nooit gekregen. Maar op deze 14e april reageerde hij vreemd. Het begint met het vaststellen van de koers en de sterk verhoogde snelheid van het schip, met zijn eigenzinnige houding bij het oproepen van hulpbiedende schepen en eindigt bij het pas op het laatste ogenblik bekendgemaakte reddingsplan.

Er waren 2200 passagiers aan boord van de 'Titanic', 40 ton aardappels, 12.000 flessen mineraalwater, 7.000 zakken koffie, 35.000 eieren en – een Egyptische mummie.

De Engelse Lord Canterville wilde de mummie van Engeland naar New York brengen. Het ging om een geprepareerd lichaam van een helderziende vrouw die in de tijd van Amenhotep IV zeer vereerd werd. Haar graf was in Tel-el-Amarna gevonden, de residentie van de ketterfarao Amenhotep IV – Echnaton. Tussen Minie en Assioet was er voor deze helderziende destijds een tempel opgericht, de 'Tempel van de ogen'.

De vrouwelijke mummie was voorzien van de gewoonlijke gaven en amuletten. Onder haar hoofd was een amulet geschoven met de figuur van Osiris en het opschrift: 'Word wakker uit de onmacht waarin je nu verkeert, en de blik van je ogen zal over alles triomferen wat tegen je gedaan is.'

Was dat een aanwijzing voor een radioactieve bescherming die men de mummie had meegegeven?

Eén ding staat vast: de mummie werd getransporteerd in een vastgespijkerde houten kist. Maar gezien de enorm hoge waarde werd die niet in het laadruim van de 'Titanic' opgeslagen, maar achter de commandobrug. En nog iets staat vast: talrijke onderzoekers die zich in mummies hebben verdiept, toonden duidelijke tekenen van geestelijke gestoordheid. Werd ook kapitein Smith door zo'n noodlottig radioactief oog aangekeken? Werd ook hij een slachtoffer van de vloek van de farao's?

Het is betreurenswaardig bij onze wetenschappelijke ontwikkeling dat we wel precies weten wat voor mogelijkheden en resultaten we kunnen bereiken met het gebruik van radioactiviteit, maar nog steeds in het duister tasten bij de analyse van eventuele nevenwerkingen. Dat geldt niet zozeer extreme beschadigingen zoals bij kernexplosies of reactorongevallen, maar wel voor geringere radioactieve invloeden.

Vijf rad (stralingsmeeteenheid) kunnen reeds afwijkingen in het menselijk organisme tot gevolg hebben, beweren de atoomfysici. Maar op onverklaarbare wijze hebben sluipwespen radioactieve invloeden van 200.000 rad zonder meer overleefd en micro-organismen hebben zelfs 500.000 rad overleefd.

De mutaties die bij de mensen door beschadiging door straling ontstaan, worden vastgelegd door 46 manlijke en vrouwelijke chromosomen. Bij mensen die door radioactiviteit zijn aangetast, werd een verandering in het chromosomenaantal vastgesteld. Het waren er 47 geworden en dat betekent: mongoloïde idiotie.

De onderaardse gangen van Akita

Zonder baggermolen of andere moderne middelen, alleen met hun spierkracht presteerden ze iets gigantisch: de oude Egyptenaren haalden alles uit de bodem wat er in zat. Vooral goud. En omdat goud en uranium in hetzelfde gesteente voorkomen, bestaat er nauwelijks twijfel aan dat ze ook uranium dolven. Uranium wordt nog steeds in Egypte gevonden, zoals reeds eerder vermeld is.

Verschillende papyri vertellen over de mijnen uit de oudheid. Umm-Garayat, de 'moeder van de dorpen' wordt door de oude Egyptenaren Akita genoemd. In de buurt van Umm-Garayat, ongeveer zestig kilometer ten oosten van de Nijl bij Dakkeh, zijn verschillende mijnen. Uit hun onderaardse gangen werd in de oudheid minstens honderdduizend ton gesteente gedolven, hebben mijnbouwkundigen geschat.

In de buurt van het dorp Koeban is een inscriptie in steen gevonden, die gaat over een vruchteloze waterboring in de tijd van Ramses II. Het gebied wordt in dit relaas 'Dal der goudgroeven' genoemd. Een papyrus die nu in Turijn wordt bewaard, haalt zelfs het gebied van Akita aan. In deze schriftelijke getuigenis staat geschreven: 'De bergen waar goud uit gegraven wordt, zijn met een rode kleur gekenmerkt.' Op deze plaats zou farao Sethos I omstreeks 1400 v.Chr. al goud gewonnen hebben.

Er duiken weliswaar in geen enkele Oudegyptische papyrus of wandinscriptie begrippen als uranium of radium op, maar dat wil nog niet zeggen dat deze twee stoffen de Egyptenaren onbekend waren. Het is alleen waarschijnlijk dat ze het heel anders noemden of dat ze deze krachten gebruikten zonder de oorzaak van het gevolg te kennen.

In een ton aardkorst zit gemiddeld 70 gram koper en 16 gram lood; maar slechts 0,002 gram goud. De Egyptenaren die het goud voor hun graven met tonnen uit de aarde haalden, moeten daarbij ook uranium en thorium tegengekomen zijn. Want er zit ongeveer 11 gram thorium in een ton gesteente, en 4 gram uranium.

Dat goud en uranium vaak in dezelfde mijn aangetroffen worden, is geen toeval. Want deze beide elementen worden vooral in gebieden met graniet gevonden. Het beroemde gouderts uit Witwatersrand in Zuid-Afrika bijvoorbeeld bevat niet alleen de ongelooflijk grote hoeveelheid van 6 tot 10 gram goud per ton gesteente, maar tevens ook uranium en thorium. Verschillende mijnen in Witwatersrand zijn de laatste tijd zelfs omgeschakeld van goud op uranium.

Reeds voor de tijd van de grote piramiden dolven de Egyptenaren al naar goud. De archeoloog Quibell die bij het dorp el-Kab prehistorische graven ontdekte, vond in een van deze graven een baar goud als grafgift. In Tel-el-Amarna zijn tabletbrieven gevonden van een Babylonische koning aan Amenhotep III en Amenhotep IV. Hierin vraagt hij aan de Egyptische farao of deze voor de bouw van een nieuwe tempel twintig talenten goud ter beschikking wil stellen: net zoals hij al eerder gedaan had voor zijn vader en de koning van Cappadocië. Er was goud in overvloed.

Rond de eeuwwisseling begonnen verschillende mijnbouwondernemingen vervallen Oudegyptische mijnen op nieuwe rentabiliteit te onderzoeken. Evenals bij de Amerikaanse 'goldrush' trokken hier drieëndertig expedities door de Egyptische en Nubische woestijngebieden om te kijken wat de oude Egyptenaren overgelaten hadden. Resultaat: er was zeer grondig gedolven. Maar desondanks verkregen vijfentwintig – hoofdzakelijk Engelse – maatschappijen en syndicaten van de Egyptische staat nieuwe bodemonderzoeksconcessies.

De belangrijkste van deze maatschappijen was de 'Egyptian Mines Exploration Company'. Hun concessie strekte zich uit tussen de 27e en 25e breedtegraad langs de Rode Zee. In de buurt van Umm-Russ stootte ingenieur C.J. Alford in februari 1903 op goud- en uraniumhoudende kwartsgangen. De oude ertslagen waren over een vlakte van zes vierkante kilometer vertakt. Alford vertelde over honderden vervallen stenen hutten die duidelijk als onderdak voor de vroegere mijnwerkers hadden gediend.

Ten zuiden van de 'Egyptian Mines Exploration Company' groef de 'Egyptian Sudan Minerals'. Hun onderzoekingen gingen tot Nubië, een gebied waar ook Diodorus en Agatharchides van vertelden dat er in de tijd der Ptolemaeën opgravingen verricht werden. De mijnmaatschappij had haar hoofdkwartier in dit gebied vol mijnen en mijngangen opgeslagen dat tegenwoordig Derekib heet.

Er werd nog goudhoudend gesteente gevonden. Aan het eind van zo'n mijngang stootten de onderzoekers op een uit enorme stenen opgetrokken muur, waar verweerde hiëroglyfen op stonden. Zoals de mijnbouwkundigen in hun verslag schreven, vonden ze dit 'zeer vreemd'. Maar omdat ze geen verklaring voor hun ontdekking konden vinden, gooiden ze de mijngang met een verticaal lopende schacht dicht.

Dat er in het oude Egypte ondergronds meer gebeurde dan wij thans vermoeden, blijkt uit de opgravingsverslagen van de 'Nile-Valley-Company'. Deze exploratiemaatschappij had een concessie voor het gesteente dat in het westen aansloot op het gebied van de 'Egyptian Sudan Minerals'. Daartoe behoorde ook Umm-Garayat waar de mijnen door wachttorens werden beschermd, waarvan de resten nog steeds te zien zijn.

Ten zuidoosten van Umm-Garayat ligt Wadi Onguat. Daar hebben de ingenieurs van de 'Nile-Valley-Company' ook onderaardse hiëroglyfen ontdekt die niet te ontcijferen zijn. De archeologen konden tot nu toe slechts de schrijver van deze inscriptie identificeren. De onderste regel luidt: de schrijver Amenhotep.

Wat zoekt een schrijver in een mijn, vragen wij ons thans af? Wat kan hem ertoe bewogen hebben om hiëroglyfen in onderaards gesteente te krassen? Waarom hebben de oude Egyptenaren mijngangen dichtgegooid en van inscripties voorzien?

Was het vanwege een wetenschappelijke ontdekking die deze schrijver ondergronds nodig deed zijn? Misschien waren *griezelige* dodelijke energieën een reden om onderaardse gangen met enorme steenblokken dicht te metselen?

De tegenwoordige stand van zaken in de Egyptologie geeft ons geen duidelijk antwoord op deze vraag. Maar als we dan geen doorslaggevend bewijs hebben voor het feit dat de werking van radioactieve stralen de Egyptenaren bekend was, we hebben anderzijds ook geen bewijs dat ze deze wetenschappelijke kennis niet gebruikten. Er zijn vele aanwijzingen die tonen dat de oude Egyptenaren de graven van hun doden met zulke dodelijke stralen beveiligden die pas in onze tijd (her)ontdekt werden.

11

Leven en dood uit de sterren

Om halfdrie 's nachts raasde een brandweerauto door het IJslandse stadje Vestmannaeyjar. Het was de nacht van de 23e januari 1973. Iemand had de brandweer opgebeld en gealarmeerd: 'In het oosten van de stad staat een huis in brand.' Vier minuten later kwam de brandweer van het IJslandse eilandje Heimaey al weer terug, maar de sirene loeide door. Want de gemelde brand was niet te blussen: het was een vulkaanuitbarsting.

Zevenduizend jaar lang had de vulkaan Helgafjell, de 'heilige berg', op het slechts zestien vierkante kilometer grote eilandje aan de zuidkust van IJsland geen teken van leven meer gegeven. Maar toen, op die noodlottige 23e januari 1973 ontstond opeens, zonder enige waarschuwing, een kleine bijkrater. Hij scheurde een spleet van 1,5 kilometer in de aardkorst en spoot 100 kubieke meter lava per seconde de lucht in.

De lava vloeide in een gloeiende stroom de zee in. Huizen verbrandden, auto's werden bedolven. In de haven van Vestmannaeyjar kookte de zee. Gelukkig stond er een gunstige wind die de eerste dag de vuurwolken van de stad weg blies. En hoewel sommige eilandbewoners slechts een paar honderd meter van de krater van de vulkaan af woonden, kwam er niemand om het leven.

Over enkele duizenden of honderdduizenden jaren zullen geleerden zich met deze vulkaanuitbarsting van 1973 bezighouden en wel om een bijzondere reden.

De lava die een vulkaan naar de hemel slingert, bestaat uit ijzerhoudende deeltjes. Deze ijzerhoudende deeltjes worden tijdens hun vlucht door het luchtruim door het magnetisch veld van de aarde gericht. Ze houden net als ontelbare kleine kompasnaaldjes alle precies dezelfde richting aan. De gestolde lava die uiteindelijk basalt wordt, zal dus nog honderdduizenden jaren lang precies het magnetisch veld van de aarde in het jaar 1973 aangeven.

Zou dus om de een of andere reden het jaar van de vulkaanuitbarsting op het eiland Heimaey in de vergetelheid geraken, dan zal het mogelijk zijn dit tijdstip uit te rekenen aan de hand van de richting van het basaltgesteente, want het magnetisch veld van de aarde is aan regelmatige veranderingen onderhevig. Tegenwoordig weten we zeker dat onze noordpool 700.000 jaar geleden op de plaats te vinden was die we nu met zuidpool aanduiden, terwijl hij nog geen 200.000 jaar daarvoor op precies dezelfde plaats stond als tegenwoordig. In de 76 miljoen jaar van de geschiedenis van de aarde zijn tot nu toe 171 poolveranderingen vastgesteld.

Deze poolveranderingen veroorzaken behalve totale verwisseling van hemelstreken ook klimaatwijzigingen, aardbevingen en vulkaanuitbarstingen. Maar ze hebben vooral kosmisch-energetische evenwichtsverstoringen als resultaat. En dat kan fatale gevolgen hebben. Magnetische onweren of plotselinge veranderingen van de geografische magnetische velden om de aarde, zoals die bij de aanwezigheid van zonnevlekken geregistreerd worden, geven een indruk van de geweldige uitwerking.

Het magnetisch veld van de aarde ontstaat door de onderling verschillende traagheid van diverse vaste en/of vloeibare stoffen binnenin de aarde. Men weet dat er rondom de harde kern van onze aarde vloeibare lagen lopen, die weer door een harde korst afgesloten zijn. En omdat deze verschillende lagen volgens de wet van de zwaartekracht onderhevig zijn aan verschillende omwentelingssnelheden, ontstaan er net als bij een dynamo elektrische stromen en magnetische velden. Een dergelijke stroming vloeit nu om de evenaar. Tijdens een poolverandering zakt de noordpool naar het zuiden en de zuidpool draait naar het noorden. Aan het eind van dit proces bevindt de zuidpool zich op het bovenste gedeelte van de aardbol en de noordpool bevindt zich in Antarctica.

De geografische noordpool komt ook tegenwoordig niet met de magnetische noordpool overeen. De magnetische noordpool is steeds zwevend. 70.000 jaar geleden lag Europa op de poolcirkel. In het tertiaire tijdperk moest de noordpool op 70 graden noorderbreedte en 60 graden westerlengte gezocht worden. 350 miljoen jaar geleden op 30 graden noorderbreedte en 45 graden westerlengte.

De omdraaiing van het magnetisch veld wordt door de mens niet bemerkt. Reeds honderd jaar lang registreren geleerden een voortdurende afzwakking van het magnetisch veld. De nieuwste berekeningen hebben uitgewezen dat, als het zo door gaat, het magnetisch veld van de aarde over tweeduizend jaar op het nulpunt aangeland is. Het proces zet zich dan voort en het magneetveld zal zich dan in omgekeerde richting weer opbouwen. Hoe en of organismen deze omdraaiing van de pool zullen overleven, is nog een raadsel voor de geleerden. De mens zal zich in ieder geval in wetenschappelijke problemen moeten verdiepen waar nu nog niemand aan denkt. Misschien is het beter te zeggen: niemand meer aan denkt.

De fysische kracht van een magnetisch veld is met eenvoudige metingen vast te stellen. Het magnetisch veld van de aarde heeft horizontaal een veldsterkte van 0,1 gauss. Zonnevlekken kunnen een veldsterkte van twee- tot vierduizend gauss bereiken. Ter vergelijking: de veldsterkte van de toevoer van een brandend gloeilampje: 0,2 Gauss.

Het magnetisch veld van de aarde beïnvloedt alle ijzerhoudende voorwerpen. Hamers van ijzer die op het noordelijk halfrond worden gebruikt, bouwen op de kant waarmee geslagen wordt een magnetische zuidpool op. Bij paraplu's staat de noordpool op de greep omdat ze naar de aarde toegekeerd is. Hier zijn krachten aan het werk waar onze wetenschap geen aandacht aan schenkt, omdat het nut ervan geen reële waarde lijkt te hebben. De oude Egyptenaren met hun nauwkeurige hemelwaarnemingen waren echter reeds fenomenen op het spoor waar wij ons tegenwoordig pas weer serieus mee bezighouden.

Men vraagt zich af waarom de oude Egyptenaren, die hun doden zo liefhadden dat ze hun gemummificeerde voorouders vaak jarenlang loodrecht in de zitkamer opstelden, deze zelfde mensen hun farao's ver van menselijke nederzettingen in dodensteden van geweldige omvang begroeven. Deze dodenstad was voor Thebe het afgelegen Dal der Koningen, voor Memphis het gravenveld van Sakkara en de piramiden van Gizeh. Is het mogelijk dat deze gebieden aan bijzondere kosmische invloeden blootgesteld zijn?

Ons hele planetensysteem bevindt zich in een elektromagnetische en radioactieve wisselwerking waaraan al het organische leven onderworpen is. Het magnetisch veld van de aarde vangt bijvoorbeeld de kosmische stralen op. Elektromagnetische straaldeeltjes kunnen zich daarom niet vrij en rechtuit bewegen, maar worden in spiraalvormige banen gedwongen, die volgens de magnetische veldlijn verlopen.

De stralingsgordel van de aarde die naar zijn ontdekker de VanAllen-gordel wordt genoemd, bestaat uit kosmische stralen met energie geladen deeltjes, die aan het magnetisch veld van de aarde onderhevig zijn. En dit zeer gecompliceerde in elkaar grijpende systeem is heel gemakkelijk te verstoren.

De noodlottige vlekken van Re

Wanneer één ding heilig was voor de oude Egyptenaren, dan was het wel de zon. En als de oude Egyptenaren hun wetenschappelijke inspanningen op *één* object concentreerden, dan was dat eveneens de zon. Re, de zon, was voor hen vroeger de oppergod en later een interessante planeet om te onderzoeken.

Reeds Babylonische spijkerschriftteksten hebben het over nauwkeurige waarnemingen van de zon, het af- en toenemen van het licht en van de vlekken die op het oppervlak van de zon waargenomen worden. Maar dan schijnen deze merkwaardige zonnevlekken in het vergeetboek te raken. De Chinezen verdiepten zich in de 13e eeuw n.Chr. weer in zonnevlekken en ze wekten ook de wetenschappelijke interesse van Galileï op. De Duitse astronomen hebben in het midden van de vorige eeuw ontdekt dat die vlekken elke elf jaar een hoogtepunt in hun optreden bereiken.

Tegenwoordig weten we dat deze zonnevlekken het organische en kosmische leven op aarde sterk beïnvloeden. Enorme natuurrampen worden vaak in verband gebracht met het optreden van zonnevlekken.

Op 27 augustus 1883 barstte in Straat Soenda de vulkaan Krakatau uit. De catastrofe eiste 80.000 doden. Er was een maximaal optreden van zonnevlekken. In 1906 en 1908 waren de zware aardbevingen van San Francisco en Messina. Er was een maximaal optreden van zonne-

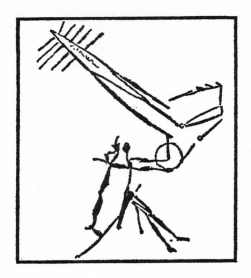

Stralencondensator of laserkanon? – In het oude Meroë ontdekten archeologen deze antieke schets van een optisch-mechanisch apparaat.

vlekken. In september 1926 werd bijna geheel Florida door een tornado vernield, een cycloon vernielde Jamaica, wolkbreuken vernietigden Nebraska. Zonnevlekken traden maximaal op.[73]

Zonnevlekken – wat zijn dat eigenlijk?

Een brandende gloeilamp die we voor een gloeiend stuk staal houden, lijkt voor het menselijk oog een donkere vlek. Ook de donkere vlekken op de zonneschijf zijn geen koude of verharde massa's, ze hebben alleen een veel lagere temperatuur dan hun omgeving.

De oorzaak van dit temperatuurverschil ligt in het magnetisch veld dat ook de zon omringt. Dit magnetisch veld verwisselt vaker van richting en sterkte dan dat van de aarde. De daarbij optredende veldsterktedifferenties kunnen het duizendvoudige bereiken.

Evenals in het magnetisch veld van de aarde hebben ook in het magnetisch veld van de zon krachtveldstromingen veranderingen van temperatuur tot gevolg. Binnen in de zonnevlekken daalt de temperatuur van de zon (6000° C) tot vier- à vijfduizend, graden. Het ontstaan van zonnevlekken is overigens beperkt tot een gebied van 30 graden ten noorden en ten zuiden van de zonne-evenaar. Hun grootte bedraagt nauwelijks meer dan één procent van de zonneoppervlakte. En toch is hun invloed fenomenaal.

Want de schommelingen van het magnetisch veld van de zon planten zich met een vertraging van viereneenhalve dag voort op het interplanetaire magnetisch veld van de aarde. Met andere woorden: er bestaat een veldlijnverbinding tussen de zon en de aarde.

Precieze meetresultaten werden pas in 1964 verkregen door de beide astrofysici, dr. Norman F. Ness van de NASA en dr. John M. Wilcox van de universiteit van Californië, die de in het Mount Wilson Observatorium gemaakte magnetografische aantekeningen aan de hand van radiomeetdata analyseerden, die door de onderzoekssatelliet IPM 1 geleverd waren.

In nauw verband met het optreden van zonnevlekken staan eruptieverschijnselen van de gasmaterie boven de zon, de zogenaamde 'flares'. Dergelijke gebeurtenissen hebben een verhoogde emissie van stralen, ultraviolette- en röntgengolven tot gevolg. Een geioniseerde gaswolk bereikt de aarde, maar wordt door het magnetisch veld van onze planeet afgeremd. De veldschommeling die daarbij ontstaat kan het duizendvoudige van de normale sterkte bereiken.

Welke invloed dit astrofysische verschijnsel in de praktijk heeft, hebben we op 8 februari 1958 op indrukwekkende wijze meegemaakt.

Op die dag meldden de radioastronomen van het Harvard Radio Observatorium in Texas 'vreemde geluiden' uit het luchtruim. Op Sacramento-Peak in New Mexico registreerden de astronomen een abnormaal groot optreden van zonnevlekken. Een radiotelescoop in Honoloeloe bepaalde de plaats van de volgende flare-gebeurtenis. Reeds vierentwintig uur later liep op aarde alles mis. Aan de nachtelijke hemel schitterde het noorderlicht. Transcontinentale radioverbindingen werden verbroken. Bijna honderd vliegtuigen boven de Atlantische Oceaan hadden plotseling geen radiocontact meer. In een onderzeese telefoonkabel tussen Schotland en New Foundland stond opeens een stroomspanning van tweeduizend volt. En het elektriciteitsnet van Toronto begaf het totaal. De oorzaak van dit alles waren fysische voorvallen die zich op een afstand van 150 miljoen kilometer van onze planeet hadden afgespeeld.

Tegenwoordig beweren steeds meer fysici en medici dat de zon en de maan een niet te onderschatten invloed uitoefenen op de organische groei en vatbaarheid voor ziektes. Het lijkt alsof de jaarringen op de bomen een elf-jaren-cyclus tonen, evenals de zonnevlekken. Het is bekend dat bamboe dat met nieuwe maan gesneden wordt tien tot twaalf jaar houdbaar is, doch als het met volle maan gesneden wordt, is de houdbaarheid maar zeven tot acht jaar. Uit overleveringen blijkt dat de oude Romeinen het hout voor hun schepen en bruggen alleen bij afnemende maan hakten. Intussen weten we dat daar geen obscuur bijgeloof achter steekt, maar de ervaring van biologische feiten: bij wassende maan stijgen sappen in het hout op. De suiker in die sappen trekt houtetende insecten aan, het hout vermolmt. In het hout dat bij afnemende maan gehakt wordt, heeft de suiker reeds tot versteviging bijgedragen.

Er zijn talrijke boerenregels en volkswijsheden die van toepassing zijn op de invloed van de sterren. Zo moet bijvoorbeeld bij wassende maan gezaaid en bij afnemende maan geoogst worden. Alle pijn is erger bij wassende maan, zegt de volksmond. Als de maan afneemt, dan is het gif van de gifslang minder werkzaam.

In al deze 'wijsheden' zijn beslist feiten en ondervinding met elkaar verweven. Daarentegen vinden biologen het een bewezen feit dat de maan belangrijke levensgebeurtenissen beïnvloedt, in het bijzonder bij de zeedieren: bij bepaalde slakken en mosselen is de tijd van eieren leggen afgestemd op de stand van de maan.

Tot tweehonderd jaar geleden was de invloed van de maan op het ritme van eb en vloed pure speculatie. Pas in het begin van de 19e eeuw werd de door de maan veroorzaakte 372 minuten interval ook door de wetenschap erkend. Tegenwoordig moeten we zelfs geloven dat de aantrekkingskracht van de maan de aardkorst 25 cm omhoog kan trekken. Fysici van de Amerikaanse Harvard universiteit hebben namelijk geconstateerd dat de afstand tussen Amerika en Europa op sommige dagen door het omlaag- en omhooggaan van de aardopper- vlakte omstreeks twintig meter kan verschillen.

Wanneer het gesternte van de Pleiaden, dochters van Atlas, om-
hoog stijgt, Begin dan de oogst, maar ploeg wanneer zij dalen.
Veertig dagen en nachten lang zijn ze verborgen
Maar wanneer ze in de kringloop van het jaar weer verschijnen
Begin dan de sikkel voor de nieuwe oogst te wetten.

Dat zijn verzen uit *Werken en Dagen* van Hesiodus, die daarmee
oogstaanwijzingen geeft die van de loop van de sterren afhankelijk
zijn. Ze zijn volgens de moderne kennis van de astronomie niet precies. Want tussen ondergang en opgang van de Pleiaden liggen 40
nachten en 39 dagen. Maar Hesiodus was geen natuurkundige, hij
vertelde slechts zijn ervaring.

Zowel in Griekenland als in Egypte kende men reeds lang voor de
astronomie een wetenschap, een samenhang tussen kosmische gebeurtenissen en menselijke handelingen. Deze ervaringen kunnen als
de prille beginselen van de boerenregels beschouwd worden, maar
ook als eerste kennis van de astronomie.

Bombardering uit het heelal

Hetgeen dat wij gewoonlijk als 'zon' en 'licht' betitelen, is in werkelijkheid een fysisch proces met oorzaak en gevolg. De problema-
tiek van het ontstaan zullen we hier buiten beschouwing laten, de
uitwerking van het zonlicht in deze is echter buitengewoon interessant.

De biosfeer, de levensruimte van de aarde, wordt door de zon ge-
bombardeerd. Dit geschiedt in zo'n hoge mate dat het voor de mensen
dodelijk zou zijn als het magnetisch veld rond de aarde de beschermende atmosfeer niet zou vasthouden. De bekendste stralen zijn de
ultraviolette. Ze werken positief op de afweerkrachten van de mens,
stimuleren de vitamine-B-opbouw en wekken geneeskracht op bij
huiden beendertuberculose. Tegelijkertijd worden de sulfhydril-li-
chaampjes in de huid gereduceerd die het vitamine A, B2, C, D en E
stabiliseren, waarvan het prestatievermogen van de mens afhangt.
Proeven hebben bewezen dat reducering of versterking van ultravio-

lette stralen direct op het vegetatieve zenuwstelsel werken. Dit soort stralen kan dus heel wel fysiologische processen sterk beïnvloeden.

De atmosfeer houdt kortegolfstralen zo goed tegen dat bijvoorbeeld de kosmische ultrastralen (niet te verwarren met ultraviolette stralen) bij binnendringen in de atmosfeer zodanig verzwakt worden, dat de uitwerking vergeleken kan worden met de bescherming die een negentig centimeter dikke loodlaag of een tien meter brede watermuur biedt. Deze kosmische ultrastralen bestaan uit elektronen, mesonen, protonen, neutronen en fotonen. De neutronen en fotonen nemen een bijzondere plaats in. Ze dringen door de atmosfeer heen, terwijl elektronen en protonen daarentegen door het magnetisch veld van de aarde gebundeld worden.

Daarom spreken astrofysici van primaire ultrastralen en van secundaire straling. De primaire stralen zijn door de atmosfeer nog niet veranderd of omgezet. De secundaire stralen die tot diep in de aarde doordringen hebben nog nauwelijks enige overeenkomst met de primaire stralen.

Tachtig procent van de primaire ultrastralen zijn met energie geladen protonen. De rest bestaat hoofdzakelijk uit alfadeeltjes. De energie van de protonen is onvoorstelbaar groot: tussen de een miljard elektronen volt tot verscheidene triljoenen.

De archeologie heeft de kosmische ultrastralen reeds gebruikt. Prof. Luis W. Alvarez die in 1968 als vooraanstaand atoomgeleerde met de Nobelprijs onderscheiden werd, is eveneens een toegewijd amateuregyptoloog. Hij kwam in 1965 op het idee de piramide van Chefren kosmisch door te lichten.

Sinds Giovanni Battista Belzoni in 1818 de op een na grootste Egyptische piramide binnenging en daar slechts een lege grafkamer aangetroffen had, vroegen de archeologen zich af of de piramide niet toch nog een tot nu toe onontdekte grafkamer zou bevatten. Dit leek vooral waarschijnlijk vanwege de vreemd eenvoudige architectuur van de binnenste gangen van de piramide van Chefren. Want in vergelijking met de bouw van de andere piramiden met hun hoekige gangen en hun twee grafkamers was het haast ondenkbaar dat dit niet het geval zou zijn.

Alvarez nam de haast onoplosbare uitdaging aan om in 4,4 miljoen ton gesteente naar een grafkamer van 15 tot 20 vierkante meter te zoeken.

Dergelijke problemen hadden de archeologen tot nu toe met de ervaring van jarenlang zoeken of met doelloze toevallige opgravingen aangepakt. Maar in de op een na grootste piramide van de wereld werden deze beide mogelijkheden uitgeschakeld. Wat ervaring betreft waren de archeologen aan het eind van hun Latijn en boringen zouden niet zonder uiterlijke beschadigingen plaats kunnen vinden.

Kernonderzoekers in de piramide van Chefren

Luis Alvarez hield zich aan de volgende – en zoals later bleek, juiste – hypothese: de kosmische ultrastralen worden in de bovenste atmosfeer omgevormd. Tachtig procent van deze energie valt als middelzware mesonen, als alles doordringende muonen op aarde. Voor deze muonen zou ook het gesteente van de piramide geen hindernis zijn. Als men nu onder de piramide meetapparatuur zou opstellen die de binnendringende muonen telde, en als men dan verschillende meetapparatuur in verschillende hoeken zou opstellen, dan moest – vooropgesteld dat de muonen tot in een grot doordringen – de intensiteit van de stralen in deze meethoek groter zijn. Want in een luchtkamer worden muonen veel minder sterk afgeremd dan in gesteente.

Als plaats voor de opstelling van de stralendetector was eigenlijk alleen de enige bekende kamer in de piramide van Chefren beschikbaar, de naar de herontdekker genoemde Belzoni-kamer. Deze lag 130 meter onder het punt van de piramide en in het centrum van het grondoppervlak.

Het inbouwen van de dertig ton zware radiokamers en experimenteerapparatuur – twee bij twee meter groot – begon in het voorjaar van 1967. Het was een kunstwerk op zichzelf. Omdat de onderaardse gangen slechts honderdentwintig centimeter breed waren, moesten de gecompliceerde apparaten uit elkaar genomen worden en binnen in de piramide weer in elkaar gezet worden.

Dit werk werd gedaan door de Egyptische piramidenspecialist dr. Ahmed Fakhry en de kernfysicus dr. Fathi el Bedewi van de Ain-Shams-universiteit in Caïro met Alvarez en zijn medewerkers van het Lawrence-Stralingslaboratorium van de universiteit van Californië.

Na drie maanden werken aan de installatie zouden de metingen beginnen – toen brak de Zesdaagse Oorlog uit. Het werk werd een jaar vertraagd. In het voorjaar van 1968 begon Alvarez eindelijk met de metingen waar hij zich drie jaar lang op voorbereid had.

De radiokamers die Alvarez binnen in de piramide had opgesteld, werkten naar het volgende principe: op elkaar liggende aluminiumplaten werden in een met gas gevulde koker onder sterke stroomspanning gezet. Als een muonendeeltje dat door het piramidegesteente gedrongen was, op een van deze platen terechtkwam, sprong er een vonk van de ene aluminiumplaat op de volgende. Deze impulsen werden door een magneetband geregistreerd.

Volgens de berekeningen van prof. Alvarez moesten de muonen met een energie van minder dan 55 miljard elektronenvolt door het gesteente van de piramide geabsorbeerd worden, dus niet in de grafkamer op de basis aankomen. De radiokamers waren bovendien in hun gevoeligheid zo gereduceerd dat slechts die muonen geregistreerd werden, die na het doordringen van het piramidengesteente nog 10 miljard elektronen volt energie hadden.

De eerste meetresultaten verbaasden de onderzoekers zeer. De muonenregen die tot aan de onderste grafkamer kwam, was veel groter dan men verwacht had: de metingen werden telkens op een hoekafstand van 3 graden gedaan. Er werden gemiddeld 84 muoneninslagen per minuut gemeten. Het meetveld strekte zich uit over een op de punt staande kegel met een hoek van 70 graden. Daarmee had men ongeveer een vijfde van de ruimte-inhoud van de piramide van Chefren geregistreerd.

De metingen duurden maanden. Een IBM-computer in de Ain-Shams-universiteit in Caïro analyseerde de meetdata die magnetisch verzameld waren. Op een rasterwerk overgebracht, lieten deze gegevens duidelijk de nog in de punt van de piramide van Chefren aanwezige Tura-kalkbekleding zien. Een donker schaduwveld, dat eerst op een grot in het midden van de piramide leek te duiden en onder de archeologen enige opwinding veroorzaakte, bleek na afscherming van de apparatuur een door de apparaten veroorzaakte reflectie te zijn. De uitkomst van de magneetbanden bevestigde ten slotte hetgeen men al vermoed had maar niet zeker wist: farao Chefren had in zijn piramide inderdaad maar één grafkamer laten bouwen.

We zien dat er meer energieën tussen hemel en aarde zijn dan wij met al onze kennis weten. Deze energieën kunnen een zegen voor de mens zijn als hij de kunst verstaat ze op de juiste manier te gebruiken. Ze kunnen echter ook dood en verderf zaaien.

En toch: als deze energie het aardoppervlak bereikt, is reeds het grootste gedeelte van de kracht verloren. De veranderde secundaire straling overtreft in uitwerking nu verre de primaire straling. Muonen dringen duizenden meters diep de aarde in.

Atoomfysica en archeologie gaan de laatste tijd hand in hand. Dat geldt vooral voor de ouderdomsdatering met behulp van radioactief koolstof. Want net als een atoomreactor verwekken ook de kosmische stralen uit het stikstof van de buitenste aardatmosfeer radioactief koolstof C-14. Dit koolstof verbrandt mettertijd tot koolzuur en vermengt zich dan met de gewone koolzuur van de atmosfeer.

De Amerikaanse atoomfysicus prof. W.F. Libby leidde hieruit een interessante ouderomsberekeningsmethode af. Want alle organismen, mens, dier en plant bevatten in hun koolstof een spoortje radioactieve koolstof, en wel precies zoveel als de atmosferische koolzuur, de moedersubstantie van de organische koolstof.

Radioactieve splitsing en C-14-opbouw door kosmische stralen blijven daarbij ongeveer in evenwicht. Als een organisme sterft, houdt de toevoer van koolstof op. Verrotting en vergane resten brengen een dood organisme normaal gesproken weer in de gewone kringloop: stof komt in de planten, planten worden door dieren gegeten, dieren sterven of worden door mensen gegeten...

Maar als een dood organisme honderden of duizenden jaren lang standhoudt, is het aan een radioactief proces onderhevig. Zijn C-14-gehalte wordt regelmatig minder. In 5730 jaren – volgens fysici – is de helft van de C-14-atomen in stikstof veranderd (halveringstijd van C-14).

Deze methode van ouderdomsberekening klopt alleen dan, wanneer de concentratie van het koolstof in de atmosfeer door de eeuwen heen constant gebleven is. Metingen direct na kernexplosies toonden inderdaad grote regionale schommelingen in het koolstof C-14-gehalte. Deze metingen toonden echter ook dat concentratieverschillen reeds binnen een paar weken weer vervliegen.

De meetresultaten van Amerikaanse kernonderzoekers op grafgiften in Egyptische faraograven zijn beslist sensationeel. Het leek alsof alle opnameapparaten dol geworden waren. De mummies waren opeens vijfhonderd jaar ouder dan de erbij behorende sarcofaag. De graankorrels waren ouder dan de urnen waar ze in gevonden waren. Of het gehele tijdmeetsysteem was niet goed, of de oude Egyptenaren wisten inderdaad iets af van de invloed van radioactieve splitsingsprocessen.

Als zulke fenomenen uitgerekend in de graven van Egyptische koningen voorkomen, wat ligt dan meer voor de hand dan te denken dat het ter bescherming van de mummies is? Bij vaststelling van een ouderdom tot 5.000 jaar wordt een onzekerheidsfactor van ±40 tot ±70 jaar algemeen door de wetenschap geaccepteerd. Grotere verschillen moeten volgens de kernfysici andere oorzaken hebben, waarschijnlijk zeer afdoende.

In het begin van de jaren vijftig analyseerden fysici de ouderdom van de struiken langs de groenstroken van de autobaan Heidelberg-Mannheim. Het resultaat was schokkend: de struiken zouden vijfhonderd jaar oud zijn. Was de koolstof-ouderdomsberekening toch op verkeerde principes gebaseerd?

Integendeel. Precies aan de hand van dit voorbeeld is de juistheid van de methode te demonstreren. Bij de struiken in kwestie ging het namelijk om objecten die onder heel bijzondere omstandigheden groeiden. Ze stonden te midden van hooggeconcentreerde auto-uitlaatgassen (C-14-vrije koolstof). Het normale C-14-gehalte werd door 'dood' koolstof extreem verdund. Het resultaat was: levend hout leek bij meting vijfhonderd jaar oud te zijn.

Resultaat: afwijkingen van de normale waarde van het C-14-koolstofgehalte worden veroorzaakt door invloeden van buitenaf. Welke invloeden dat in de faraograven geweest zijn, moet voor fysici en archeologen de moeite van het onderzoeken waard zijn. Misschien brengt ons dat dan ook dichter bij het geheim dat achter de vloek van de farao's steekt.

12

Het geheim van de piramiden

De Russische minister-president Nikita Chroesjtsjov reisde in mei 1964 zestien dagen door Egypte. De reden van zijn reis was het gereedkomen van het eerste deel van de Assoeandam, hetgeen met hulp van Russisch geld en technici geschied was. Kort voor zijn terugvlucht naar Moskou stapte Chroesjtsjov in het wereldbekende 'Mena House Hotel' af. Dit hotel dat in 1869 aan de voet van het plateau gebouwd werd waarop de grote piramiden van Gizeh staan, heeft in zijn honderdjarige geschiedenis koningen en staatshoofden van de gehele wereld geherbergd.

In 1943 vond hier de topconferentie plaats waar Winston Churchill, de president van Amerika, Franklin Roosevelt, en de generaal van Nationalistisch China, Tsjang Kai-Shek, hun verdere optreden ten opzichte van Japan bespraken. De Engelse en Chinese staatsman namen toen de gelegenheid waar om de koningskamers binnen in de piramide van Cheops te bezichtigen. Franklin Roosevelt bedankte ervoor – geen mens weet waarom.

Toen Nikita Chroesjtsjov in 1964 een dag na zijn aankomst in 'Mena House' met gidsen en Egyptologen ook de piramiden wilde gaan bezichtigen, arriveerde er een telegram uit Moskou. De Russische geheime dienst KGB telegrafeerde: 'raden dringend af de piramide binnen te gaan'. Chroesjtsjov gehoorzaamde. Een officiële verklaring bleef uit. Waar was de Russische geheime dienst bang voor?

Sinds meer dan honderd jaar verdiepen geleerden uit de hele wereld zich met het fenomeen van het enige nog ongeschonden wereldwonder, de piramide. Want sinds de eerste nauwkeurige metingen en onderzoeken tegen het einde van de 19e eeuw gelooft praktisch geen deskundige meer dat deze eigenaardige monumenten toevallig op deze plek en toevallig volgens deze architectuur opgericht werden.

Snofroe was de eerste farao die tegen het einde van de 3e dynastie een echte piramide wilde laten bouwen. De bouw werd begonnen bij Medoen, maar is nooit afgemaakt omdat Snofroe zijn residentie naar het noorden verplaatste. In Dansjoer, ten noorden van Sakkara, liet hij een tweede piramide bouwen. Zevenennegentig meter hoog, met een knik naar buiten aan de kanten. Snofroes opvolgers Cheops en Chefren lieten hun grafpiramides bij Gizeh bouwen, Dedf-re bij Aboe Roasj, Mycerinos echter weer bij Gizeh. Tijdens de 5e dynastie ontstonden de piramiden van Sahoe-re en de volgende farao's bij Aboesir, in de 6e dynastie bij Sakkara. Er bestaan in Egypte negenenzestig grote piramiden. Waren deze bouwwerken slechts grafmonumenten of verbergt zich achter deze ter wereld enig in zijn soort voorkomende architectuur een ondoorgrond geheim?

De grote Egyptoloog Richard Lepsius was de overtuiging toegedaan dat de farao's meteen aan het begin van hun regeringsperiode de eerste steen voor hun grafgedenkmonument legden en daarna – net als de jaarringen van bomen – het regelmatig lieten uitbreiden.[15] Maar deze theorie is intussen net als vele andere achterhaald. De piramiden zijn bouwwerken waarvan de uitvoering reeds voor de eerste steen gelegd werd precies berekend waren. Daaraan verandert ook niets het feit dat de plannen van de meeste piramiden in de loop van hun bouwperiode veranderd werden.

De piramide van Cheops stelt ons daarbij voor bijzondere raadsels, want deze constructie werd tijdens de twintigjarige bouwperiode driemaal veranderd. Maar de geografische richting van het monument werd strikt aangehouden. Toen de Egyptische regering in 1925 de toentertijd reeds bekende nauwkeurige richting van de grote piramiden voor het eerste met moderne instrumenten liet bepalen, was het resultaat voor de vakwereld een dermate grote verrassing dat alle metingen verschillende keren herhaald moesten worden. De grootste afwijking aan de kanten van de vierkante bouw van de vier hemelstreken bedroeg slechts een twaalfde graad en wel aan de van noord naar west lopende oostzijde van de piramide: die week 5 ± 30 ± van de nulgraad rechte af.

Daar komt nog bij dat het kompas naar men zegt onbekend was in

Egypte. Geen mens kan tot nu toe verklaren hoe het mogelijk was 1.300.000 tot zestien ton zware granietblokken zo precies naast en boven elkaar te stapelen dat de afwijkingen aan de tweehonderden-dertig meter lange basis slechts onderdeeltjes van millimeters uit-maakten en dat de voegen zonder specie zo nauwkeurig en dicht zijn dat er geen mensenhaar tussen kan. Optische redenen zijn er niet voor: want zelfs een voeg van een centimeter is bij deze geweldige af-metingen van de piramiden absoluut onzichtbaar, en dan moet er nog bij vermeld worden dat boven de tot heden behouden basisbouw nog een onderlaag van Tura-kalksteen lag. Nee, er moet een andere ver-klaring voor zijn dat het mogelijk was de bouw van de piramiden zo nauwkeurig uit te voeren.

Als een farao de maat neemt...

De basis van alle afmetingen is de Egyptische el, die uit zeven hand-breedten bestaat (een handbreedte = vier vingers). Een vinger is 1,9 centimeter, een handbreedte 7,5 centimeter, een el 52,5 centimeter.[112] Er werd met elstaven, waarvan er enkele behouden gebleven zijn, en met meetkoorden gemeten.

Beide meetapparaten stellen ons voor raadsels: want de aaneenrij-ging van honderden elstaven levert een enorm foutenpercentage op, evenals het meten met de lange meetkoorden die aan temperatuur- en vochtigheidsgraadschommelingen, materiaaluitzetting dus, onderhe-vig zijn. Hoe, zo vraagt men zich af, konden de oude Egyptenaren met deze onbetrouwbare hulpmiddelen dergelijke nauwkeurige af-metingen tot stand brengen?

Hoe ze de fantastisch nauwkeurige hoeken bij de piramidenbouw bereikten, is overgeleverd. De Rhind-papyrus die in het Brits Mu-seum in Londen wordt bewaard, geeft meetvoorbeelden waaruit te zien is dat reeds tweeduizend jaar v.Chr. trigonometrische functies bekend waren. De papyrus bevat een afschrift van verschillende pira-midenopgaven waaruit we kunnen opmaken dat de hoekmeting tot zeker in het Middenrijk onbekend was. De glooiende hoek van een piramide wordt niet in graden maar in centimeters uitgedrukt, doordat de afstand van de bovenste steen tegenover de onderste aangegeven wordt. Een piramidehoek van 5 1/4 handbreedte betekent dus dat de tweede rij stenen 5 1/4 handbreedte ten opzichte van de eerste, 39,3 cm dus, meer naar achteren geplaatst wordt. Vanwege de nauwkeurigheid gebruikten de Egyptenaren alleen eenheidsbreuken zoals 1/4, 1/5, 1/25. Hierdoor kwam het echter ook door substractie van deze eenheidsbreuken van het geheel tot een verder breuk, bijvoorbeeld: 2-1/4=1 3/4 of 2-1/5 = 1 4/5.

Als we de piramidenberekeningen bekijken zoals ze ons overgeleverd zijn door de Rhind-papyrus, valt het op dat de basis en de hoogte van de piramiden in even getallen worden aangegeven, de glooiende hoek daarentegen wordt met hier en daar bijzonder gecompliceerde breuken berekend. Opgave nummer 56 in het 3700 jaar oude document geeft bijvoorbeeld de basislijn van een piramide van 360 ellen aan, de hoogte is 250 ellen en vraagt naar de glooiende hoek, die op 5 1/25 handbreedten (= 54°, 15') berekend moet worden. En omdat ook bij andere rekenvoorbeelden de grondlijnen en hoogteafmetingen altijd in ronde getallen worden aangegeven, bestaat er nauwelijks nog twijfel dat de Egyptische piramiden – afgezien van de allereerste bouwwerken – geen toevallige vormen zijn, maar geometrische lichamen die voor de bouw nauwkeurig berekend werden.

Maar hoe kwam het nu uitgerekend tot deze vorm?

Deze vorm komt zeker niet overeen met het Egyptische schoonheidsideaal. De toeschouwer ziet altijd slechts twee vlakken die bovendien in hun perspectivische verschuiving nog verwarrend werken. Ook van zuinigheid wat materiaal betreft kan bij deze massieve manier van bouwen met de beste wil van de wereld geen sprake zijn. Dus blijven er nog maar twee theorieën over waarom deze bouwwerken in de vorm van piramiden zijn ontstaan. Óf het is een symbolische architectuur, óf het is een architectuur met een vooropgezet doel.

Het ligt voor de hand om de piramides van de farao's te zien als symbolische trappen die ten hemel voeren: maar dat is een te eenvoudige verklaring.

Talrijke onderzoeksresultaten zouden dan op puur toeval berusten. En dat is wel heel onwaarschijnlijk.

Alleen in vogelvlucht kan men alle vlakken van een Egyptische pi-

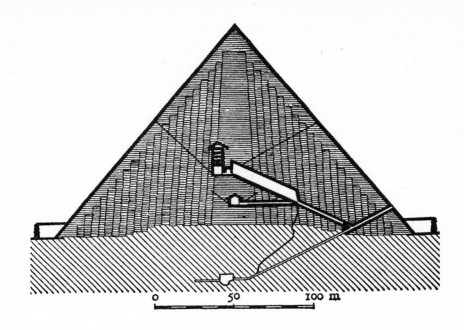

Wereldwonder en geometrisch raadsel: de 146 meter hoge piramide van Cheops bij Gizeh met de drie grafkamers. De functie van de 'grote galerij' in het midden – een enorme schuinoplopende ruimte – is tot op de dag van vandaag nog niet opgehelderd.

ramide tegelijktijdig zien. Dus schijnen de zon, het licht, stralen of kosmische krachten een rol bij de bouw van deze grafmonumenten gespeeld te hebben. Dat de zon in een of ander verband tot de piramides staat, heeft de Engelse onderzoeker dr. Brown Landone die zich tweeentwintig jaar lang in de architectuur van piramides verdiept heeft, bewezen: de basislijn van de piramide van Cheops meet 365,24 piramide-ellen, en zoveel dagen heeft ook ons zonnejaar![105] Een spel van getallen – of toeval?

De farao was telkens de incarnatie van de zoon van de zonnegod Re. Religie en zon waren voor de oude Egyptenaren dus een nauw aan elkaar verwant begrip.

Als we eens kijken naar het begin van de astronomie, dan zijn de zon en de maan met hun wisselende ritmen en hun zichtbare invloed op het aards gebeuren de beide planeten, die de mens voor het eerst op astrologische gedachten brachten. Wanneer de zon 's ochtends de kelk van de bloemen kon openen en de maan deze kelk 's avonds weer kon sluiten, dan vermoedde men daarachter een goddelijke macht die ook net zo goed het doen en laten van de mens kon beïnvloeden.

De zon en de maan waren de eerste planeten die de oude Egyptenaren op een bepaald systeem wezen. Bij het waarnemen van de nachtelijke hemel kwamen hier nog vijf sterren bij, die zich net als de zon en de maan bewogen en van licht en kleur veranderden. Dat waren – volgens onze tegenwoordige planetenkennis – Saturnus, Mars, Mercurius, Venus en Jupiter. Zeven sterren waren dus de eerste goden. Hier ligt ook de oorsprong van het heilige getal 7.

Het observatorium

De bekende Engelse astronoom Richard A. Proctor, die zich jarenlang in het onderzoek van de piramide van Cheops verdiepte, zegt in zijn boek *The Great Pyramid* (De Grote Piramide):

> Als we ons voor ogen houden dat de astronomie in de tijd van farao Cheops in werkelijkheid niets anders was dan astrologie en dat astrologie in werkelijkheid een zeer wezenlijk bestanddeel van het geloof uitmaakte, dan beginnen we te begrijpen waarom de Egyptenaren zulke ongelooflijke steenmassa's op elkaar stapelden.[145]

R.A. Proctor was ervan overtuigd dat de piramide van Cheops voor de tijd van Cheops een reusachtige hoogvlakte was die ongeveer tot de hoogte van de koningskamer (vijftigste rij stenen) reikte en toen voor astronomische waarnemingen werd gebruikt. Hoe absurd deze theorie misschien ook mag klinken, we moeten toch toegeven dat astronomische standpunten een zeer belangrijke rol speelden bij de bouw van de piramides. Zou het werkelijk slechts toeval zijn dat bepaalde sterren op bepaalde tijden aan het einde van de schuin naar beneden lopende toegang van de koningskamer verschijnen?

Ook de piramideonderzoeker Duncan Macnaughton is de overtuiging toegedaan dat de gangen van de piramiden ter waarneming van

Sirius werden aangelegd. Volgens deze onderzoeker kon Sirius aan het einde van deze lange donkere gangen zelfs overdag nog worden waargenomen, wanneer zijn baan tussen de 26° 18′ en 28° 19′ zuidelijk verliep. Sirius had de belangrijkste functie van alle sterren: hij kondigde het nieuwe jaar aan en de overstromingen van de Nijl.

De opkomst van Sirius, wanneer de ster dus voor het eerst aan de ochtendhemel zichtbaar werd – ook wel 'Eerste Ochtend Verschijning' genoemd – betekende het dat de Nijl binnenkort weer buiten haar oevers zou treden. De Hollandse onderzoeker B.L. van der Waerden die zich in de beginselen van de astronomie heeft verdiept, beweert dat er vóór de invoer van het 'zwerfjaar' met 365 dagen een andere jaarindeling in het oude Egypte gold. Weliswaar een indeling die ook begon met de overstroming van de Nijl, maar die slechts drie jaargetijden omvatte.[169]

Dit naamloze jaar werd afgelost door het *zwerfjaar* dat twaalf maanden van dertig dagen telde en vijf schrikkeldagen aan het eind van het jaar – totaal dus 365 dagen. Maar omdat het zonnejaar echter zes uur langer is dan 365 dagen en op die manier om de vier jaar een hele dag achter op de zonneklok blijft, begon het Egyptische nieuwe jaar in de loop van de eeuwen uiteindelijk een keer in alle jaargetijden.

De indeling van de jaargetijden voorziet in drie keer vier maanden. De eerste vier maanden (Thot, Phaopi, Athyr, Choiak) heten 'maanden van de overstroming', de tweede vier (Tybi, Mechir, Phamenoth, Pharmuti) zijn de 'maanden van de groei', de derde vier (Pachon, Payni, Epiphi, Mesori) werden de 'maanden van de warmte' genoemd.

Waarnemingen van de zon en schaduwen bij de piramide van Cheops tonen aan dat de oude Egyptenaren nog meer astronomische vaste punten in het verloop van een jaar kenden. Tijdens de eerste helft van een jaar ligt de noordelijke driehoek van de piramide volledig in de schaduw. Tijdens de tweede helft van het jaar, als de zon in het noordoosten op- en in het noordwesten ondergaat, schijnt het zonlicht echter ook op de noordzijde. Het is bijzonder interessant dat er een duidelijke overgangstijd is tijdens welke deze piramidezijde half in de zon en half in de schaduw ligt. Dit fenomeen wordt tweemaal per jaar waargenomen en wel veertien dagen voor de voorjaars- en veertien dagen na de herfst dag- en nachtevening. In de oude tijd toen de piramide nog met een glanzende gepolijste bovenlaag bedekt was, viel dat nog duidelijker op dan tegenwoordig.

De berekening van het Egyptische verleden en de toekomst is op basis van het 365 dagen tellende jaar een eenvoudige zaak: er waren echter des te meer moeilijkheden bij het bepalen van religieuze feesten die op vaste tijden in het jaar moesten plaatsvinden. Zulke feestdagen werden uiteindelijk van jaar tot jaar door priesters opnieuw vastgesteld, omdat men niet over vaste oriënteringsmogelijkheden beschikte.

Deze Egyptische kalender bleef geldig tot de tijd van de eerste Romeinse keizer Augustus (63 v. tot 14 n.Chr.), toen men in Alexandrië voor het eerst elke vier jaar een extra zesde schrikkeldag invoerde. Deze tijdrekening wordt de *Alexandrijnse kalender* genoemd. De geschriften van de belangrijkste astronomen uit de oudheid, Ptolemaeus (±140 n.Chr. in Alexandrië) en de Egyptische planetentabellen uit de Romeinse keizertijd tonen echter aan dat beide kalenders nog eeuwen lang samen in gebruik waren.

De correctie van de kalender had eigenlijk al tweehonderd jaar voor Augustus moeten plaatsvinden. Ten noordoosten van Alexandrië ligt de plaats Canopes, die beroemd is vanwege haar orakel en haar Serapistempel. Hier besloten astronomen, priesters en politici reeds in 238 v.Chr. dat het jaar van toen af aan op 365 dagen en 6 uur berekend moest worden;[3] maar het bleef bij het besluit. Het Edict van Canopes werd eerst ten tijde van keizer Augustus verwezenlijkt.

Over de hieraan verbonden complicatie van de datering en de berekening van Oudegyptische vaste data schrijft B.L. van der Waerden:

Hieruit volgt dat in de Alexandrijnse kalender de datum van de eerste ochtendverschijning van Sirius van jaar tot jaar praktisch gelijk blijft of, liever gezegd, dat het Alexandrijnse jaar bijna gelijk is aan het jaar van Sirius. Nu geldt echter de vergelijking 1460 Alexandrijnse jaren = 1661 Egyptische jaren. Daaruit volgt dat na afloop van 1661 Egyptische jaren de eerste ochtendverschijning van Sirius in de Egyptische kalender weer ongeveer op dezelfde Egyptische datum plaatsvindt. Deze periode wordt de Sothisperiode genoemd omdat Sothis de Egyptische naam voor Sirius was. De Sothisperiode kan, als men van een willekeurige waarneming uitgaat, te allen tijde ver terug berekend worden. Zo is Theon van Alexandrië uitgegaan van de eerste ochtendverschijning van Sirius in het juliaanse jaar 139, dat op de Egyptische kalender op de 1e Thot viel, en heeft daaruit berekend dat ook in de jaren 4241, 2781 en 1321 de eerste ochtendverschijning op de 1e Thot viel.[169]

Sterren en wonderen

Astronomie was voor de Egyptenaren aanvankelijk absoluut geen onderwerp voor wetenschappelijk onderzoek, maar een praktische hulp ter oriëntering in de onberekenbare zee van tijd. Waarheen moest men ook anders kijken dan naar de hemel om regelmaat, systeem en perioden te herkennen? En is het inderdaad soms geen wonder dat een ster, die men maandenlang aan de hemel ziet op- en ondergaan, plotseling wegblijft en na zeventig dagen net zo plotseling weer ziet opdagen?

De Griekse dichter Hesiodus (7e eeuw v.Chr.) is een volgeling van de Oudegyptische leer. In zijn boek *Werke und Tage* beschrijft hij de fasen van de vaste sterren en planeten. Over het einde van de winter schrijft hij:

Als Zeus de winterse dagen beëindigd heeft, zestig dagen nadat de zon zich gekeerd heeft, dan zal de ster Arcturus de heilige vloed van Oceanus achter zich laten en in een stralende glans als eerste uit de nevelen omhoog stijgen.

De waarneming van de sterren werd uiteindelijk vastgelegd in de eerste kalender ter wereld. De oudste behouden gebleven Egyptische kalenders stammen uit de 20e eeuw v.Chr. en zijn merkwaardigerwijze op de binnenkant van doodskistdeksels geschreven. Het geloof aan de wedergeboorte was zo groot dat de nabestaanden de graven van hun voorvaderen niet alleen van eten en werkgereedschap voorzagen, maar ook van kalenders.

Op deze kalenders zijn duidelijk aanwijzingen naar tijdsterren en sterrenbeelden waar te nemen. Volgens deze waren er in het oude Egypte zesenendertig sterrengroepen. De schijnbare cirkel, waarin de schijnbare beweging van de zon plaatsheeft, de ecliptica of dierenriem wordt in zesendertig vakken onderverdeeld. De Grieken noemden deze onderdelen later decaden. De astronomische Carlsberg-I-papyrus vertelt over het leven en sterven van een decade op elke tiende dag en van de zeventig dagen waarin de (onzichtbare) decade zich in het huis van Geb (aardgod) ophoudt om zich te reinigen.

Het systeem van de decaden werd in het Middenrijk de basis van een decadenleer, de astrologie. De opgang van een decade en de geboorte van een mens waren door het lot met elkaar verbonden. De als tijdmeting bedreven astronomie werd de astrologie van de priesters en magiërs. In talrijke tempels en graven zijn schilderingen van sterrenwichelarij behouden gebleven, bijvoorbeeld in de tempels van Edfoe, Esneh en Dendera, in de graven van Ramses II, Sethos I en Semnoet, de kanselier van Hatsjepsoet.

Hoewel de astrologie, de leer van de sterrenwichelarij, nog steeds bestaat, is de piramidologie, de leer van het onderzoek van de piramiden, in het vergeetboek geraakt, doch beide wetenschappen gingen eeuwenlang hand in hand. Hier is natuurlijk een eenvoudige verklaring voor: astrologie kan en wordt in bijna alle landen ter wereld bedreven, onderzoeken naar piramides zijn slechts in Egypte mogelijk. Want alleen daar zijn piramides – afgezien van de geometrisch volkomen anders geconstrueerde piramides in Mexico. Het doorlichten van piramides met moderne meetapparatuur en parawetenschappelijke onderzoeken begonnen pas in de tweede helft van de vorige eeuw.

Zin en doel van de geometrische constructie

In het begin wekte de symbolische geometrie van de piramides bij alle onderzoekers ter wereld grote interesse. De piramide bestaat immers uit een vierkant grondvlak waarop een driehoek gebouwd is. Die driehoek, het symbool van de goddelijkheid (Osiris, Isis, Horus of goddelijke drievuldigheid) staat op het vierkant, het symbool van de materie. Omdat bij de Egyptenaren de dodencultus op de eerste plaats bestond uit menselijk plichtsbesef en geestelijke overwegingen, is een symbolische betekenis van de bouwwerken niet uit te sluiten.

Maar het is waarschijnlijker dat de eigenzinnige vormgeving van de piramides een doelmatige architectuur is, overeenkomstig de wetenschappelijke kennis van magiërs en priesters en ervoor diende de in de piramide te begraven farao aan zeer bepaalde invloeden te onderwerpen. In deze theorie verdiepte zich reeds de Griekse filosoof Plotinus (205-270 n.Chr), een neoplatonische mysticus die over het bestaan van de Oudegyptische geheime cultus vertelde. Hij kan echter niets over details rapporteren. Plotinus legt dat uit met: 'Want in deze geheime cultussen is het een wet dat de geheimen niet aan niet-ingewijden verraden mogen worden.' En iedere overtreding van dit gebod werd met de dood bestraft, waarbij zowel de verrader als de onrechtmatige medewetende moest sterven. Wat iemand te wachten stond die in deze Oudegyptische mysteriecultus werd ingewijd, beschrijft de Engelse onderzoeker A. P. Sinnett:

Nieuwelingen moesten een serie angstaanjagende proeven ondergaan, waarbij hun standvastigheid, hun moed en hun verstand op de proef werden gesteld. Onder psychologische druk, slagen en verdovende middelen, werd de nieuweling ingehamerd dat hij in afgronden zou storten, gestenigd zou worden, over hoog in de lucht schommelende bruggen moest lopen, door vuurzeeën moest gaan, zou verdrinken en door wilde dieren zou worden aangevallen.[160]

In de grote tempel van Philae staat een dergelijke inwijdingsceremonie afgebeeld. In tegenstelling tot de verder bijzonder natuurgetrouwe Oudegyptische reliëfafbeeldingen is deze beperkt tot een symbolische scène hetgeen – gezien de geheimhouding van deze cultus – natuurlijk begrijpelijk is.

William Kingsland vraagt zich af in zijn boek *The Great Pyramid in Fact and Theory*[99] (De Grote Pyramide – feiten en theorieën) of die afgebeelde ceremonies misschien plaatsvonden in de talrijke zijkamers van de piramides. Aanwijzingen daarvoor zijn te vinden in de verschillende dodenboeken, die over verschrikkelijke vijandelijke krachten vertellen waar de dode, die de dingen van deze wereld achter zich heeft gelaten, aan blootgesteld wordt voordat hij het rijk van Osiris mag betreden.

Bewustzijnsvernauwing in de Koningskamer

Als we hier de vraag stellen of de piramides werkelijk niet los gezien konden worden van de mysterieuze cultus, dan is er veel wat er voor en niets wat er tegen spreekt. Want de farao was altijd een 'ingewijde'. En omdat de dodenbegrafenis en -verzorging een zaak van priesters en magiërs was, zou het beslist niet vreemd geweest zijn, wanneer in deze geweldige grafmonumenten ook mystieke ceremonies zouden hebben plaatsgevonden. Het is alleen de vraag of de afgebeelde inwijding in de mysteries van de nieuwelingen inderdaad ook onder invloed van slagen en verdovende middelen voltrokken werd.

Zoals we reeds gehoord hebben, heeft de vorm van een piramide invloed op de dehydrering en conservering van dode lichamen. Dierenproeven en tests met dode organen hebben duidelijk bewezen dat dode organismen in een piramide op onverklaarbare wijze behouden blijven en niet tot ontbinding overgaan. Natuurlijk zijn deze latere ontdekkingen geen toeval, als men bedenkt hoeveel moeite de oude Egyptenaren zich voor het conserveren van hun lijken gaven. In dit verband is het wel interessant dat ze pas in de tijd waarin ze geen piramides meer bouwden, begonnen met de gecompliceerde mummificering van hun doden. Tot die tijd stelden ze zich meestal tevreden met een eenvoudige balseming.

Even onverklaarbaar is de volgende waarneming: bij langer verblijf in een piramide kan het bewustzijn van de mens negatief beïnvloed worden. Was dat misschien de reden waarom de geheime dienst Chroesjtsjov waarschuwde tegen het betreden van de piramide van Cheops?

De Engelse India- en Afrika-onderzoeker Paul Brunton, die Egyptoloog, noch parapsycholoog is, heeft dit fenomeen uitgezocht. Hij liet zich een nacht in de koningskamer in het midden van de piramide van Cheops opsluiten; die onderneming was vooral bijzonder moeilijk, omdat geen enkele instantie in Caïro hem daarvoor toestemming wilde verstrekken. Uiteindelijk kreeg Brunton van de hoofdcommissaris van politie te Caïro de vergunning om één maal in de piramide van Cheops te mogen overnachten.

Brunton bleef de eerste paar uur in de grote galerij, die smalle, maar hoge schuinlopende gang voor de koningskamer; vervolgens ging hij in een hoek van de kamer zitten. Opeens kreeg hij het gevoel dat hij niet meer helder kon denken. Hij sloot zijn ogen en kreeg visioenen. Paul Brunton vertelt:

Angst, vrees en schrik toonden me volhardend hun verschrikkelijke gezichten. Zonder dat ik het wilde, klemde ik mijn handen stijf in elkaar... Mijn ogen waren dicht, maar die grauwe, glijdende, nevelachtige schimmen drongen zich in mijn gezichtsveld.
En aldoor voelde ik die onverbiddelijke vijandigheid... Een kring van vijandelijke wezens omringde me, enorme primitieve wezens, afschrikwekkende gestalten uit de onderwereld, groteske vormen, waanzinnigen, ongeslachtelijke en duivelse verschijningen kwamen op me af, gingen om me heen staan, ze waren buitengewoon afstotelijk![7]

De onderzoeker die in zijn leven reeds vele avonturen overleefd had, was een zenuwinzinking nabij. Hij merkte hoe zijn spieren zich verkrampten, hij kon zich niet meer bewegen. Hij voelde dat er ergens een griezelige kracht op zijn vijf zintuigen inwerkte. Volledig apathisch werd hij de volgende morgen weer uit de piramide gehaald.

Zeker, ook voor een avonturier als Paul Brunton kunnen bij dit experiment in de piramide van Cheops emotionele gevoelens een rol gespeeld hebben. Wie zou graag moederziel alleen een nacht in de grafkamer van de afgesloten piramide van Cheops doorbrengen! Er zijn echter genoeg getuigenissen dat zulke dingen ook overdag en bij aanwezigheid van vele andere mensen gebeuren.

Toen ik in 1972 voor het laatst de piramide van Cheops bezocht, ontmoette ik leden van een Duits reisgezelschap, die met Egyptische gidsen het binnenste van de piramide bezichtigden. Een Spaanse, die zich bij de groep had aangesloten, begon plotseling aan het bovenste uiteinde van de grote galerij luid te schreeuwen. Ze zakte op de met dwarse latten gemaakte loopplank in elkaar en kon zich niet meer bewegen. Het meisje moest met moeite door de nauwelijks een meter hoge toegang tot de grote galerij naar beneden gebracht worden. In het daglicht kwam ze weer tot zichzelf en de verkramping hield ook op. Ik vroeg de Spaanse of ze het voorval kon verklaren, of haar wel eens vaker zoiets was gebeurd. Maar ze was volkomen radeloos en zei: 'Het was alsof ik plotseling door iets getroffen werd.'

De gids van de piramide vertelde me dat zulke 'aanvallen' relatief vaak voorkomen. De Engelse onderzoeker H.V. Morton, vooral bekend geworden door zijn boek *Through Lands of the Bible*[129] beschrijft hoe hijzelf bij een bezoek in de koningskamer van de piramide van Cheops het slachtoffer van vreemde invloeden werd. Morton, die eveneens met een groep naar binnen was gegaan, kreeg in de kamer opeens een gevoel van paniek. Hij kreeg een aanval van zwakte en kroop, zoals hij het zelf afschildert, op handen en voeten uit de lage ingang van de grafkamer.

De dood van twee piramidenonderzoekers

Twee archeologen die jarenlang in de piramiden hadden verbleven, stierven zo plotseling dat hun dood intussen ook door sceptici in verband met hun onderzoekswerk wordt gebracht. De bekende Engelse Egyptoloog Sir Flinders Petrie, die zich als geen tweede met de meest verschillende piramidetheorieën had beziggehouden, stierf volkomen onverwacht en onverklaarbaar op 28 juli 1942 op zijn thuisreis van Caïro in jeruzalem.

Sir Flinders Petrie had nog meegemaakt hoe zijn collega prof. George A. Reisner om het leven kwam. Deze Amerikaanse archeoloog, directeur van het Boston-Harvard-Onderzoekgenootschap, had in de jaren twintig en dertig belangrijke ontdekkingen gedaan. Reisner had onder andere het prachtig ingerichte graf van de moeder van Cheops, Hetepheres, ten oosten van de piramide van Cheops gevonden. Reisner had in 1939 via de radio geschiedenis gemaakt toen hij vanuit de koningskamer van de piramide van Cheops een reportage uitzond. Zijn dood in het voorjaar van 1942 was minstens even spectaculair als deze reportage. Prof. Reisner was in het binnenste van de piramide in elkaar gezakt en bleef als verlamd liggen. Hij moest door zijn collega's via de nauwe ingang naar buiten gesleept worden. Vervolgens werd Reisner naar het kamp van de opgravers in de buurt van de piramide gebracht, waar de archeologen hun werkgereedschappen bewaarden. Daar stierf George A. Reisner, zonder nog tot bewustzijn te zijn gekomen.

Sinds deze mysterieuze sterfgevallen in het jaar 1942 hebben talrijke geleerden zich met de fysische betekenis van de piramides beziggehouden. Fysici zijn nuchtere mensen. Op zoek naar het geheim van de piramides vergaten ze alle historische overleveringen en symbolische geometrie en zochten naar een mogelijke functie van deze vorm. Het probleem waar ze voor gesteld waren luidde: bewerkt de vorm van een piramide een accumulatie van kosmische stralen, magnetische schommelingen of onbekende energiegolven? Werkt de piramidevorm als een condensator, als een lens voor bepaalde vormen van energie? Kenden de Oudegyptische priesters en de mysterieuze culten geheime methoden om geweldige energieën vrij te maken?

Een fout die we tegenwoordig graag maken, is te denken dat alles al ontdekt is, wat er op de wereld te ontdekken valt. Maar bij elke oorlog wordt ons weer iets beters geleerd. Friedrich Engels dacht in 1878 al dat de Duits-Franse oorlog het toppunt van technische oorlogvoering gedemonstreerd had, omdat van toen af elk leger van iedere afstand door reusachtige kanonnen kon worden getroffen. Tegenwoordig glimlachen we daarom.

Toen boven Hiroshima en Nagasaki de eerste atoombommen werden afgegooid, stuurde de commanderende generaal Spaatz een telegram naar het Pentagon in Washington dat met de volgende woorden begon: 'That Atomic Bomb disposes of all high ground...' Intussen is dynamiet ouderwets wat oorlog voeren betreft en ook de atoomenergie wordt niet meer als de nonplus ultramoderne vernietigingstechniek bekeken. Dodelijke stralen zijn de laatste uitvinding van de technici, die ze geheimzinnig laser noemen (Light Amplification for Stimulated Emission of Radiation), hetgeen zoveel betekent als 'licht-

versterking door opwekking van stralen van een vreemde stralen-
bron'.

Al deze energievormen heeft de oorlog ons geschonken die – zoals
Heraclitus zegt – 'de vader van alle dingen' is. En als we die puur fysisch onder de loep nemen, dan moeten we eigenlijk toegeven dat het
principe van dit energiegebruik eigenlijk veel eenvoudiger is dan bijvoorbeeld de elektriciteit. Wat voor een ingewikkelde omwegen en
installaties zijn er niet nodig om elektrische stroom op te wekken!
Tegenwoordig kan men met behulp van laserstralen tunnels boren en
netvliesoperaties verrichten en praktisch alles doen en ze zijn eigenlijk niets anders dan een versterking van het licht, waarbij in het zogenaamde laserkanon een lichtstraal door afgedwongen emissie van
opgewekte atomen en moleculen versterkt wordt en licht ontstaat dat
tienmaal zuiverder en veel helderder dan het zonlicht is.

Laseronderzoek zonder geheimen

Toen een onderzoeksgroep van de Hughes-fabriek in Malibu, Californië, in juni 1960 voor het eerst succes had met een laserexperiment
werd deze daad als een wetenschappelijke sensatie verwelkomd. Op
congressen, in universiteiten en onderzoekslaboratoria, in kranten en
op de televisie, overal sprak men over het nieuwe toverwoord: laser.

Stel: Dr. Theodore Maiman, de leider van het onderzoeksproject in
Malibu zou al zijn medewerkers een hersenspoeling hebben laten
geven, hij zou hen allen tot een absoluut stilzwijgen over deze ontdekking hebben verplicht, hij zou de fysici met de doodstraf hebben
bedreigd in geval van verraad, hij zou zijn collega's hun leven lang in
het instituut hebben opgesloten, dan hadden dr. Maiman en zijn
medewerkers beslist nog tientallen jaren met laser kunnen experi-
menteren en verdere toepassingsmogelijkheden voor deze energie
kunnen ontdekken. En eens op een dag, na vele jaren wanneer deze
gekke fysici misschien alleen nog maar van horen zeggen bekend
geweest zouden zijn, dan was er misschien eens een spiraalvormig
buisje van zilverglas gevonden met een staafje robijn erin, vreemd
aandoende overblijfselen, onverklaarbaar wat hun functie betreft.

Niemand zou dan op het idee gekomen zijn dat deze spiralen het hart van een laserkanon waren. Natuurlijk waren er dan intussen andere vormen van energie ontdekt, maar het geheim van de laser hadden de onderzoekers van Malibu in hun graf meegenomen.

Dat dit een absurde veronderstelling is, ligt niet aan het gebeuren zelf, maar aan de omstandigheden. In Malibu bestaan geen hersenspoelingen, geen bedreigingen met de dood en geen ingemetselde fysici. Maar al deze omstandigheden, die hier niet meespeelden, bestonden wel degelijk in het oude Egypte. Daar heersten de magiërs waar het volk blindelings aan overgeleverd was, omdat hetgeen dat zij deden het voorstellingsvermogen van deze eenvoudige mensen volkomen te boven ging.

We zijn tegenwoordig maar al te gauw geneigd de wetenschappelijke potentie van dit intelligentste volk uit de cultuurgeschiedenis te onderschatten.

De fysicus uit Caïro, dr. Amr Gohed, die in 1969 de experimenten met radioactieve stralen van de Amerikaanse atoomgeleerde prof. Luis Alvarez in de piramide van Cheops op de computer uitrekende, meende met het oog op de kosmische straling in het binnenste van het drieënhalfduizend jaar oude bouwwerk: 'Dat wat binnen de muren van een piramide gebeurt, is in strijd met alle bekende wetten van wetenschap en elektronica.'

Dr. Amr Gohed dacht hierbij aan de analyse op de magneetbanden, waarop de neerslag van de stralen in het binnenste van de koningskamer geregistreerd was. De opgevangen impulsen waren zowel akoestisch als ook optisch vast te leggen. Op fotometrische strepen konden duidelijk lijnstructuren, symbolen en geometrische vormen herkend worden. Maar dat was niet hetgeen dat de fysici zo radeloos maakte. Het feit dat deze symboliek en geometrie van dag tot dag veranderde, was zo vreemd. Onder dezelfde omstandigheden, met dezelfde meetapparatuur. In een bericht aan de *New York Times* verklaarde dr. Amr Gohed:

Of er bestaat een grondige fout in de geometrie van de piramide, waardoor onze metingen beïnvloed worden, of we hebben hier met een mysterie te maken dat elke verklaring tart – u kunt het noemen zoals u wilt: occultisme, vloek van de farao's, hekserij of magie. Er is in elk geval in het binnenste van de piramide een kracht aan het werk die in strijd is met alle wetenschappelijke wetten.[135]

Noch astrofysici noch parapsychologen kunnen thans vertellen om welke soort energie het hier gaat. Is het psychotronische energie, materiestraling of een reeds bekende vorm van energie, waarmee alleen maar niet gerekend wordt omdat deze hier zeker niet verwacht wordt? In dat geval zou ons bij het onderzoek van deze verschijnselen de wetenschap een echter remming zijn, 'omdat er niet mág zijn hetgeen er niet kán zijn'.

Röntgenflitsen uit het heelal

Soms doet de huidige wetenschap bij toeval ontdekkingen, die ons doen vermoeden welke geheimen de astrofysica nog in petto heeft. Zo berichtte de *Süddeutsche Zeitung* op 9 maart 1973 onder de kop 'Röntgenflitsen van Hercules – een pulsar in een dubbelstersysteem veroorzaakt zonderlinge effecten':

Elke 1,23782 seconde bereikt ons een röntgenflits van het sterrenbeeld Hercules. Dat is het resultaat van waarnemingen van de satelliet Uhuru die tegenwoordig met behulp van bijzonder nauwkeurige röntgenapparatuur boven de absorberende aardatmosfeer de hemel op röntgenbronnen afzoekt. Deze satelliet is bij zijn onderzoek intussen reeds op zoveel vindplaatsen gestoten, dat men tegenwoordig beslist niet meer de mening toegedaan kan zijn dat röntgenbronnen in het heelal tot de 'meest exotische' en vreemdste verschijnselen behoren.

Pulsars, dus kortdurende impulsen uitsturende energiebronnen in de ruimte, zijn geen novum in de astrofysica. De soort energie is wel nieuw, namelijk röntgenstralen en het feit dat deze pulsar telkens na 1,7 dagen zijn werking 4 uur onderbreekt. Dat lijkt echter maar zo. Nieuwe onderzoeken van het Wise-observatorium in Tel Aviv toonden aan dat die röntgenflitsen slechts elke 1,7 dagen door een in 1936 ontondekte planeet in het sterrebeeld Hercules, de HZ-Hercules, worden afgeschermd. En omdat de HZ-Hercules ook elke 1,7 dagen van helderheid verandert, ligt het vermoeden voor de hand dat het bij HZ-Hercules en de tot nu toe onbekende röntgenbron om twee sterren gaat waarvan de een elke 1,7 dagen om de ander draait.

We mogen niet aannemen dat de oude Egyptenaren met reusachtige spiegeltelescopen in de ruimte tuurden en naar vreemde sterren uitkeken. Maar we mogen wél aannemen dat de oude Egyptenaren waarnemingen deden en organische reacties analyseerden of dat ze tenminste probeerden ze in een systeem in te passen. En dan moeten we ons de geweldige spanne tijds voor ogen houden die zij voor deze onderzoeken ter beschikking hadden. Alleen al tussen de oprichting van de piramide van Cheops en de dood van Toetanchamon lagen meer jaren dan tussen de tijd van Christus' geboorte en de ontdekking van Amerika.

Het standsbewustzijn van de oude Egyptenaren was niet alleen bij de faraogeslachten onvoorstelbaar groot – zo groot dat de manlijke nakomelingen eeuwenlang dezelfde naam droegen – ook bij de priesters en magiërs was dit bewustzijn diep geworteld. Het onderzoek van een probleem strekte zich vaak over meer generaties uit. De vader gaf het probleem en zijn ervaringen aan de zoon door, de oude meester aan de nieuw opgenomene. De wetenschap van de oude Egyptenaren was niet zozeer een wetenschap van het onderzoek dan wel een wetenschap van ervaring. Het beste bewijs daarvoor is wel de architectuur van de piramiden waar tientallen jaren lang mee geëxperimenteerd werd. De verschillende bouwfasen van alle piramides tonen dat duidelijk aan. Wie wil dan nog twijfelen dat vorm en plaats van de piramides niet op basis van belangrijke ervaringen gekozen werden.

13
De stem uit de 18e dynastie

In het 'International Institute for Psychical Research' in Londen wordt een grammofoonplaat bewaard, die daar op de 4e mei 1936 werd opgenomen. Op deze plaat hoort men keelgeluiden die – dat is duidelijk te horen – van een vrouw afkomstig zijn. Wat men afgezien van het geruis en de achtenzeventig toeren per minuut kan horen, klinkt ongeveer als: 'Iw e tena...'

Deze klanken zouden voor een Afrikaans dialect gehouden kunnen worden. Maar als dat het geval geweest was, dan hadden de Londense geleerden zich in 1936 niet de luxe veroorloofd om er een grammofoonplaat van te maken. De eigenaardige onverstaanbare tonen zijn een bestanddeel van een taal die sinds vijfentwintighonderd jaar niet meer gesproken wordt. 'Iw e tena...' is Oudegyptisch en betekent zoveel als: 'Ik ben zeer oud...' Maar dat is niet het meest sensationele of eigenlijk ongelooflijke aan deze plaat. Het fantastische ervan is dat niet alleen de taal maar de stem uit de 18e dynastie is, in trance uitgesproken door een lerares van onze tijd uit het Engelse Blackpool, maar met de gedachtegang van een vrouw die veertienhonderd jaar voor onze jaartelling leefde. Een voorval waarmee de wetenschap zich nu ook bezighoudt en wel onder de benaming xenoglossie.

Wat is xenoglossie?

Het begrip bestaat uit twee Griekse woorden, *xenos* (vreemd) en *glossa* (taal, tong). Het duidt de mogelijkheid van een mens aan om in een droom of in trance zinnen in een vreemde taal te spreken, die deze mens nooit in zijn leven geleerd heeft. Voorwaarden voor deze mogelijkheid zijn volgens de parapsychologen geestelijke spanningen of opwinding. Omdat xenoglossie heel zelden voorkomt is dit fenomeen nog relatief weinig door de geleerden onderzocht. De oudste schriftelijke getuigenis van xenoglossie kennen we uit de geschiedenis van de apostelen (Paulus in de brief aan de Korinthiërs 1, 12). Uit opwinding over hun zendingsopdracht begonnen de apostelen plotseling in een andere taal te praten. In 1634 zouden de nonnen van het Londens klooster der Ursulinen in trance Latijn, Grieks, Turks en Spaans hebben gesproken. En omstreeks het midden van de vorige eeuw leverde de Amerikaanse Laura Egmonds een interessant voorbeeld van xenoglossie toen ze – zonder het zelf te weten – plotseling Oudgrieks begon te spreken.

De vreemde prestaties van Ivy B. (mevrouw B. heeft vanwege haar beroep nooit haar naam willen prijsgeven en naderhand zelfs het pseudoniem 'Rosemary' aangenomen) werden eigenlijk toevallig ontdekt. De lerares leerde op school de muziekpedagoog dr. Frederic H. Wood kennen, een man die zich ook in parapsychologische onderzoeken verdiepte. 'In het begin,' vertelt Frederic Wood,[177] 'hadden we alleen de muziek als gemeenschappelijke interesse. Mevrouw B. had geen idee van parapsychologie en ze was ook totaal niet geïnteresseerd in mijn onderzoeken.' Tot op een herfstavond in 1927 toen Wood en Ivy B. samen zaten te praten en de lerares plotseling vreemde tekens op een papier begon te krabbelen. 'Toen werd het mij duidelijk,' zei Wood, 'dat ik hier een zogenaamd "schrijvend medium" voor me had zitten.' Dr. Wood wist toen nog niet dat Ivy B. Oudegyptische woorden opschreef. Dit idee kwam pas langzamerhand bij hem op. Ten slotte vroeg hij de Egyptoloog dr. Alfred J. Howard Hulme uit Oxford om raad en die identificeerde de eerste tekens.

Dr. Wood volgde Ivy's aantekeningen – die nooit langer dan een minuut of twintig doorgingen – met de accuratesse van een geleerde totdat op 8 augustus 1931 een experiment een volkomen nieuw licht op de zaak wierp. Op die dag begon Ivy B. voor het eerst vreemde geluiden uit te stoten. 'Ah – yita – zula' klonk het ongeveer. Het betekent: 'Ik heb iemand iets horen zeggen.' De geluiden waren vaak zo onduidelijk en moeilijk te identificeren dat zelfs Egyptologen het moeilijk vonden ze op te schrijven. Maar in de loop van jarenlange experimenten gelukte het dr. Wood en dr. Hulme toch een routine te krijgen, die ze in staat stelde de tijdens een experiment opgeschreven woorden binnen een paar uur te vertalen.

Hoe is het mogelijk dat een vrouw zinnen herhaalt die uit het denkproces stammen van een mens die drieëndertighonderd jaar geleden gestorven is?

'Ik voel,' zegt Ivy B, 'deze zinnen als een onhoorbare taal. Ik merk dat ze in een ander gedeelte van mijn hersens gevormd worden dan de normale taal. Je zou kunnen denken dat het ergens tussen de hersens en de schedel gebeurde.' Daar kwam nog bij dat de woorden gemakkelijker over haar lippen kwamen, wanneer ze aan absoluut niets dacht dan wanneer ze zich op een vraag of een thema concentreerde.

Ivy B. schildert het voorval als volgt: 'Als iemand spreekt, dan moet hij eerst een gedachte hebben. Wanneer die stem in mij spreekt, dan denk ik aan niets. Mijn lippen bewegen, er worden woorden gevormd; maar hoe dat precies gaat, kan ik ook niet zeggen.' En er is nog een verschil met het normale spreken: 'Normaal gesproken weet je wat je gezegd hebt, in ieder geval de eerste paar minuten weet je dat nog. Ik kan me totaal niets herinneren van wat ik in trance gezegd heb, noch het herhalen, noch de inhoud van het gesprokene uitleggen.'

Frederic Wood controleerde deze uitspraak door met een tussentijd van maanden en jaren zijn medium dezelfde vraag te stellen. De antwoorden die hij kreeg, luidden qua inhoud hetzelfde als datgene wat hij al eerder tot antwoord had gehad, maar ze werden iedere keer anders geformuleerd.

Zoals dr. Frederic Wood vertelde, werden de door hem geleide experimenten met de lerares uit Blackpool vaak door invloeden van buitenaf onderbroken, zoals vliegtuiglawaai, radio of geraas van motoren. Zulke experimenten vereisen toch – volgens dr. Wood – een absoluut rustige omgeving om iedere afleiding te vermijden. De experimenten, die zich over tientallen jaren uitstrekten vroegen van mevrouw Ivy volkomen ontspanning, zowel geestelijk als lichamelijk. Voordat een dergelijk experiment begon zaten Frederic Wood en Ivy ongeveer twee tot vijf minuten schrijvend tegenover elkaar. Wood noteerde dan bepaalde gedachten of vragen waarbij hij de vrouw in een toestand van hypnose bracht, waarin zij dan in staat was om zijn onuitgesproken gedachten te begrijpen.

Het duurde bijna drie jaar voordat Wood en Hulme uitgevonden hadden aan wie deze stem nu eigenlijk behoorde. Haar naam gaf de stem pas op de 5e december 1931 prijs, toen ze door mevrouw Ivy een serie van achtentwintig Egyptische zinnen liet opschrijven, waarvan de Egyptoloog Howard Hulme ieder woord precies kon vertalen – op één na. Dat luidde: 'Ventiu.' Zes weken later noemde mevrouw B. een tweede naam 'Telika' en herhaalde 'Ventiu'. Een halfjaar later doken beide namen weer in een trancegesprek op. Dit stelde de Egyptoloog voor een raadsel, temeer daar de stem zich tot die tijd als 'Nona' betiteld had, dat in het Oudegyptisch 'naamloze' betekent.

Pas op 6 juni 1935 gaf de stem zich geheel bloot. Haar echte naam luidde 'Telika'. Ze kwam uit Babylon, maar toen ze in Egypte kwam, had ze de Egyptische naam 'Ventiu' gekregen. Zij zelf had als 'Nona', als naamloze gesproken omdat haar naam door de geschiedschrijving niet geregistreerd was.

Telika, de vierde vrouw van Amenhotep III

De Egyptologen wisten weliswaar van de in 1887 bij het dorp Telel-Amarna gevonden Amarna-tabletten, die onder andere de correspondentie van Amenhotep III met de Babylonische koning Kadashman En-lil bevatten, dat de derde Amenhotep met de zuster van Kadashman getrouwd was geweest, maar haar naam kende men niet.

De eerste vrouw van Amenhotep III heette Teje, die aan Amenhotep IV, de latere Echnaton, het leven schonk. In de tabletten van Amarna worden nog drie vrouwen van de farao genoemd: de beide prinsessen uit het Mitanni-rijk Giloechephe en Tadoechepha en een zuster van de Babylonische koning Kadashman En-lil, maar haar naam is niet overgeleverd. Deze vrouw was dus kennelijk Telika, de stem. Telika wordt in een brief van Kadashman aan Amenhotep genoemd, waarin deze zijn verwondering erover uitspreekt dat de farao nu ook nog zijn, Kadashmans, dochter tot vrouw wil nemen – waar hij toch zijn zuster al had. 'Niemand heeft haar echter tot nu toe gezien,' schrijft Kadashman En-lil, 'of weet of ze nog leeft of dood is. U zei tegen mijn bode toen uw vrouwen voor u stonden: "Ziet uw heerseres aan, daar staat ze voor u." Maar mijn bode heeft haar niet herkend. Is dat inderdaad mijn zuster, die er als de vrouw uitziet die u daarvoor uitgeeft?'

De argwaan is gerechtvaardigd dat Telika ten tijde van de aankomst van de gezant uit Babylon niet meer in leven was en dat Amenhotep zijn exotische harem door middel van de dochter van Kadashman weer op het oude peil wilde terugbrengen. Telika was een der meest gehate vrouwen aan het hof van de farao. Koningin Teje koesterde argwaan om haar enorme invloed op Amenhotep III. De corrupte Amon-priesters waren bang voor de sympathieën van Telika voor het juist opkomende Aton-geloof, dat een paar jaar later door Amenhotep IV tot staatsreligie werd verklaard.

De invloed van de Babylonische was niet te onderschatten, ook al omdat ze als vrouw van de farao tempelpriesteres was. Blijkbaar beoordeelde Telika de duistere intriges van de priesters en magiërs zeer kritisch en was ze alleen daarom al van mening dat een nieuwe religie geen kwaad zou kunnen.

Uit haar tijd als tempelpriesteres vertelt Telika interessante historische details. Ze vertelt over de invloed van de priesters:

Ik weet dat de grote macht van de priesters over het volk op bijgeloof rust. Door dit bijgeloof konden de priesters het volk overheersen. Het volk was bevreesd voor hen.

Op 26 oktober 1935 spreekt Telika door de mond van mevrouw Ivy B. woorden die de theorie die wij in dit boek vertegenwoordigen, bevestigen. Telika zegt:

De priesters van hogere rang bedienden zich van occulte wetenschappen, zoals de telepathie. Ze konden hun eigen toekomst voorspellen. Veel van hun occulte kennis is nooit opgeschreven en slechts de opperpriesters kenden deze dingen.

In de tempels waar de priesters hun met geheimen omsluierde zaken afhandelden, heerste een absoluut stilzwijgen. Het allerheiligste waar alleen de priesters mochten komen, was met zware gordijnen afgesloten. Haren en wenkbrauwen van de priesters werden afgeschoren. Op een lendendoekje na waren ze naakt. Sferische klanken uit lange blaasinstrumenten en harpen verwekten bij deze ceremonies een beklemmende atmosfeer.

Telika maakte ook een eind aan de voorstelling dat de geweldige Egyptische piramiden met gruwelijke daden ten opzichte van de arbeiders opgericht zouden zijn. Zoals uit de trancteksten blijkt, kenden de Egyptenaren verschillende hefsystemen waarmee mathematici en bouwarbeiders hand in hand de tonnenzware steenblokken tot aan de top van de meer dan honderd meter hoge bouwwerken konden transporteren. Er waren geen grootse machines voor nodig, alleen maar een zeer nauwkeurige berekening van het evenwicht tussen hefbomen en gewichten. Telika zegt: 'Onze wijze mannen in Egypte bezaten kennis die voor jullie wereld van onschatbare waarde zou zijn, als jullie die weer zouden kunnen bemachtigen.'

Telika vertelt dat de oude Egyptenaren elektriciteit wonnen uit de lucht. Het werd echter niet als verlichting gebruikt, daarvoor hadden ze chemicaliën 'met eenzelfde werking als de tegenwoordige wandlampen'. Op 30 mei 1936 vertelt Telika-Ventiu door de mond van Mevrouw Ivy B.:

Ik wilde dat ik u iets kon vertellen over de hogere levensvormen waarmee wij aan de andere zijde contact hebben. Het is voor mij zo moeilijk om die te beschrijven. We hebben van andere wezens vreemde dingen ervaren, maar het is voor ons net zo moeilijk met hen contact op te nemen als met u. En toch kan de ziel van een gestorvene gemakkelijker die van een andere overledene benaderen dan u op aarde. Uw waardeschatting is zo foutief. De aarde is zo'n laag ontwikkelde planeet in vergelijking met de meeste andere. Het kunnen en de ontwikkeling van alle levenden staat in vergelijking met deze hogere wezens op een relatief laag peil. De staat waarin u leeft, is als een dauwdruppel in een geweldige oceaan. Zelfs wij zijn niet veel hoger ontwikkeld. U spreekt van onze prestaties en ons kunnen. Ik ben niets en ik weet – afgezien van mijn bescheiden kennis – niets. Soms, als ik me in die toestand bevind die u meditatie noemt, dan is het alsof mijn lichaam door een blauwe lichtstraal van een andere wereld doordrongen wordt. En dat brengt mogelijkheden tot schoonheid aan de dag, kracht en verlichting die iemand verblinden. De beschermers van mijn leven hier zeggen dat dit stralen van het hogere bewustzijn zijn, waarin ik zal opgaan, als ik lang genoeg het contact met al het aardse verloren heb. De mensheid kan het met haar beperkte intelligentie niet verdragen dat ze nooit in staat zal zijn de onuitputtelijke hulpmiddelen van het universum te begrijpen.

Het was moord

Dr. Frederie Wood kon zijn medium in jarenlange experimenten een historisch feit ontfutselen dat voor ons erg belangrijk is. Het feit namelijk dat Telika door moord om het leven gekomen is. De Amon-priesters die onzeker werden door het wantrouwen dat de Babylonische tegen hen had, smeedden een complot tegen de vrouw van de farao met het doel haar om het leven te brengen.

De gelegenheid kregen ze toen Telika met Vola, een meisje dat ze geadopteerd had, een boottocht op de Nijl ging maken. Gehuurde moordenaars kwamen met een boot op de beide vrouwen af en lieten hun boot kantelen. Telika en Vola verdronken. Hun lijken werden nooit gevonden.

Frederic Wood zegt hierover: 'Na Telika's dood verwijderden reactionaire krachten haar naam uit alle inscripties en oorkonden. Dat was in die tijd blijkbaar de gewoonte. De historici schreven op die manier Teje de invloed toe die Telika eigenlijk bezeten had.'[177]

Telika ging zelfs zover een bewijs voor haar uitspraken aan te kondigen. De bijvrouw van de farao had een vertrouweling, de hoofdman Rama. Hij ontmaskerde het complot van de priesters, maar haar dood kon hij niet meer wreken omdat hij zelf op een veldtocht sneuvelde. Rama moest als oorlogsheld blijkbaar met alle eer begraven worden. De priesters die hem haatten, weigerden hem echter alle gebruikelijke grafgiften hetgeen met het oog op het verder leven van de Ka hetzelfde betekende als de eeuwige dood.

Het tot nu toe onbekende graf van Rama zal echter, aldus Telika, op een dag ontdekt worden. En wel door afglijdend zand en steenmassa's op een berghelling in Boven-Egypte. In de sarcofaag met de mummie van Rama zal een geschrift gevonden worden dat een schrijver daar heimelijk heeft verborgen. Die papyrus bevat gedetailleerde gegevens over het leven en sterven van Telika.

De deelnemers aan deze moderne experimenten zijn allen helaas reeds overleden. Mevrouw Ivy overleed in 1961, dr. Wood in 1963. Maar de tijdens de experimenten opgenomen grammofoonplaten staan de onderzoekers nog steeds ter beschikking. Er bestaan zelfs twee verschillende opnamen.

De grammofoonopname van het eerste experiment had namelijk in wetenschappelijke kringen zo'n ophef veroorzaakt dat dr. Nandor Fodor, de directeur van het 'Psychic Research Institute', dr. Wood vroeg om nog een experiment met mevrouw Ivy te doen. Ook dit experiment moest worden opgenomen, maar dan in aanwezigheid van meer geleerden.

Over deze tweede opname vertelt Frederic Wood in detail.[177] Het experiment stond onder leiding van de leider van het instituut dr. Fodor. Het gebeurde omstreeks tien uur 's ochtends in de zaal van de bibliotheek, waar een lange tafel met een microfoon erop stond. Twee studiotechnici van W. Day Ltd. bevonden zich in een aangrenzende kamer. Nadat Ivy B. en Wood aan de tafel hadden plaatsgenomen, vroeg Wood om een notitieblok voor het geval dat Ivy tijdens het experiment zou beginnen te schrijven. Toen zaten Wood en Ivy een paar minuten zwijgend tegenover elkaar. Er waren geen bezwerende handbewegingen en geen hypnotiserende blikken. Wat hier gebeurde was meer met een inspannend denkproces te vergelijken. Plotseling boog dr. Wood zich over naar de microfoon en zei zacht: 'Klaar.'

Dat was het teken voor de studiotechnici om met de opname te beginnen. Dr. Wood schildert wat er toen gebeurde als volgt:

Een paar tellen later zuchtte 'Rosemary' heel diep – dat kan men op de plaat ook duidelijk horen – en de xenoglossie begon in langzame, onsamenhangende zinnen. Ik heb die zinsdelen genummerd naar de volgorde, waarop ze ook op de plaat te horen zijn, met de pauzes erbij. In sommige gevallen is de zin van het geheel begrijpe-

247

lijk, maar soms gaat het ene deel van de zin over in een volgende of een daaropvolgende.

Het protocol van dr. Wood

Om duidelijk te maken hoe gecompliceerd en moeilijk de aanteke-ningen en vertaling van de door Ivy uitgestoten Oudegyptische gelui-den waren, geven we het volgende protocol van dr. Wood hier weer dat deze van de opname van de tweede grammofoonplaat heeft ge-maakt.

De in de tekst aangesproken tegenstander en criticus is blijkbaar de Egyptoloog uit Oxford, professor Gunn, die zijn leven lang beweer-de dat de door Ivy B. in haar trance uitgesproken klanken niets met het vergeten Oudegyptisch te maken hadden. Het bewijs voor zijn bewering kon hij echter niet leveren. Hier is het fonetisch schrift van de eerste kant van de plaat:

1135. 'a(r) nada di hev-en...	... We komen om op te nemen...
1136. ... di geem a(r) oo ent...	... de taal. Het is een bewijs...
1137. ... sa dan: oo neda...	... om het oor tevreden te stellen... Het zal aantonen...
1138. ... di(h) eem...	... en vasthouden, (dat)...
1139. ... vee-st a seeleta...	... hij werkelijk een boodschap bevat...
1140. ... Naheemahoon...	... Zeker...
1141. ... teeveen di (h) eiran...	... het werd reeds eerder ge-daan...
1142. ... a(r) nous...	... door een ding van metaal (grammofoon)...
1143. ... See ven dihoona...	... Dat kwam, om te verlichten...
1144. ... donse...	... het moeilijke...
1145. ... Vee nees ta dow dan...	... om het gesprokene ten gehore te brengen...
1146. ... oo vekee eena!...	... het heeft nog niet doorgezet!...
1147. ... Da zeet!	... Zo is het!...

1148. ... Da zeet oo nedan!... ... Zo is het, inderdaad!...

1149. ... Vrong vee-st... ... De macht maakt het mogelijk...

1150. ... istia, tiya nooda!... ... maar het is verloren!...

1151. ... Di zeem!... ... Help me!...

1152. ... Kon testa!... ... Maak deze zin af!...

1153. ... Doo-a (h)efan eem... ... Deze in de geestenwereld...

1154. ... aranta... ... in zo verre...

1155. ... asee gow dan:... ... zij begrepen hebben wat aan
hun oor ontbreekt...

1156. ... di e feran heem... ... geeft mij de mogelijkheid...

1157. ... oos ta... ... dat te verbeteren...

1158. ... Aranta di hev-en ... ... Wanneer u dat ziet, komen
wij...

1159. ... deeza khed-en oont!... ... en uiten onze teleurstelling!...

1160. ... Aranta... ... Wanneer u dat ziet...

1161. ... oo vekee quonta di s ... moet dit ongeluk uit de weg
ta... geruimd worden, ik geef
deze...

1162. ... a neda... ... verklaring af...

1163. ... ar-af an eftee... ... Overlegt u thans:...

1164. ... a zoodan di heenti... ... Keurt u goed en veroor-
looft...

1165. ... vee nee zeest... ... en ondersteunt wat geschreven werd...

1166. ... a noon ta... ... dit keer...

1167. ... Asee (h) efan ef... ... Dit alles is daarom uitgekozen...

1168. ... a(r) gua-anta. Di ... Weerstand te verijdelen.
testa!... Geeft uw toestemming...

1169. ... Vee nee zoo!... ... Bewijst dat...

1170. ... Vee nee zoo!... ... Bewijst dat...

1171. ... Di zeem!... ... Help me...

1172. ... Di testa, (h)aroonta ... Geeft een bindende verkla-
ef... ring af...

1173. ... Seena (h)esta!... ... Vergeet wat doorgegeven is...

1174. ... Arq antee tema!...	... Houdt er mee op...
1175. ... a dong!...	... Reik de hand!...
1176. ... Zeen eftee!...	... Kijk toch de beoordeling na...
1177. ... oo (h)efan veet...	... Die moet vernietigen...
1178. ... goon zama...	... de zwakke punten en ver-hinderen...
1179. ... a vra-ntee...	... dat verder gaat...
1180. ... vee f neda...	... de verklaring...
1181. ... Zena (h)eiran nee f...	... Laat hem dat horen...
1182. ... oo zen-tee oo eiran.'	... het kan tonen, wat er ge-schiedde.'

Dr. Wood en dr. Hulme hebben zich met deze experimenten zonder twijfel op een wetenschappelijk grensgebied gewaagd. De archeologie, die reeds door de oude Grieken werd beoefend, is tegenwoordig echter – ondanks de modernste onderzoekmethoden – nog nauwelijks in staat om de horizon van het verleden te verruimen. Wanneer er een kans bestaat om problemen als de vloek van de farao's volledig te verklaren, dan zouden archeologen en historici bereid moeten zijn over hun eigen schaduwen heen te springen en ook op een onconventionele onderzoekmethode terug te grijpen.

Stamboom van de 18e Dynastie (1570-1345 v.Chr.)

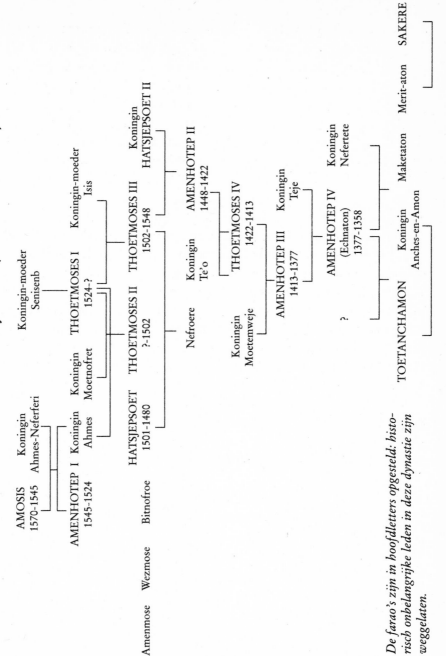

De farao's zijn in hoofdletters opgesteld: historisch onbelangrijke leden in deze dynastie zijn weggelaten.

Tijdtafel

HET OUDE RIJK (2850-2050 v.Chr.)

1e en 2e dynastie:	koningsgraven bij Abidos koning Menes	2850-2700 v.Chr.
3e dynastie:	trappiramide van Koning Zoser in Sakkara	2700-2600 v.Chr.
4e dynastie:	piramides van Gizeh, Cheops, Chefren, Mycerinos	2600-2500 v.Chr.
5e dynastie:	piramides van Aboesir, Sahoe-re, Neferirka-re Nioeser-re	2500-2350 v.Chr.
6e dynastie:	piramides van Sakkara, Teti, Phiops I, Phiops 11	2350-2200 v.Chr.
7e tot 10e dynastie:	de Heracleopolieten	2200-2050 v.Chr.

HET MIDDENRIJK (2050-1610 v.Chr.)

11e dynastie:	Mentoehotep van Thebe	2050-1991 v.Chr.
12e dynastie:	Amenemhet I – IV en Sesostris I – III	1991-1792 v.Chr.
13e dynastie:	verval van het rijk	1778-1700 v.Chr.
14e tot 16e dynastie:	inval van de Hyksos	1700-1610 v.Chr.

HET NIEUWE RIJK (1610-712 v.Chr.)

17e dynastie:	verdrijving van de Hyksos,	
	Sekenjen-re, Kemose	1610-1570 v.Chr.
18e dynastie:	Amosis	1570-1545 v.Chr.
	Amenhotep I	1545-1524 v.Chr.
	Thoetmoses I en II	1524-1502 v.Chr.
	Hatsjepsoet	1501-1480 v.Chr.
	Thoetmoses III	1502-1448 v.Chr.
	Amenhotep II	1448-1422 v.Chr.
	Thoetmoses IV	1422-1413 v.Chr.
	Amenhotep III	1413-1377 v- Chr.
	Amenhotep IV (Echnaton)	1377-1358 v.Chr.
	Toetanchamon	1358-1349 v.Chr.
	Eje	1349-1345 v.Chr.
19e en 20e dynastie:	de Ramsessieden	
	Horemheb, Ramses I – IX	1345-1085 v.Chr.
	Seti I en II	
21e tot 24e dynastie:	koningen van Tanis, afsplit-	
	sing van Nubië, Lybische	
	koningen, Sjosjenk I	1085- 712 v.Chr.

DE LATERE TIJD (712-332 v.Chr.)

25e dynastie:	Ethiopische overheersing	712- 663 v.Chr.
26e dynastie:	Psammetichus	
	Cambyses van Perzië	
	verovert Egypte	663- 525 v.Chr.
27e dynastie:	Perzische overheersing	525- 332 v.Chr.
28e tot 30e dynastie:	koningen van Sais,	
	Mendes, Sebennytos	404- 341 v.Chr.
	Alexander de Grote	332 v.Chr.

Bronnen

1 Andreas, Peter, *Was niemand glauben will. Abenteuer im Reich der Parapsychologie,* Berlijn 1967.
2 Ankel, Cornelius und Gundlach, Rolf, *Archäologische Datenverarbeitung,* Berlijn 1969.

3 Bächthold-Stäubli, Bechthold, *Handwörterbuch des deutschen Aberglaubens,* Berlijn 1927.
4 Bäumler, Ernst, *Das maßlose Molekül. Bilanz der internationalen Krebsforschung,* Düsseldorf o.J.
5 Barta, Winfried, *Aufbau und Bedeutung der altägyptischen Opferformel,* Glückstadt 1968.
6 –, *Das Gespräch eines Mannes mit seinem Ba,* Berlijn 1969.
7 Beckerath, Jürgen von, *Geschichte des Alten Ägypten,* München 1971.
8 Bellorini, Egidio, *G.B. Belzoni,* Turijn 1930.
9 Belzoni, G.B., *Narrative of the Operations and Recent Discoveries in Egypt and Nubia,* Londen 1820.
10 Bender, Hans, *Parapsychologie – Ihre Ergebnisse und Probleme,* Bremen 1954.
11 –, *Parapsychologie. Entwicklung, Ergebnisse, Probleme,* Darmstadt 1966.
12 Bindel, Ernst, *Ägyptische Pyramiden,* Stuttgart 1957.
13 Boessneck, Joachim, *Archäologisch-Biologische Zusammenarbeit,* Wiesbaden 1969.
14 Böttcher, Helmuth, *Wunderdrogen,* Keulen 1959.
15 Borchardt, Ludwig, *Gegen die Zahlenmysik an der Großen Pyramide bei Gise,* Berlijn 1922.

16 –, *Die Pyramiden*, Berlijn 1911.

17 *Beiträge zur ägyptischen Bauforschung und Altertumskunde*, Caïro 1938.

18 Bozzano, Ernesto, *Übersinnliche Erscheinungen bei Naturvölkern*, Bern 1948.

19 Breasted, J.H., *Ancient Records of Egypt*, Dl. 1-4, Chicago 1906-1907.

20 *Geschichte Ägyptens*, Wenen 1936.

21 Breasted, J.H., *Die Geburt des Gewissens*, Zürich 1950.

22 Breasted, Charles, *Vom Tal der Könige zu den Toren Babylons*, Stuttgart 1950.

23 Brugsch, Heinrich, *Inscriptio Rosettana*, Berlijn 1851.

24 –, *Die Geschichte Ägyptens*, Leipzig 1877.

25 –, *Die Ägyptologie*, Leipzig 1891.

26 –, *Steininschrift und Bibelwort*, Berlijn 1891.

27 Brunton, Paul, *Geheimnisvolles Ägypten*, Zürich 1951.

28 Budge, E.A.W., *Book of the Dead*, Londen 1928.

29 –, *Papyrus of Ani*, Londen 1913.

30 Büscher, Gustav, *Strahlen und Strahlenwunder*, o.O. o.J.

31 Carter, Howard und Carnavon, Earl of, *Five Years Explorations at Thebes. 1907-1911*, Londen 1912.

32 Carter, Howard, *Tut-ench-Amun – ein ägyptisches Königsgrab*, Leipzig 1927.

33 Ceram, C.W., *Götter, Gräber und Gelehrte*, Hamburg 1949.

34 Champollion, Jean-François, *Lettre à M. Dacier, relative à l'alphabet des hiéroglyphes phonétiques*, Parijs 1822.

35 –, *L'Egypte sous les Pharaons*, Parijs 1914.

36 –, *Panteon égyptiën*, Parijs 1823.

37 –, *Monuments de l'Egypte et de la Nubië. Notices descriptives*, Parijs 1889.

38 Charman, F.W., *The Great Pyramide of Gizeh*, Londen 1931.

39 Charroux, Robert, *Phantastische Vergangenheit*, Berlijn 1966.

40 *Verratene Geheimnisse*, Berlijn 1967.

41 *Unbekannt, Geheimnisvoll, Phantastisch. Auf den Spuren des Unerklärlichen*, München/ Zürich 1973.

42 Chatzepetru, Lygere, *Relation between Energy Production and Aerobic Growth*, Amsterdam 1965.

43 Clarence, E.W., *Sympathie, Mumia, Amulette. Okkulte Kräfte der Edelsteine und Metalle*, Berlijn-Pankow 1927.

44 Cottrell, Leo, *Das Geheimnis der Königsgräber*, Baden-Baden 1952.

45 Curtius, Ludwig, *Deutsche und Antike Welt*, Stuttgart 1950.

46 Däniken, Erich von, *Aussaat und Kosmos. Spuren und Pläne außerirdischer Intelligenzen*, Düsseldorf/Wenen 1972.

47 Dawson, W.R., *Mumification in Egypt*, Londen 1929.

48 Desroches-Noblecourt, Christiane, *Tut-ench-Amun. Leben und Tod eines Pharao*, Frankfort/Berlijn 1971.

49 Diepgen, Paul, *Unvollendete. Vom Leben und Wirken früh verstorbener Forscher und Ärzte aus anderthalb Jahrhunderten*, Stuttgart 1960.

50 Disher, M.W., *Pharao's Fool*, Londen 1957.

51 Dogigli, Giovanni, *Strahlende Materie*, Stuttgart 1947.

52 Duke, Mark, *Akupunktur. Chinas heilende Nadeln*, Berlijn/-München/Wenen 1973.

53 Ebers, Georg, *Richard Lepsius. Lebensbild*, Leipzig 1885.

54 Ebstein, Wilhelm, *Die Medizin im Alten Testament*, Stuttgart 1901.

55 Eddington Arthur, *Das Weltbild der Physik*, Braunschweig 1931.

56 –, *Philosophie der Naturwissenschaft*, Bern 1949.

57 Erman, Adolf, *Zaubersprüche für Mutter und Kind*, Berlijn 1901.

58 –, *Die ägyptische Religion*, Berlijn 1905.

59 –, *Hymnen an das Diadem*, Berlijn 1911.

60 –, *Die Hieroglyphen*, Berlijn 1912.

61 –, *Die Literatur der Ägypter*, Leipzig 1923.

62 –, *Mein Werden und Wirken*, Leipzig 1929.

63 –, *Die Religion der Ägypter*, Berlijn en Leipzig 1934.

64 Esser, Alfred, *Geheimnisvolle Kräfte*, Keulen en Krefeld 1949.

65 Ettinger, Robert, *Die Aussicht auf Unsterblichkeit*, o.O. 1964.

66 Felinau, Pelz von, *Titanic,* Frankfurt 1954.
67 Freudenthal, Hans, *Wahrscheinlichkeit und Statistik,* München 1968.
68 Friedell, Egon, *Kulturgeschichte Ägyptens und des Orients,* München 1951.

69 Gamow, George, *Thirty Years That Shook Physics,* New York 1966.
70 Gardner, Martin, *Das gespiegelte Universum. Link, rechts – und der Sturz der Parität,* Braunschweig 1967.
71 Garnier, C.J., *The Great Pyramid: lts Builder and Its Prophecy,* Londen 1912.
72 Garry, T.G., *Egypt, the Home of the Occult Sciences,* Londen 1931.
73 Gauquelin, Michel, *Die Uhren des Kosmos gehen anders,* Bern/-München/Wenen 1973.
74 Grapow, Hermann, *Todtenbuch,* Leipzig 1915.
75 –, *Ägyptisches Handwörterbuch,* Berlijn 1921.
76 –, *Die ägyptischen medizinischen Papyri,* München 1935.
77 –, *Untersuchungen über die ägyptischen Papyri,* Leipzig 1935.
78 –, *Über die anatomischen Kenntnisse der altägyptischen Ärzte,* Leipzig 1935.
79 –, *Grundriß der Medizin der alten Ägypter,* Berlijn 1954.
80 Grapow, Hermann, *Wie die alten Ägypter sich anredeten, wie sie sich grüßten und sprachen,* Berlijn 1960.
81 Grapow/Deines, *Wörterbuch der ägyptischen Drogennamen,* Berlijn 1959.
82 Gsell, A., *Eisen, Kupfer und Bronze bei den alten Ägyptern,* Karlsruhe 1910.

83 Hahn, Herbert, *Der Lebenslauf als Kunstwerk. Rhythmen, Leitmotive, Gesetze in gegenübergestellten Biographien,* Stuttgart 1966.
84 Harris, J.R., *Lexicographical Studies Minerals,* Berlijn 1961.
85 Harris, J.E. en Weeks, K.R., *X-Raying the Pharaos,* New York 1972.

86 Hartel, Klaus D., *Rauschgift-Lexikon*, München 1971.

87 Hartleben, Hermine, *Champollion*, Berlijn 1906.

88 Hedvall, J. A., *Chemie im Dienste der Archäologie*, Gotenburg 1962.

89 Hein, Heinrich, *Das Geheimnis der großen Pyramide*, Zeitz 1921.

90 Hulme, H.J.H., *Ancient Egypts Speaks*, Londen 1937.

91 Hurry, J.B., *Imhotep*, Oxford 1928.

92 Jaeckel, K.H., *An den Grenzen menslicher Fassungskraft*, München 1955.

93 Jeans, James, *Der Weltenraum und seine Rätsel*, Stuttgart/Berlijn 1951.

94 Joachim, H., *Papyros Ebers. Das älteste Buch über Heilkunde*, Berlijn 1890.

95 Jung, C.G., 'Die Dynamik des Unbewußten', in *Gesammelte Werke* Dl. 8, Freiburg/Br. 1971.

96 –, und Pauli, Wolfgang, *Naturerklärung und Psyche*, Zürich 1952.

97 Kammerer, Paul, *Das Gesetz der Serie. Eine Lehre von den Wiederholungen im Lebens- und im Weltgeschehen*, Stuttgart/Berlijn 1919.

98 Karger-Decker, Bernt, *Gifte, Hexensalben, Liebestränke*, Leipzig 1967.

99 Kingsland, William, *The Great Pyramid in Fact and in Theory*, Londen 1932.

100 Kissener, Hermann, *Die Logik der Großen Pyramide*, München 1965 .

101 Koestler, Arthur, *Die Wurzeln des Zufalls*, Bern/München/Wenen 1972.

102 Krasilnikov, N., *Diagnostik der Bakterien und Aktinomyceten* Jena 1959.

103 Kubitschek, Wilhelm, *Grundriß der antiken Zeitrechnung*, München 1928.

104 Lakhovsky, Georges, *Das Geheimnis des Lebens*, München 1931.

105 Landone, Brown, *Die mystischen Meister*, München 1958.

106 Langelaan, George, *Die unheimlichen Wirklichkeiten. Signale aus dem Unerforschten,* Bern/München/Wenen 1969.

107 Lauer, Jean-Philippe, *Le Problème des Pyramides,* Paris 1948.

108 –, *Observations sur les Pyramides,* Caïro 1960.

109 Lepsius, Richard, *Auswahl der wichtigsten Urkunden des ägyptischen Altertums,* Leipzig 1842.

110 –, *Folgerungen aus Mariette's Mittheilungen für die Chronologie der 26 manethonischen Dynastie und die Eroberung Ägyptens durch Cambyses,* Berlijn 1854.

111 –, *Über die manethonische Bestimmung des Umfangs der ägyptischen Geschichte,* Berlijn 1857.

112 –, *Die altägyptische Elle und ihre Einteilung,* Berlijn 1865.

113 –, *'Die ägyptischen Längenmaße' von Dörpfeld, beleuchtet von R. Lepsius,* Berlijn 1883.

114 Lewin, Louis, *Die Gifte in der Weltgeschichte,* Berlijn 1920.

115 –, *Die Pfeilgifte,* Berlijn 1923.

116 –, *Gottesurteile durch Gifte und andere Verfahren,* Berlijn 1929.

117 Lüddeckens, Erich, *Untersuchungen der ägyptischen Totenklagen,* Berlijn 1943.

118 Lüring, H. L. E., *Die über die medicinischen Kenntnisse der alten Ägypter berichtenden Papyri etc.,* Leipzig 1888.

119 Macnaughton, Duncan, *A Scheme of Egyptian Chronology,* Londen 1932.

120 Mally, Ernst, *Wahrscheinlichkeit und Gesetz,* Berlijn 1938.

121 Marbe, Karl, *Die gleichförmigkeit in der Welt,* München 1916.

122 Martensen-Larsen, Hans, *An der Pforte des Todes,* Hamburg 1955.

123 Martiny, M., *Schlangen- und Insektengifte, Berlijn* 1939.

124 Maspero, Gaston, *The Tombs of Harmhabi and Touatankhamanou,* Londen 1912.

125 Meissner, Gertrud, *Mykobakterien,* Jena 1967.

126 Montgomery, Ruth, *Ich sehe die Zukunft. Die Voraussagen der Jeane Dixon,* Hamburg 1965.

127 Moodie, R.L., *Röntgenologic Studies,* Chicago 1931.

128 Moreux, Abbé, *La Science Mysterieuse,* Parijs 1917.

129 Morton, H.V., *Through Lands of the Bible*, New York 1956.
130 Moufang, Wilhelm, *Magier, Mächte und Mysterien, Handbuch übersinnlicher Vorgänge und deren Deutung*, Heidelberg 1954.
131 Näbauer, Martin, *Terrestrische Strahlenbrechung*, München 1929.
132 Naville, Edouard, *Das ägyptische Todtenbuch der XVIII bis XX Dynastie*, Berlijn 1886.
133 Neubert, Otto, *Tut-ench-Amun. Gott in goldenen Särgen*, Wenen 1956.
134 Noltenius, Friedrich, *Rauw, Strahlung, Materie*, Leipzig 1935.

135 Ostrander, Sheila en Schroeder, Lynn, *PSI. Die wissenschaftliche Erforschung und praktische Nutzung übersinnlicher Kräfte des Geistes und der Seele*, Bern/München/Wenen 1971.

136 Paul, Carl, *Die geheimnisvollen Kräfte im Menschen*, Neurenberg 1930.
137 Pauwels, Louis en Bergier, Jacques, *Aufbruch ins dritte Jahrtausend. Von der Zukunft der phantastischen Vernunft*, Bern/München/Wenen 1962.
138 Peet, T.R., *Egypt and the old Testament*, Liverpool 1922.
139 –, *The Rhind Mathematical Papyrus*, Londen 1923.
140 Petrie, W. M.F., *Ten Years' digging in Egypt. 1881-1891*, Londen 1892.
141 –, *Medum*, Londen 1892.
142 –, *Methods and Aims in Archaeology* Londen 1904.
143 –, *A History of Egypt*, Londen 1912.
144 Prechtl, Robert, *Untergang der Titanic*, München 1953.
145 Proctor, R.A., *The Great Pyramid*, Londen o.J.

146 Ranke, Hermann, *Ägypten und ägyptisches Leben im Altertum*, Tübingen 1923.
147 Rhine, J.B., *Die Reichweite des menschlichen Geistes*, Stuttgart 1950.
148 –, und Prat, J.G., *Parapsychologie. Grenzwissenschaft der Psyche*, Bern/München/Wenen 1962.
149 Rutherford, Adam, *Pyramidologie*, Dunstable 1961.

150 Schäfer, Heinrich, *Von ägyptischer Kunst,* Wiesbaden[4] 1963.

151 Schmid, Frenzolf, *Die Ur-Strahlen,* München 1928.

152 Schopenhauer, Arthur, *Über die anscheinende Absichtlichkeit im Schicksale des Einzelnen,* Leipzig o.J.

153 Schulze, Rudolf, *Strahlenklima der Erde,* Darmstadt 1970.

154 Schweinfurth, Georg, *Afrikanisches Skizzenbuch. Verschollene merkwürdigkeiten,* Berlijn 1925.

155 Sethe, Kurt, *Von Zahlen und Zahlworten bei den alten Ägyptern,* Straatsburg 1916.

156 Sethe, Kurt, *Amun und die acht Urgötter von Hermopolis,* Berlijn 1929.

157 –, *Urgeschichte und älteste Religion der Ägypter,* Leipzig 1930.

158 –, *Übersetzung und Kommentar zu den altägyptischen Pyramidentexten,* Glückstadt 1935-1939.

159 Settgast, Jürgen, *Bestattungsdarstellungen Ägyptens,* Glückstadt 1963.

160 Sinnett, A.P., *The Mahatma Letters,* Paris o.J.

161 Spiegel, Joachim, *Das Auferstehungsritual der Unas-Pyramide,* Wiesbaden 1971.

162 Spiegelberg, Wilhelm, *Der ägyptische Mythos vom Sonnenauge,* Straatsburg 19 17.

163 Steindorff, Georg, *Die ägyptischen Gaue und ihre politische Entwicklung,* Leipzig 1909.

164 –, *Die Blütezeit des Pharaonenreiches,* Leipzig 1926.

165 –, *Ägypten vor Tut-ench-Amun,* Leipzig 1927.

166 –, *Die thebanische Gräberwelt,* Glückstadt 1936.

167 Steuer, R.O., *Myrrhe und Stakte,* Wenen 1933.

168 –, *Über das wohlriechende Natron bei den alten Ägyptern,* Leiden 1937.

169 Waerden, B. van der, *Die Anfänge der Astronomie,* Groningen 1966.

170 Weaver, Warren, *Die Glücksgöttin. Der Zufall und die Gesetze der Wahrscheinlichkeit,* München 1964.

171 Weigall, Arthur, *A History of the Pharaohs,* Londen 1925.

172 White, S.E., *Uneingeschränktes Weltall.* Mit einem Vorwort von C.G. Jung, Zürich 1948.

173 Wiedemann, Alfred, *Der Tierkult der allen Ägypter*, Leipzig 1912.

174 Wildung, Dietrich, *Die Rolle ägyptischer Könige*, München 1967.

175 Wittenzellner, Rudolf, *Strahlenbelastung des Menschen*, München 1960.

176 Wolf, Walther, 'Vorläufer der Reformation Echnatons', in *Zeitschrift für ägyptische Sprache und Altertumskunde*, Dl. 59, Leipzig 1924.

177 Wood, F.H., *This Egyptian Miracle*, Londen 1955.

178 Wreszynski, Walter, *Der Papyrus Ebers*, Leipzig 1913.

179 –, *Der Londoner Medizinische Papyrus*, Leipzig 1912.

180 –, *Der Große Medizinische Papyrus*, Leipzig 1909.

181 Wüst, Joseph, 'Einige physikalische und chemische Gesichtspunkte zur Frage der Häufung von Blitzeinschlägen, Staubexplosionen und Selbstentzündungen über Reizstreifenkreuzungen', in *Zeitschrift für Wünschelrutenforschung* Nr. 10/11, 1939.

182 Wüst, Joseph, 'Neue Untersuchungen über biologische Wirkungen der sog. "Erdstrahlen",' in *Grenzgebiete der Medizin*, Heft 5, 1949.

183 –, 'Pulsierende elektrische Ströme im biologischen Geschehen und ihre Beziehung zum Wünschelrutenproblem', in *Zeitschrift für Wünschelrutenforschung* Nr. 7, 1939.

184 –, 'Beobachtungen über Schwankungen des magnetischen Feldstärkeunterschiedes bei einem Reizstreifen', in *Zeitschrift für Wünschelrutenforschung* Nr. 11/12, 1941.

185 –, 'Einige Bemerkungen zur Abhandlung von Volker Fritsch: Zur Frage neuartiger geophysikalischer Strahlungen', in *Zeitschrift für Wünschelrutenforschung* Nr. 9/10, 1940.

186 Wüst, Joseph und Wimmer, Joseph, 'Über neuartige Schwingungen der Wellenlänge 1-70 cm in der Umgebung anorganischer und organischer Substanzen sowie biologischer Objekte', in *Wilhelm Roux' Archiv für Entwicklungs mechanik der Organismen*, Berlijn 1934.

187 Zinzius, Josef, *Die Antibiotika und ihre Schattenseiten*, Stuttgart 1954.

Register

PHILIPP VANDENBERG

Het graf van Campo Santo

*Een raadselachtig sterfgeval voert een jonge foto-
graaf naar het hart van de 'Heilige maffia'...*

De mysterieuze dood van zijn moeder, een aanslag
op zijn leven en andere onverklaarbare gebeurtenissen in zijn leven zetten fotojournalist Alexander
Brodka ertoe aan om een onderzoek te starten naar
zijn eigen verleden.

Als hij terugkeert naar München om de nalaten-
schap van zijn moeder te regelen, komt hij tot de
ontdekking dat zij, met hulp van een hoge geestelijke, een vermogen heeft vergaard en het geheim
daarachter met zich mee het graf in genomen heeft.

De speurtocht die Alexander met zijn geliefde
onderneemt, voert uiteindelijk naar het hart van de
'Heilige maffia'...

ISBN 978 90 6112 276 0

Philipp Vandenberg

Het perkament van Montecassino

Het jaar 1400. Het weesmeisje Afra wordt door haar meester verkracht en brengt in het diepste geheim een kind ter wereld. En als haar wrede meester haar een jaar later opnieuw dreigt aan te randen, besluit ze te vluchten, voordat zij als heks terecht wordt gesteld. Slechts een paar bezittingen neemt ze mee, waaronder haar meest kostbare: een perkament dat zij van haar vader heeft gekregen met de mededeling dat het ooit van levensbelang zal zijn.

Zes jaar later. Afra woont in Ulm en is uitgegroeid tot een beeldschone vrouw, die het eten bereidt voor de ambachtslieden die werken aan de grote kathedraal. Het onvermijdelijke gebeurt: de vonk springt over tussen Afra en de veel oudere, getrouwde bouwmeester Ulrich von Ensingen. Gaandeweg maken zij van hun liefdesrelatie geen geheim meer, totdat de vrouw van Ulrich onder mysterieuze omstandigheden de dood vindt en hij als dader wordt aangewezen. En weer dreigt Afra als heks geëxecuteerd te worden.

Tijd om het perkament in te schakelen. Maar... het blad is leeg. Met hulp van een alchemist slagen de radeloze geliefden erin een Latijnse tekst zichtbaar te maken, die betrekking heeft op de *Constitutum Constantini*, een document dat de grondslag vormt voor de oneindige rijkdom van de Kerk.

En dan begrijpen Afra en Ulrich wat voor ongelooflijk explosief document hen in handen is gevallen...

ISBN 978 90 6112 255 5

Lees ook van Karakter Uitgevers B.V.

PHILIPP VANDENBERG

Het Sixtijnse geheim

'En de geheimzinnige inscriptie?' vroeg Jellinek nieuwsgierig.
Fedrizzi, de restaurateur, antwoordde: 'De inscriptie moet vanaf het
begin al gepland zijn, alleen al om technische redenen, vanwege de
verdeling van de letters over de gehele lengte. En zoals ik elders al
toegelicht heb, kunnen we er ook zeker van zijn dat de inscriptie geen
latere toevoeging is aangezien de gebruikte verf dezelfde samen-
stelling heeft als die van de fresco's.'
Jellinek staarde getroffen naar de grond. 'Dus Michelangelo was
vanaf het begin al van plan een geheim aan de Sixtijnse kapel toe te
vertrouwen. Ik bedoel, de inscriptie is niet ontstaan door een
plotselinge woede-uitbarsting of een toevallige stemming.'
'Nee,' antwoordde Fedrizzi, 'mijn bevindingen bewijzen juist het
tegendeel.'

Een merkwaardige ontdekking bij de restauratie van de
Sixtijnse kapel verontrust de gemoederen: een aantal
afbeeldingen is van lettercodes voorzien, waarvan in eerste
instantie de betekenis onduidelijk is. Maar al gauw lijken ze te
verwijzen naar een oeroude samenzwering, die zijn schaduw
zelfs nog over het heden werpt.
Tijdens zijn speurtocht naar een verklaring stuit kardinaal
Jellinek in de geheime archieven van het Vaticaan op een
document met een vernietigend geheim dat de leer van de
katholieke kerk op zijn grondvesten doet trillen. Hebben we
hier te maken met een late wraakoefening van Michelangelo
ten opzichte van Gods vertegenwoordiger op aarde?

ISBN 978 90 6112 363 7